UTB **2583**

Eine Arbeitsgemeinschaft der Verlage

Beltz Verlag Weinheim · Basel
Böhlau Verlag Köln · Weimar · Wien
Wilhelm Fink Verlag München
A. Francke Verlag Tübingen und Basel
Haupt Verlag Bern · Stuttgart · Wien
Verlag Leske + Budrich Opladen
Lucius & Lucius Verlagsgesellschaft Stuttgart
Mohr Siebeck Tübingen
C. F. Müller Verlag Heidelberg
Ernst Reinhardt Verlag München und Basel
Ferdinand Schöningh Verlag Paderborn · München · Wien · Zürich
Eugen Ulmer Verlag Stuttgart
UVK Verlagsgesellschaft Konstanz
Vandenhoeck & Ruprecht Göttingen
Verlag Recht und Wirtschaft Heidelberg
WUV Facultas Wien

Biblia: das ist:

Die gantze Heilige Schrifft: Deudsch

Auffs New zugericht.

D. Mart. Luth.

Begnadet mit Kur=
fürstlicher zu Sachsen Freiheit.

Gedruckt zu Wittem-
berg / Durch Hans Lufft.

M. D. XLI.

PETER ERNST

Deutsche Sprach- geschichte

Eine Einführung in die diachrone
Sprachwissenschaft des Deutschen

UTB basics

WUV

Peter Ernst ist Professor am
Institut für Germanistik der Universität Wien.

Bibliografische Information Der Deutschen Bibliothek
Die Deutsche Bibliothek verzeichnet diese Publikation
in der Deutschen Nationalbibliografie;
detaillierte bibliografische Daten sind im Internet über
http://dnb.ddb.de abrufbar.

© 2005 Facultas Verlags- und Buchhandels AG
WUV, Berggasse 5, A-1090 Wien
Gestaltung: Atelier Reichert, Stuttgart
Satz: grafzyx.at
Druck: CPI Books
Printed in Germany

ISBN 3-8252-2582-6

Vorwort

Nachdem im Frühjahr 2004 in der Reihe UTB basics meine „Germanistische Sprachwissenschaft" (UTB 2541 M), die den synchronen Zugang der Sprachwissenschaft zum Phänomen Sprache zum Inhalt hat, erschienen ist, wird mit dem vorliegenden Werk die Diachrone Sprachwissenschaft oder Historische Linguistik abgehandelt. Beide Bücher sind als zusammengehörige Einheit konzipiert und ergänzen einander. Es wird dem Leser daher ans Herz gelegt, auch den synchronen Teil zu lesen, insbesondere da dort grundlegende Termini wie *Graphem* und *Phonem*, auf die in der vorliegenden Darstellung referiert wird, sowie ein Leitfaden zur Wissenschaftsgeschichte der Linguistik vorgestellt werden.

Die vorliegende Sprachgeschichte ist in ihrer Anlage traditionell. Das bedeutet, dass nur präsentiert wird, was als allgemeine Lehrmeinung akzeptiert ist. Auf Probleme oder neue Forschungsansätze wird an geeigneten Stellen hingewiesen. Der Text versteht sich, wie schon meine „Germanistische Sprachwissenschaft", als grober Überblick, auf dem die weitere Beschäftigung mit Sprachgeschichte aufgebaut werden kann und soll. Sein Umfang umfasst ziemlich genau jene Stoffmenge, die man in zwei Semestern behandeln kann. Es versteht sich von selbst, dass eine Einführung nicht sämtliche Fakten in einer lückenlosen Darstellung präsentieren kann, sondern dass eine subjektive Auswahl getroffen werden musste, die dem Leser eine erste Vorstellung von der deutschen Sprachgeschichte geben und ihn zur weiteren systematischen Bechäftigung mit dem Thema verleiten soll.

Als durchgehender Vergleichstext wurde das Vaterunser (Mt 6,9–13) gewählt, vor allem, da es durch den Zufall der Geschichte auch im Germanischen belegt ist. Für Hinweise zu den Vaterunser-Texten danke ich Ursula Klingenböck (Wien), Dieter Stellmacher (Göttingen) und Wolfgang Biegemann (Husbyholz). Für zahlreiche Hinweise und kritische Anmerkungen danke ich den Studierenden an den Universitäten Leipzig (Studienjahr 2001), Graz (Wintersemester 2002/2003) und Wien (Studienjahr 2003).

Ich danke meinen Freunden und Kollegen Manfred Glauninger, Karl Hohensinner, Hans Christian Luschützky, Jörg Meier, Ernst Erich Metzner, P. Thomas Petutschnig, Paul Rössler, Christian Stang und Arne Ziegler sowie meinem Lehrer Peter Wiesinger herzlich für die Fachdiskussionen und Korrekturhinweise. Michael

Huter, dem Leiter des Wiener Universitätsverlages, danke ich für die Aufnahme des Buches in sein Programm. Die Zusammenarbeit mit Sabine Kruse, Milena Greif und Lektor Wolfgang Straub kann nur als sehr angenehm und produktiv bezeichnet werden, ebenso jene mit dem Team von grafzyx. Selbstverständlich fallen alle Nachteile des Werks in meine Verantwortung.

Ich widme dieses Buch meinem Sohn Albert.

Wien, im Juli 2004   Peter Ernst

Inhaltsverzeichnis

Schulmeister: *Philosophisch* heißt es, mein Lieber, *philosophisch*! Die Etymologen leiten es von *viele Strohwisch'* ab. Man darf auch nur das letzte *e* in dem *viele* mit einem *o* vertauschen, die Silbe *stroh* wie ein *so* aussprechen, statt des *w* ein *f* lesen, und das Wort *philosophisch* ist höchst unphilosophisch, aber echt philologisch expliziert und deduziert.

CHRISTIAN DIETRICH GRABBE:
„Scherz, Satire, Ironie und tiefere Bedeutung" 1822

Einleitung |1

1.1 | Erscheinungsformen der deutschen Sprache

Die deutsche Sprache in ihrem Sprachsystem (Grammatik) und ihrer Verwendung (Pragmatik) geht auf frühere Formen zurück, die selbst wieder aus früheren Sprachstufen abgeleitet sind und deren Spuren sich in der schriftlosen Urzeit verlieren. Die Erforschung der historischen Zusammenhänge einer oder mehrerer Sprachen unternimmt die Sprachgeschichte oder Diachrone Linguistik.

Erklärung

▶ **Die Sprache eines einzelnen Menschen kann wechseln je nach**
  • **Aufenthaltsort (diatopisch);**
  • **Sozialer Position (diastratisch), die bestimmt wird nach Gruppenzugehörigkeit, Alter, ev. auch Geschlecht;**
  • **Situation (diaphasisch)**
  Diese Kriterien können von der Linguistik unter verschiedenen Aspekten untersucht werden:
  • **synchron: indem man die einzelnen Systeme mit der Schriftsprache als Bezugseinheit vergleicht;**
  • **diachron: indem man die einzelnen Systeme mit den sprachhistorischen Ausgangsbasen vergleicht.**

Diatopisch gesehen ist das Deutsche eine aus historischen Protosystemen entstandene Gruppe von heutigen Mundarten des Hochdeutschen (im Süden) und des Niederdeutschen (im Norden). Strukturell ist das Niederdeutsche eine vollkommen andere Sprache als das Hochdeutsche und mehr mit dem Friesischen und Englischen verwandt. Wenn Hoch- und Niederdeutsch heute als Einheit zusammengefasst werden, so deshalb, weil sich ihre Sprecher als Einheit betrachten, weil sie die hochdeutsche Standardsprache als übergreifende Norm empfinden und weil sich historisch das Hochdeutsche als übergreifende Schriftsprache etabliert hat, also Hoch- und Niederdeutsch „zusammengewachsen" sind.

Das niederdeutsche Vaterunser heute

Unse Vader in'n Heben! Laat hilligt warrn dienen Namen. Laat kamen dien Riek. Laat warrn dienen Willen so as in Heben, so ok op de Eerd. Uns' dääglich Brood giff uns vondaag. Un vergiff uns unse Schuld, as wi de vergeben doot, de an uns schüllig sünd. Un laat uns nich versöcht warrn. Maak du uns frie vun dat Böse. Denn dien is dat Riek un de Kraft un de Herrlichkeit in Ewigkeit. Amen.

Die deutsche Sprache hat heute etwa 100 Millionen Muttersprachler („Primärsprecher") in Deutschland (ca. 75,3 Mio.), Österreich (ca. 7,5 Mio.), Schweiz (ca. 4,2 Mio.), Liechtenstein, Luxemburg, Ostbelgien und Norditalien (Südtirol). Deutschsprachige Minderheiten gibt es in Elsass-Lothringen (Ostfrankreich), Süddänemark und in den Niederlanden, deutsche Sprachinseln verschiedener Größe in Russland, Kasachstan, Kirgisien, Usbekistan, Tadschikistan und Rumänien (die jedoch durch Abwanderung in Auflösung begriffen sind) sowie in Polen, Tschechien, der Slowakei, in Ungarn, in Slowenien, Kroatien und Italien. Zahlreiche Sprecher des Deutschen leben im fremdsprachigen Gebieten, u.a. in den USA, in Südamerika, Afrika und Australien.

Der deutsche Sprachraum in der Gegenwart

| **Abb 1**

Die gewaltsamen Gebietsannexionen und Ostbesiedlungen während des Dritten Reiches wurden nach dem Ende des Zweiten Weltkriegs wieder rückgängig gemacht. Wegen der Ausweisungen der deutschsprechenden Bevölkerung im Sudetenland, in Tschechien und anderen Ostgebieten hatte der deutsche Sprachraum seine größte Ausdehnung vor 1945.

Die Muttersprachenregion des Deutschen ist nicht mit der Amtssprachenregion identisch und darf mit dieser nicht verwechselt werden. Nationale Amtssprache ist Deutsch nur in Deutschland, Österreich, Luxemburg, Liechtenstein und der Schweiz, eine regionale Amtssprache ist es in Südtirol und Ostbelgien.

Diachron (historisch) gesehen ist das Deutsche eine zur Standardsprache entwickelte Form des Hochdeutschen, die überregional als mündliche und schriftliche Sprache verwendet wird und auf einer Form der hochdeutschen Dialekte beruht. Deutsch ist so wenig wie jede andere natürliche Sprache eine homogene Sprache, es ist nicht nur räumlich-geographisch in Dialekte, sondern auch

Abb 2 | *Die deutschen Mundarten*

gesellschaftlich-soziologisch in Varietäten differenziert. Darüber hinaus verfügt jedes Individuum im Allgemeinen über mehrere Varietäten.

Sprachgeschichte, Dialektologie und Namenkunde | 1.1.1

Die Sprachwissenschaft gibt spätestens seit dem Strukturalismus der gesprochenen Sprache den Vorzug gegenüber der geschriebenen Sprachform. Jede natürliche Sprache ist **heterogen** in dem Sinn, dass sie unterschiedliche Ausprägungen (**Varietäten**) aufweist. Diese sind nach räumlicher Ausdehung (in Form von **Dialekten**) oder nach gesellschaftlicher Verwendungsweise (in Form von **Soziolekten**) bestimmt. Wenn man Sprachschichten hierarisch nach öffentlicher Redeweise und räumlicher Ausdehnung ordnet, so erscheinen *Dialekt* und *Hochsprache* als äußerste Extrempunkte auf einer kontinuierlichen Skala. Erst zu den Zeiten JACOB GRIMMS wurde endgültig mit der Vorstellung aufgeräumt, dass die „normale" Sprachform die Schriftsprache sei und die „auf dem Land" gesprochenen

Merksatz

▶ **Man kann die deutsche Sprachgeschichte auch als Suche nach einer deutschen Hochsprache auffassen.**

Sprachformen, die Dialekte, minderwertige und verderbte Formen dieser Hochsprache im Munde „ungebildeter" Sprecher, die dies offenbar nicht besser verstünden (s. dazu S. 179). Heute wissen wir, dass die Dialekte das Ursprünglichere sind und sich erst im Lauf der Sprachgeschichte über diesen Dialekten eine verschriftlichte Hochsprache herausentwickelt hat. Die kodifizierte deutsche Hochsprache gibt es erst seit vergleichsweise sehr kurzer Zeit, nämlich seit dem Beginn des 20. Jahrhunderts.

Erklärung

▶ **Die sprachsoziologische Schichtung von der Basis (Dialekt) bis zur obersten Ebene (Standard- oder Hochsprache) ist verlaufend und zeigt keine klaren Grenzen. Als Abstraktionen werden verschiedene Schichten angenommen, die üblicherweise zwischen zwei und vier schwanken:**
Dichotomie: Dialekt – Hochsprache
Dreiteilung: Dialekt – Umgangssprache – Standardsprache
Vierteilung: Basisdialekt – Verkehrsdialekt – Umgangssprache – Standardsprache

Allerdings ist der Terminus *Hochsprache* zu ungenau: Wir verwenden heute **Schriftsprache** für vergangene Zeiten und **Standardsprache** für die Gegenwart und die unmittelbare Vergangenheit. Die Standardsprache existiert in schriftlichen und mündlichen Formen (vgl. Kap. 7.1.5).

Wenn man für das Deutsche vier Varietäten ansetzt und diese auf eine Skala einträgt, ergibt sich folgendes Bild:

Abb 3 | *Sprachliches Schichtenmodell*

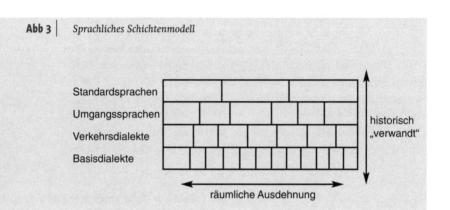

Sprachgeschichte und Dialektologie gehören zusammen wie die „zwei Seiten eines Blatts Papier", denn die deutsche Sprachgeschichte ist zu ihrem weitaus größten Teil die Geschichte von Dialekten. Als dritte Komponente kommt die Namenforschung dazu, denn für die Vor- und Frühzeit haben wir neben archäologischen Funden nur Namen, die jedoch oft sehr viel später und in veränderter Form überliefert sind. So sind auch die Sprachgeschichte, die Dialektologie und die Namenkunde als akademische Disziplinen etwa gleich alt, als ihre Begründer gelten die Zeitgenossen JACOB GRIMM (1785–1863, „Deutsche Grammatik", 1. Band 1. Aufl 1919, „Deutsches Wörterbuch" ab 1854), JOHANN ANDREAS SCHMELLER, (1785–1852) der mit dem „Bayerischen Wörterbuch" von 1827–37 das erste wissenschaftliche Dialektwörterbuch vorlegte, und ERNST WILHELM FÖRSTEMANN (1822–1906), der das erste selbständige Personen- und Ortsnamenbuch schuf („Altdeutsches Namenbuch" 1856–59, „Die deutschen Ortsnamen" 1863).

Tabelle: Unterschiede zwischen Dialekt und Hochsprache		
	Dialekt	Hochsprache
Verwendungsbereich	familiär-intim; örtlich; am Arbeitsplatz; mündlich	öffentlich; überörtlich; mündlich und schriftlich; in Literatur, Kunst, Wissenschaft; bei feierlichen Anlässen; in Gottesdienst und Schule
Sprachbenutzer	untere Schichten: Arbeiter, Bauern, Handwerker, Angestellte; Personen mit geringer Schulbildung	Mittel- und Oberschicht; höhere Beamte und Angestellte, Unternehmer, Angehörige akademischer Berufe; Personen mit hoher Schulbildung
räumliche Erstreckung	orts- und raumgebunden; landschaftsspezifisch	räumlich nicht begrenzt; nicht landschaftsspezifisch
kommunikative Reichweite	begrenzte, minimale Reichweite; geringster Verständigungsradius	unbegrenzte, optimale kommunikative Reichweite; größter Verständigungsradius

Periodisierung

1.1.2

Jeder, der sich mit der historischen Dimension einer Sprache beschäftigt, muss sich früher oder später der Frage nach der Periodisierung stellen. Dieses Problem erweist sich als fundamental, basiert es doch auf der Tatsache, dass jede natürliche Sprache der Veränderung unterliegt. Eine Epocheneinteilung muss sich also mit dem Fundament der Sprachgeschichte, dem Sprachwandel, befassen. Die herrschenden unterschiedlichen Auffassungen, wie die deutsche Sprachgeschichte einzuteilen sei, liegen darin begründet, dass es keine allgemein anerkannten Kriterien zur Periodenfindung gibt. Jeder Periodisierungsversuch muss daher als Vorschlag gesehen werden.

Erklärung

▶ „Unsere sprachlichen Epochen sind also Abstraktionen. Aus einer Fülle von Erscheinungen greifen wir einzelne zur Charakterisierung heraus, die in der zu beschreibenden Periode besonders weit verbreitet sind."

HANS EGGERS 1965

GEORG WENKER und der Deutsche Sprachatlas

Der Marburger Bibliothekar GEORG WENKER (1852–1911) entwickelte als Erster den Plan einer kartographischen Erfassung von Laut- und Wortphänomenen und gilt daher als Schöpfer des Sprachatlasses. Er begann 1876 mit einem Pilotprojekt, indem er an jeden Ortslehrer aller Schulorte in der ehemaligen preußischen Rheinprovinz nördlich der Mosel 42 standardsprachliche Sätze verschickte mit der Bitte, diese in die ortsübliche Mundart ("Platt") zu übersetzen und mit dem standardsprachlichen Alphabet aufzuschreiben. Das Pilotprojekt wurde schließlich bis 1887 als "Sprachatlas des deutschen Reichs" mit Sitz in Marburg an der Lahn auf das Gebiet des gesamten Deutschen Reichs ausgeweitet, später folgten noch Nacherhe-

Abb 4 | *Übergang von -nd-
zu -ng- und -nn- in
binden, finden, hinten
und unten (Handgezeichnete Wenker-
Karte aus dem DSA-
Archiv).*

bungen aus den Nachbarstaaten (z.B. in Böhmen, Österreich und der Schweiz). Durch die hohe Belegnetzdichte (es wurden alle Schulorte erfasst) und die extrem hohe Rücklaufquote (aus dem Deutschen Reich liegen 44.251 Fragebögen aus 40.736 Orten vor) erlangte das Unternehmen ein nie wieder erreichtes Maß an Vollständigkeit. Allerdings wurden WENKER bereits zu Lebzeiten die indirekte Exploration durch Laien, die mangels phonetischer Ausbildung und wegen der unzulänglichen Mittel des lateinischen Alphabets komplexe Lautverhältnisse nicht exakt wiedergeben konnten, ebenso vorgeworfen wie methodische Mängel. Trotzdem war das Unternehmen, das ja das erste seiner Art darstellte, höchst konsequent und methodisch konzipiert, und WENKERS Kartengestaltung ist bis in unsere Zeit maßstabsetzend: Er grenzte Areale mit weitgehend identischen Varianten durch farbige Isoglossen gegeneinander ab und bezeichnete sie mit einer Leitform.

WENKER und seine Mitarbeiter sowie Schüler fertigten 1.653 durchweg färbige Karten an, die in ihrer Genauigkeit nie publiziert werden konnten. Als Publikationen erwuchsen aus dem Unternehmen die Druckfassung des „Deutschen Sprachatlas" (DSA, 1927–1956), begonnen von FERDINAND WREDE, fortgesetzt von WALTHER MITZKA und BERNHARD MARTIN, der „Kleine Deutsche Sprachatlas" (KDSA, 1984–1999), von WERNER H. VEITH und WOLFGANG PUTSCHKE, und der „Deutsche Wortatlas" (DWA, 22 Bände, 1951–1980) von WALTHER MITZKA, ab Band 5 von WALTHER MITZKA und LUDWIG ERICH SCHMITT, Band 21 und 22 von REINER HILDEBRANDT, sowie eine gewaltige Reihe von Begleitpublikationen.

WENKER war angetreten, um den genauen Verlauf von Dialektgrenzen zu erfassen und nicht – wie oft fälschlicherweise zu lesen ist –, um die Ausnahmslosigkeit der Lautgesetze in junggrammatischem Sinn zu untermauern. Sein Unternehmen zeigte, dass es keine scharf umrissenen Mundartgebiete gibt, so dass man in der Folge von Kern- und Saumlandschaften sowie Linien- oder Isoglossenbündeln sprach. In der Folge wurde Marburg an der Lahn zum Zentrum der deutschen Dialektologie, das Forschungsinstitut „Deutscher Sprachatlas" arbeitet unter der Leitung von JÜRGEN ERICH SCHMIDT derzeit u.a. an der digitalen Aufbereitung des DSA im Internet („Digitaler Wenker-Atlas", http://www.diwa.info).

Aus den 40 WENKER-Sätzen:
1. Im Winter fliegen die trocknen Blätter in der Luft herum.
3. Tu Kohlen in den Ofen, dass die Milch bald zu kochen anfängt.
5. Der gute alte Mann ist mit dem Pferde durchs Eis gebrochen.
7. Er isst die Eier immer ohne Salz und Pfeffer.
11. Ich schlage dich gleich mit dem Kochlöffel um die Ohren, du Affe!
23. Wir sind müde und haben Durst.
25. Der Schnee ist diese Nacht bei uns liegen geblieben, aber heute Morgen ist er geschmolzen.
30. Wieviel Pfund Wurst und wieviel Brot wollt ihr haben?
36. Was sitzen da für Vögelchen auf dem Mäuerchen?
39. Geh nur, der braune Hund tut dir nichts.
40. Ich bin mit den Leuten da hinten über die Wiese ins Korn gefahren.

Natürlich sind sprachliche Epochen keine festen Begriffe, keine Zeitangabe ist als scharfe Grenze zu nehmen. Von Anfang an (d.h. seit den Zeiten JACOB GRIMMS) herrscht darüber Uneinigkeit, wie man Kriterien für die Perioden der Sprachgeschichte finden kann. Ein weit verbreitetes Schema – die „klassische" Periodisierung des Deutschen – sieht folgende Einteilungen vor:

Indogermanisch (als Spracheinheit)	ca. 4000–3000
Auseinanderbrechen des idg. Sprachraums	ca. 3000–2000
Vorgermanisch	ca. 2000–1000
Ur- oder Gemeingermanisch	ca. 1000–300
Frühgermanisch	ab ca. 300
	v. Chr.
	n. Chr.
Germanische Großgruppen	ab etwa 2./3. Jh.
Althochdeutsch	ca. 600–750
Mittelhochdeutsch	ca. 1050–1350
Frühneuhochdeutsch	ca. 1350–1650
Neuhochdeutsch	ca. 1650–heute

Altniederdeutsch / Altsächsisch	800–1200
Mittelniederdeutsch	1200–1650
Frühmittelniederdeutsch	1200–1370
Mittelniederdeutsche Schriftsprache	1370–1530
Spätmittelniederdeutsch	1530–1650
danach Übergang zur hochdeutschen Schriftsprache	

Dieses Schema geht z.T. auf die späten Schriften von JACOB GRIMM zurück. Der hochdeutsche Teil wurde von WILHELM SCHERER (1841–1886) dahingehend modifiziert, dass die Einheiten ziemlich genau 300 Jahre umfassen. Das stellte zu SCHERERS Lebzeiten noch kein Problem dar. Viele Forscher sind heute daher geneigt, den nächsten folgerichtigen Einschnitt um das Jahr 1950 zu akzeptieren, insbesondere da er relativ genau mit dem Ende des Zweiten Weltkriegs und dem Entstehen zweier deutscher Staaten zusammenfällt. Die neue Epoche wird oft als *Gegenwartsdeutsch* bezeichnet.

Erklärung

▶ **Als Merkmale für die Sprachepochenfindung wurden u.a. vorgeschlagen:**
1. **innersprachliche Kriterien**
    1.1. **lautliche, z.B. Erste Lautverschiebung, Endsilbenabschwächung**
    1.2. **sprachsoziologische, z.B. verschiedene sprachliche Varietäten, Einfluss anderer Sprachen auf das Deutsche**
2. **außersprachliche Kriterien**
    2.1. **kulturgeschichtliche, z.B. Erfindung des Buchdrucks, Entstehung neuer Textsorten und damit neuer sprachlicher Ausdrucksmöglichkeiten**
    2.2. **politische, z.B. Entdeckung Amerikas, Ende des Zweiten Weltkriegs**
    2.3. **kunstgeschichtliche, z.B. Ende der Hochgotik, Aufkommen der Renaissance**
    2.4. **gesellschaftliche (besonders in den ehem. sozialistischen Ländern), z.B. Zeitalter des Feudalismus, des Frühkapitalismus**

Nach meiner Ansicht stellt die politische Entwicklung von 1945–50 allerdings keinen sprachlichen Einschnitt dar. Dieser ist früher zu setzen mit der Herausbildung einer Norm im späten 19. Jahrhundert – eine sprachliche Tatsache, die es bis dahin in der deutschen Sprachgeschichte nicht gegeben hat und die die bis heute vorherrschenden Ausrichtungen der Sprache und Sprachwissenschaft auf die neu entstehende Norm zur Folge hat. Ich werde daher das späte 19. Jahrhundert (ab etwa 1875) und das 20. Jahrhundert als eigene Epoche auffassen. Der neue Begriff *Normdeutsch*, den ich an anderer Stelle dafür vorgeschlagen habe, ist in der Sprachgeschichtsschreibung nicht üblich.

1.2 | Methoden der Sprachgeschichtsschreibung

Die Sprachgeschichtsschreibung steht wie jede positivistische Wissenschaft vor dem grundsätzlichen Problem, dass aus Einzeldaten ein zusammenhängender Gesamtüberblick gegeben werden muss. Darüber hinaus sind die Daten oft nur unvollständig oder indirekt erschließbar, etwa wenn aus geschriebener Sprache Rückschlüsse auf die gesprochene gezogen werden müssen.

Je nach den jeweils aktuellen Anschauungen über das Wesen der Sprache wechselten auch die vorgeschlagenen Blickpunkte und angewendeten Methoden in der Sprachgeschichtsschreibung:

1.2.1 | Sprache als Organismus

Zu Beginn der modernen Sprachwissenschaft am Anfang des 19. Jahrhunderts herrschte unter den Experten, etwa JACOB GRIMM (1785–1863), FRANZ BOPP (1791–1867) und ihren Zeitgenossen, die Überzeugung vor, dass Sprache einen **Organismus** darstellt. Sprache habe man sich demnach wie ein Lebewesen vorzustellen, das entsteht (geboren wird), eine Blütezeit erlebt und „stirbt" (wie die „toten" Sprachen Latein und Altgriechisch). Reste dieser Überzeugung finden sich noch in romantischen Prägungen wie „starke" und „schwache" Flexion, „Wurzel", „Stamm" u.a.m. Berühmt ist die Aussage WILHELM VON HUMBOLDTS, dass Sprache nicht *ergon* sei (kein von wem auch immer produziertes „Werk"), sondern *energeia* (eine „Kraft" oder „Tätigkeit").

Man bezeichnet dies heute als die „romantische" Sprachauffassung, was im Zusammenhang mit den allgemeinen geistigen Strö-

Merksatz

▶ „Die Sprache ist ein organisches Wesen, und man muss sie als solches behandeln."

WILHELM VON HUMBOLDT

mungen jener Zeit in Deutschland zu sehen ist, die auch die Brüder GRIMM beherrschten und sie etwa zu ihrer berühmten Märchensammlung anregten.

Die Vorstellung, dass Sprache ein selbstständiges und unabhängiges „Eigenleben" führt, hat zu einer Reihe von Theorien geführt, die für das 19. Jahrhundert maßgeblich geworden sind. So sprechen WILHELM VON HUMBOLDT (1767–1835) und FRIEDRICH SCHLEGEL (1772–1829) u.a. von der „inneren Sprachform". Sie meinen damit eine Art geistiger Kraft, die die Sprache von sich aus gestaltet und steuert. Wesentlich zu dieser Vorstellung beigetragen hat die Auffassung, dass der einzelne Mensch keinen Einfluss auf die allgemeine Entwicklung der Sprache ausüben kann.

> Die „innere Sprachform" (im Gegensatz zur „äußeren Sprachform", die die materiellen Sprachkörper bezeichnet) kann auch als „Weltansicht" gesehen werden, die die Weltanschauung der Sprachteilnehmer einzelsprachliche determiniert. Die SAPIR-WHORF-Hypothese geht von ähnlichen Überlegungen aus.

Stammbaumtheorie | 1.2.2

In der zweiten Hälfte des 19. Jahrhunderts bahnte sich eine Annäherung der Geistes- an die Naturwissenschaften an. AUGUST SCHLEICHER (1821–1868) erstellte mehrere berühmt gewordene Stammbäume der indogermanischen Sprachen und bemühte sich, die damals hochmodernen Anschauungen DARWINS auf die Sprachwissenschaften zu übertragen. Einen Höhepunkt in der Forschungsgeschichte bildet SCHLEICHERS „Compendium der vergleichenden Grammatik der indogermanischen Sprachen" (1861–62), das den Wissensstand seiner Zeit festhielt und eine der großen Forscherleistungen des 19. Jahrhunderts darstellt. Die **Stammbaumtheorie** geht von der Vorstellung aus, dass Sprachen wie Menschen Vorfahren und Nachkommen haben, dass man also für Sprachen genauso „Stammbäume" erstellen kann wie für Menschen. Die Abspaltung einer Sprache aus einer Vorgängersprache, die als **Grund-** oder **Ursprache** bezeichnet wird, erfolgt demzufolge durch geographische Abwanderung von Angehörigen der ursprünglichen Sprachgemeinschaft. Voraussetzung dafür ist, dass man die Ursprache als einheitlich ansieht.

Jede abgespaltene Sprache ist demnach zunächst als Dialekt zu sehen, der selbst wiederum zu einer Ursprache werden kann, aus der sich weitere Dialekte entwickeln. Mit **Affili-**

Merksatz

▶ Laut Stammbaumtheorie spalten sich von einer Grundsprache durch Abwanderung der Sprecher Dialekte ab, die zu selbstständigen Sprachen werden. Diese Theorie weist jedoch nicht zu lösende Probleme auf.

ation ist die Einordnung einer Sprache in einen Stammbaum und ihre Stellung in diesem (als Mutter-, Tochter- oder Schwestersprache) gemeint.

Abb 5 | SCHLEICHERS *Stammbaum der indogermanischen Sprachen in der Urfassung*

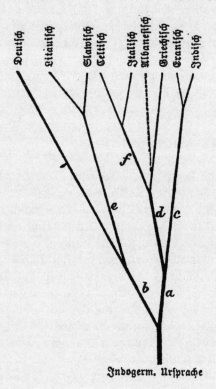

Verfolgt man die Stammbaumtheorie bis zu ihrer letzten Konsequenz, ergeben sich einige theoretische Probleme:

1. Die Stammbaumtheorie setzt voraus, dass eine neue Sprache nur aus einer älteren hervorgehen kann. Dabei ist aber nicht eindeutig, wann die ältere Sprache zu existieren aufhört und die neue beginnt; dies hängt davon ab, was man als absetzende Kriterien wählt. Die Ursprache muss dabei als relativ homogene Sprachform angesetzt werden, die sich mit der Zeit zunehmend

differenziert und in Dialekte aufspaltet. Wir wissen aber heute, dass keine natürliche Sprache völlig homogen ist.

2. Es ist nicht ganz klar, wie der Begriff „Verwandtschaft" zwischen Sprachen zu definieren ist. Im Allgemeinen versteht man darunter übereinstimmende oder korrespondierende Sprachmerkmale, die zudem zumeist dem phonologischen, morphologischen oder lexikalischen Bereich entnommen sind. Aber der Grad der Verwandtschaft schwankt, je nachdem, wie viele und welche Kriterien man auswählt.

3. Mit der Stammbaumtheorie lässt sich die gegenseitige Beeinflussung synchroner Sprachstufen in keiner Weise erklären. So kommt es z.B. zwischen dem Deutschen und dem Ungarischen (die nicht miteinander verwandt sind, d.h. nicht aus einer gemeinsamen Ursprache abgeleitet werden können) im Grenzgebiet zu Interferenzerscheinungen, die auch eine sprachliche Veränderung darstellen, aber nicht in das Schema der Stammbaumtheorie passen. Die Stammbaumtheorie kann nicht erklären, dass und wie sich bereits „abgespaltene" Sprachen gegenseitig beeinflussen.

Wellentheorie

1.2.3

SCHLEICHERS Schüler JOHANNES SCHMIDT (1843–1901) formulierte die so genannte „Wellentheorie": Sprachliche Zusammenhänge werden nicht als Form einer genetischen „Verwandtschaft" gesehen, sondern als Kontaktphänomene vergleichbar den Wellenbewegungen, die entstehen, wenn man einen Stein ins Wasser wirft. Treffen zwei Wellen von zwei benachbarten Steinen aufeinander, kommt es zu Überlagerungen, die mit sprachlichen Interferenzen verglichen werden können. Man kann auch beobachten, dass räumlich näher beisammen liegende, miteinander verwandte Einzelsprachen mehr Übereinstimmungen aufweisen als geographisch weit entfernte. Die Wellentheorie erfasst die Entwicklung von Sprachen daher mit linearen Baumdiagrammen, sondern flächenhaft in Form von Gebieten, die von Isoglossen (s. S. 93) begrenzt werden.

Merksatz

▶ SCHMIDTS **Wellentheorie fasst Sprachen in Form von Flächen auf, an deren Rand es zu Interferenzen mit benachbarten Sprachen kommen kann.**

Abb 6 | *Kontakt- und Interferenzphänomene als Folge der Wellentheorie. Die Zahlen bezeichnen bestimmte Arten von Isoglossen.*

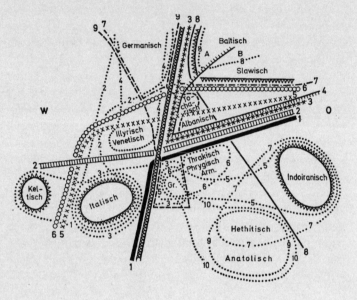

1.2.4 | Substrattheorie

Wir wissen, dass sich die romanischen Sprachen (Italienisch, Französisch, Spanisch etc.) aus der Beeinflussung der in den jeweiligen Gebieten einheimischen Bevölkerungen durch die Besatzungsmacht, die lateinisch sprechenden Römer, entwickelt haben. Wenn heute verschiedene romanische Sprachen existieren, so ist das auf den Einfluss der zu Grunde liegenden örtlichen Sprachformen zurückzuführen (neben anderen Ursachen). In diesem Fall ist die Aufspaltung des Lateinischen in die romanischen Einzelsprachen durch schriftliche Quellen und historisches Wissen gesichert. Man hat die Theorie über diesen prinzipiellen Vorgang aber auch auf schriftlich nicht dokumentierte Sprachen und ihre Vorgeschichte ausgeweitet und eine sprachliche Grundschicht (dem **Substrat**) von einer darübergelagerten, dominierenden Schicht (dem **Superstrat**) unterschieden. Der Junggrammatiker HERMANN HIRT hat diese Über-

legungen auf das Indogermanische übertragen. Wenn von
zwei Sprachen keine domi-
niert, sondern beide als etwa
gleichwertig anzusehen sind,
kann man auch von **Adstraten**
sprechen. Im Hinblick auf den
Wortschatz etwa des Germanischen ist mit einer frühen wechsel-
seitigen Beeinflussung einer indogermanischen und einer nichtindogermanischen Sprache zu rechnen.

> **Merksatz**
>
> ► **Die Substrattheorie sieht übereinanderliegende Sprach-
> schichten, die sich durchdringen: das Substrat (die Grund-
> schicht) und das Superstrat (die dominierende Schicht).**

HERMANN HIRT (1865–1936) | **Abb 7**

Strukturalismus | 1.2.5

1916 erschien posthum das Buch „Cours de linguistique générale"
(„Grundfragen der allgemeinen Sprachwissenschaft") des Schweizer Sprachwissenschaftlers FERDINAND DE SAUSSURE (1857–1913). Für
SAUSSURE ist Sprache ein System, dessen Struktur von den zu analy-
sierenden Einheiten gebildet wird. Er unterscheidet zwischen der
synchronen (gegenwärtigen) und der diachronen (historischen)
Sprachanalyse; die spätere rigorose Trennung der beiden Bereiche
ist allerdings nicht deutlich ausgesprochen. Dem Strukturalismus
ist es zu verdanken, dass wir heute auch in der deutschen Sprachgeschichte mit dem Systembegriff operieren und für vergangene

Sprachepochen Phonemsysteme erstellen. Ein Phonem kann dabei als funktionale Einheit gesehen werden, als Klasse (Menge) aller Phone (= Laute), die dieselbe Funktion einnehmen (in derselben Umgebung einen Bedeutungsunterschied bewirken). So besteht das Phonem /x/ aus den Allophonen [ç] und [x], oder anders ausgedrückt, das Phonem /x/ ist eine Klasse, die von den Lauten [ç] und [x] gebildet wird.

/x/ → {[ç], [x]}

Da im Deutschen in den meisten Fällen ein Phonem aus nur einem Phon besteht, z.B.

/d/ → {[d]}

werden in verkürzender Darstellung oft die phonetischen Eigenschaften des Phons auf das Phonem übertragen. Genauso müssen wir berücksichtigen, dass wir zwar immer noch von „Lautwandel" u. dgl. sprechen, dass damit aber im Grunde genommen ein „Phonemwandel" gemeint ist.

Die Systemgeschichte geht der Frage nach, wie es zu Systemänderungen kommt, etwa zu Monophthongierungen und Diphthongierungen.

1.2.6 | **Entfaltungstheorie**

Die Entfaltungstheorie, von OTTO HÖFLER (1901–1988) formuliert, geht davon aus, dass sprachliche Veränderungen nicht zufällig verlaufen, sondern im Sprachsystem (der Struktur) bereits angelegt sind. Der Linguist muss demnach fragen, welcher Teil eines Sprachzustandes als Erbe aus vorangegangenen Epochen mitgebracht worden ist. So ist es kein Zufall, dass idg. p zu f wurde und nicht etwa zu χ: p und f sind **homorgan** (sie haben benachbarte Artikulationsorte), p und χ nicht. Bei der Verschiebung von p zu f verändert sich also in erster Linie die Artikulationsart, weniger der Artikulationsort. HÖFLER postulierte am Beispiel des Gotischen bzw. des Langobardischen, das vom geschlossenen hochdeutschen Sprachraum getrennt war und trotzdem Anzeichen der Zweiten Lautverschiebung (s. S. 91) aufweist, dass solche strukturellen Veränderungen im System „vorprogrammiert" sind und sich zu einem bestimmten Zeitpunkt unabhängig voneinander „entfalten" konn-

ten. Die Sprachteilnehmer haben freilich keinen Einfluss auf
diese sprachlichen Veränderungen. Damit greift er Gedanken
auf, wie sie im Sinn einer
strukturalistischen Systemsteuerung (etwa durch André Martinet)
mit dem Prinzip der Strukturellen Disponiertheit bereits vorgetragen worden waren (s. dazu S. 139).

Pragmatik | 1.2.7

Die Sprachpragmatik betrachtet Sprache als Handeln, und handeln
kann man sowohl mit mündlichen als auch mit schriftlichen
Sprachformen. Sprache als Form sozialen Handelns umfasst ihre
Einbettung in soziale und situative Zusammenhänge, wie sie an
bestimmten sprachlichen Mitteln (z.B. der Deixis, Anredeformen
als Ausdruck der Sozialstellung des Adressaten u.v.a.m.) auch in
historischen Texten greifbar wird.

Den Untersuchungsgegenstand der Historischen Pragmalinguis-
tik kann man weiter differenzieren, und zwar durch die Suche
nach

• Sprachgebrauchskonventionen in einer (bestimmten) historischen Sprach(gebrauchs)gemeinschaft und
• der Entwicklung bestimmter Sprachgebrauchskonventionen
  über einen bestimmten Zeitraum hinweg.

Dies kann sich in mehreren konkreten Richtungen äußern wie:

1. Ansätzen einer pragmatisch orientierten historischen Semantik,
   die etwa Bedeutungswandel durch das kultur- und geistesge-
   schichtliche Umfeld sowie die Einwirkung von Situation und
   Sprachhandlungselementen erklärt;
2. einer historischen Sprech-
   akttheorie, die bestimmte
   Sprachhandlungstypen aus
   schriftlichen Dialogstruktu-
   ren extrahiert. Es erhebt sich
   dabei die Frage, ob Unterschiede zwischen historisch
   dokumentierten Sprechak-
   ten (etwa der rituellen Be-

schimpfung des Feindes vor dem Kampf) und heutigem Sprachgebrauch festgestellt werden können;

3. einer historischen Partikelforschung, die derzeit nur in Ansätzen vorliegt;

4. einer historisch ausgerichteten Überprüfung der GRICE'schen Konversationsmaximen;

5. einer historischen Textlinguistik, d.h. einer Textgrammatik, die ihre Verfahrensweisen an historischen Texten erprobt und gegebenenfalls modifiziert oder neu formuliert;

6. einer historischen Soziolinguistik u.a.m.

1.2.8 | Generative Sprachauffassung

Auf den US-Amerikaner NOAM CHOMSKY (geb. 1928) geht die aktuelle Vorstellung zurück, dass das Sprachvermögen dem Menschen angeboren und genetisch auf den Weg mitgegeben ist als eine Art von natürlichem „Instinkt" (STEVEN PINKER). Transformationsregeln, wie sie die Generative Grammatik entwickelt hat und anwendet, können auch für historische Veränderungen geltend gemacht werden. Allerdings haben sich seit den 50er Jahren des 20. Jahrhunderts so viele Modelle der Generativen Grammatik entwickelt, dass man heute von keiner einheitlichen Richtung mehr ausgehen darf. Dennoch ist allen Generativen Modellen gemein, dass sie die Möglichkeit zur Sprachveränderung in der Tiefenstruktur ansetzen: Die Klasse aller möglichen synchronen Zustände determiniert die Klasse des möglichen Wandels. Die Betonung liegt dabei auf der Möglichkeit der Sprachveränderungen. Einer generativen Sprachgeschichtsschreibung hinderlich ist das nach wie vor angewandte Konzept des idealen Sprechers und der Dichtomie Kompetenz – Performanz. Was nicht in die Kompetenz passt (z.B. Varietäten), wird in der Performanz angesiedelt.

1.3 | Der Sprachwandel und seine Beschreibung

Alles, was vom Menschen geschaffen wurde und wird, verändert sich und hat damit auch eine „Geschichte". Es ist eine Tatsache, dass sich Sprache und Sprachen im Lauf der Zeit ändern. Sprachwandel ist allerdings nicht determiniert (wie etwa der Zerfall eines

▶ *Sprache* wird heute von Linguisten primär in einem dreifachen Sinn verstanden: 1. als nur dem Menschen eigene Fähigkeit zur sprachlichen Kommunikation, 2. als abstraktes Zeichensystem der Einzelsprache und 3. als die Summe der tatsächlich geäußerten Sprachdaten (vergleichbar mit SAUSSURES *langage – langue – parole*).

Atoms). Das bedeutet, dass man – im Gegensatz zu errechenbaren Modellen – das Zukunfts- oder Endstadium nicht kennt und somit die Möglichkeiten des Sprachwandels nicht vorhersagen kann. Gesprochene Sprache duldet ein gewisses Maß an **Variation** und **Redundanz**. Am Beispiel der Lautebene kann man zeigen, dass auch als identisch aufgefasste Phone (z.B. ein [i]) niemals vollkommen identisch ausgesprochen werden. Die Variationsmöglichkeit zieht allmählich eine Veränderung des **Usus** nach sich, und dies kann sich schließlich auch auf die **Norm** auswirken. Die Variation kann aber nur in bestimmte, durch die Anatomie der menschlichen Sprechwerkzeuge vorgegebene Richtungen gehen. Auch werden die Änderungen im lautlichen Bereich nicht innerhalb einer einzigen Generation wirksam, sondern nur über mehrere Generationen und über einen langen Zeitraum hinweg. Dies hat man auch als **Stafettenkontinuität** bezeichnet.

Weiters ist zu bedenken, dass unter **Sprachwandel** der Wandel der *gesamten* Sprache zu verstehen ist, also nicht nur Lautwandel oder Änderungen im Wortschatz. Sprachwandel kann auf folgenden sprachlichen Ebenen beobachtet werden:

• Intonationsebene (prosodische Ebene), etwa den Wandel beim Wortakzent im Indogermanischen;
• graphematische Ebene, z.B. den Wandel bei der Schreibung des Phonems /f/;
• phonologische Ebene, z.B. den Wandel von Monophthongen zu Diphthongen wie mhd. /î/ > nhd. /ei/;
• morphologische Ebene, z.B. die Veränderungen bei den Suffixen vom Mittelhochdeutschen zum Neuhochdeutschen (-nüs > nis);
• Syntaxebene, etwa die Veränderungen im frühneuhochdeutschen Nebensatzsystem;

- lexematische Ebene, wie Veränderungen bei den Wortbedeutungen, die Entstehung neuer und das Abkommen alter Wortbildungsmuster u.a.m.;
- Textebene, etwa das Aufkommen neuer Stilformeln, neuer Textsorten, neuer Anredeformen u.a.m.

Sprachwandelerscheinungen verlaufen nicht gleichförmig, sondern unterscheiden sich hinsichtlich Geschwindigkeit, Art, Bedingungen, beteiligter Sprachteilnehmer u.a.m. Im Laufe der modernen Sprachwissenschaft wurden – neben allerhand Unsinn – unzählige seriöse Erklärungen für den Sprachwandel angeboten, ohne dass man restlos befriedigende Erklärungen gefunden hätte.

1.3.1 | Außersprachliche Faktoren des Sprachwandels

Kulturgüteraustausch
Durch Handelsbeziehungen übernehmen benachbarte Völker oder Nationen Gegenstände, Einrichtungen oder Vorstellungen, die das tägliche Leben erleichtern und/oder einen technischen Fortschritt bedeuten. Mit den Kulturgütern werden meist auch die in der Geber-Sprachgemeinschaft üblichen Bezeichnungen als Fremdwörter übernommen, oder es werden neue Ausdrücke mit eigenen sprachlichen Mitteln geschaffen. Gegenwärtig erleben wir diese Vorgänge mit der Übernahme der Computertechnik und ihrer Begriffe aus dem englischsprachigen Raum.

Aus der Vergangenheit bekannt ist v.a. die Entlehnung lateinischer Wörter durch die Germanen an Mosel und Rhein in den ersten nachchristlichen Jahrhunderten. Beispiele sind Ziegel, Mauer, Münze, Keller u.v.a.m., die vor allem aus der Winzerterminologie (pelzen), dem religiösen Wortschatz (Abt, Kloster etc.), dem Verwaltungsbereich (Pfalz, Kammer) und den Bedürfnissen des Alltags (Öl, Essig, kochen, Spiegel) stammen.

Die technische Erfindung des Buchdrucks (um 1450) machte es in den folgenden Jahrhunderten möglich, vollkommen identische Druckwerke in großen Mengen zu einem vergleichsweise günstigen Preis herzustellen. Dies hatte weit reichende Folgen sowohl für die Produzenten (Autoren, Drucker, Behörden etc.) als auch für die Rezipienten: In der Folge lernten immer mehr Menschen lesen und schreiben. Der Buchdruck förderte die Art und Frequenz der (schriftlichen) Kommunikation und damit die Durchsetzung neuer sprachlicher Formen.

Politische Entwicklungen
Historische Entwicklungen wirken sich auf Sprachgemeinschaften aus und bewirken daher Veränderungen im Sprachverhalten. So hat der Einfluss des Anglo-Amerikanischen auf das heutige Deutsche mit dem Ausgang des Zweiten Weltkrieges und dem folgenden wirtschaftlichen Aufschwung zu tun. Die kriegsbedingte Teilung Deutschlands in BRD und DDR hatte nach Ansicht vieler Linguisten weit reichende Konsequenzen in der Standardsprache. Unter ähnlichen Gesichtspunkten sind auch die Unterschiede des Deutschen in Österreich und der Schweiz zu sehen. Das Afrikaans ist eine Sprache, die ihre Entstehung der niederländischen Kolonisationstätigkeit in Afrika verdankt.

Räumliche Gegebenheiten
Für die sprachliche Entwicklung sind die Verkehrs- und Kommunikationsmöglichkeiten zwischen Menschen von Bedeutung. In der Dialektologie gibt es eine alte Regel: „Täler verbinden, Berge trennen." Markante Gebirgszüge haben sich daher immer als „Sperren" oder „Barrieren" ausgewirkt. Flüsse erscheinen oft als sich von selbst ergebende Sprachgrenzen. Außerdem hat man beobachtet, dass die Sprache am Rand von geschlossenen Sprachgebieten konservativer bleibt als im Zentrum. So haben etwa die südbairischen Dialekte in Tirol und Westkärnten die alte althochdeutsche Affrikata [kχ] bewahrt.

Historische Entwicklungen
THEODOR FRINGS konnte nachweisen, wie Dialektgrenzen des Deutschen auf alten mittelalterlichen Verwaltungsgrenzen (etwa von Fürstentümern oder Kirchensprengeln) beruhen. Es zeigt sich, dass polititsche, verwaltungstechnische und konfessionelle Grenzen besonders lange in Form von unterschiedlichen Mundarträumen widergespiegelt werden und damit Einfluss auf unterschiedliche Entwicklungen in der historischen Dimension nehmen.

Gezielte Eingriffe in die Sprache
Es ist immer wieder vorgekommen, dass Einzelpersonen oder Personengruppen bewusst oder unbewusst regulierend in die Ent-

wicklung der Sprache eingegriffen haben. MARTIN LUTHER und der Einfluss, den seine Bibelübersetzung auf die deutsche Sprache ausgeübt hat, sind ein Beispiel für unbeabsichtigte Sprachregelung, die Sprachgesellschaften des 17. und 18. Jahrhunderts und ihre Vertreter für gezielte, punktuelle Eingriffe (die aber meist nicht erfolgreich waren). Auch bestimmte kulturelle Vorstellungen oder Richtlinien können sich auf die Sprache auswirken, z.B. durch die Tabuisierung bestimmter Sachbereiche (etwa des Sexuellen) oder durch religiöse Vorschriften, Diktate der Höflichkeit u.a.m.

1.3.2 | Innersprachliche Faktoren des Sprachwandels

Sprachökonomie
Unter Ökonomie (oder Wirtschaftlichkeit) kann man sich den größtmöglichen Effekt beim Einsatz der geringsten Mittel vorstellen. Wenn man diese Forderung auf die Sprache überträgt, stellt sich allerdings die Frage, wer oder was über „Ökonomie" in der Sprache entscheidet. Die Diskussion geht bis auf HERMANN PAUL zurück, der als ersten und vornehmsten Grund des Lautwandels eine Sprecherleichterung und damit die Bequemlichkeit des Sprechers sieht. Bekannteste Beispiele für Sprecherleichterungen sind die Assimilationen der verschiedenen Umlaute in der deutschen Sprachgeschichte. Das ist sinnvoll auf Basis eines Sprecher-Hörer-Modells, wobei bei Assimilation und Dissimilation die Bedürfnisse des Sprechers ausschlaggebend wären. Es muss aber bedacht werden, dass das für den Sprecher Einfachste nicht automatisch auch das für den Hörer Einfachste sein muss. Als offensichtliche Konsequenz aus dieser Tatsache kann man beobachten, dass es in jeder natürlichen Sprache ein gewisses Maß an Redundanzen geben muss, weil sonst eine Verständigung zu anstrengend und dadurch auf Dauer nicht oder nur schwer möglich wäre.

Man kann eine Reihe von sprachökonomischen Merkmalen aufstellen, die im Interesse sowohl des Sprechers als auch des Hörers liegen. Dazu zählen: kleines Morpheminventar, kurze Morphe, kleines Phoneminventar, niedrige Phonemkomplexität, kleines Merkmalinventar u.a.m. Wichtiger als diese Merkmale ist die Forderung nach der Eindeutigkeit der Phone, die durch andere Ökonomieprinzipien nicht eingeschränkt werden dürfen; dies ist vor allem ein Bedürfnis des Hörers. Da dieses Prinzip als Regulativ für

Das ZIPF'sche Gesetz

Das vom amerikanischen Linguisten GEORGE K. ZIPF (1902–1950) formulierte und nach ihm benannte **ZIPF'sche Gesetz** besagt: Sortiert man die in einem Text vorkommenden Wörter nach ihrer Häufigkeit abnehmend in einer Liste, so zeigt sich, dass für jede Form das arithmetische Produkt aus dem Rang in dieser Liste und der absoluten Häufigkeit relativ konstant ist. Kommt etwa das in einer solchen Liste an erster Stelle stehende Wort fünfzigmal vor und das an fünfzigster Stelle stehende Wort nur einmal, so ist das arithmetische Produkt jedes Mal 50. Diese Regel gilt für alle Texte, alle Sprachen und alle Zeiten, sodass es sich nach ZIPF um eine **Sprachuniversalie** handelt. Was zunächst nach reiner Zahlenspielerei aussieht, sagt etwas ganz Handfestes aus, nämlich: Je länger eine sprachliche Form ist, desto seltener kommt sie vor. Man kann also einen Zusammenhang zwischen Häufigkeit und Wortlänge herstellen: Am häufigsten kann man Einsilber nachweisen, im Deutschen machen sie etwa 50 % aller Wörter aus. Es hat sich allerdings gezeigt, dass dieses Gesetz nur zuverlässig bei mittlerer Wortlänge angewandt werden kann.

alle anderen Ökonomieprinzipien fungiert, nimmt auch der Hörer indirekt Einfluss auf die Sprachentwicklung.

Abbau von Markiertheiten
Die so genannte Markiertheitstheorie oder Natürlichkeitstheorie (die auf ROMAN JAKOBSON und seine Untersuchungen zum Russischen zurückgeht) postuliert, dass es in der Sprache natürliche Einheiten gibt, die unmarkiert sind, und unnatürliche, die markiert sind. JAKOBSON etwa betrachtete im Russischen bei der Dichotomie Nominativ vs. Akkusativ den Nominativ als unmarkiert, den Akkusativ als markiert. Die Auslautverhärtung im Deutschen kann mit der Markiertheitstheorie dahingehend erklärt werden, dass die markierten stimmhaften Phoneme ihr Merkmal, d.h. die Stimmhaftigkeit, verlieren und unmarkiert werden. Allerdings kann der sprachliche Wandel nicht generell als ein Abbau von Markiertheiten verstanden werden. Ein Abbau von Markiertheiten auf der

einen hat nämlich eine Zunahme auf einer anderen Ebene zur Folge. Auch kann die Natürlichkeitstheorie wenig über die Ursache sprachlichen Wandels aussagen, also *warum* es zu einer Änderung bei den Markiertheiten kommt.

Kumulative Prozesse
Sprachökonomische Überlegungen verleiten dazu, Sprachwandel teleologisch, also auf ein Ziel ausgerichtet, zu sehen. Das ist deshalb möglich, weil wir in früheren Sprachstadien das Ergebnis des Sprachwandels kennen; die Bestimmung des Endergebnisses ist aber dann unmöglich, wenn es sich um aktuelle Prozesse handelt. Daher lehnen Forscher wie RUDI KELLER die vermeintliche Teleologie von Sprachwandel generell ab und sehen Sprachwandel vielmehr als einen evolutionären Prozess. Das bedeutet, dass er nicht von einem Einzelnen getragen wird, sondern von vielen, und dass Sprachwandel einen nicht vorhersehbaren Prozess von Variation und Selektion darstellt. KELLER sieht dabei Sprache als ein Phänomen der „dritten Art", also weder ein als Werk (Produkt) noch als eine (geistige) Kraft; Sprachwandel ist vielmehr das Ergebnis eines kumulativen Auswahlprozesses.

Sprachwandel als Regelveränderung
Für den Strukturalismus ist die langue, also das abstrakte Sprachsystem, der einzig würdige Gegenstand linguistischer Untersuchungen. Die Generative Grammatik hat dies insoferne kritiklos übernommen, als sie Sprache in Form von Regeln auf der Ebene der Kompetenz zu beschreiben sucht. Sprachwandel ist für die Generativistik die Veränderung von Regeln in der Kompetenz. Bisher hat sich die generative Beschreibung allerdings im Wesentlichen nur auf den Sprachwandel im phonologischen Bereich konzentriert.

Gegenüber dem Strukturalismus stellt dieses Modell insoferne einen Fortschritt dar, als es den statischen Beschreibungszustand überwindet. Genau genommen können strukturalistische Modelle den Sprachwandel nämlich nicht beschreiben, da eine diachrone Perspektive in dieser Theorie nicht vorgesehen ist. Allerdings setzt die Generative Grammatik (ebenfalls in Folge ihrer strukturalistischen Wurzeln) eine homogene Sprachgemeinschaft voraus, unbeeinflusst durch soziale, psychische und pragmatische Faktoren. Wir wissen aber, dass es eine solche Sprachgemeinschaft in der Realität praktisch nicht gibt.

Laut- und Formenwandel

Wenn vom **Lautwandel** die Rede sein wird, muss man sich stets bewusst sein, dass dieser Terminus heute etwas problematisch ist. Der Strukturalismus würde nahe legen, dass man den Terminus „Lautwandel" einfach durch „Phonemwandel" ersetzt. So einfach liegen die Verhältnisse aber leider nicht. Denn die traditionelle Sprachgeschichtsschreibung fasst vielfach „Lautwandel" wirklich als Veränderungen von physiologischen Einheiten, also auf der lautlichen Ebene auf, etwa bei der Beschreibung der Ersten Lautverschiebung. Natürlich schwingen immer auch Strukturvorstellungen mit, wenn etwa für die Frühzeit der deutschen Sprache letztlich keine absolut sicheren Aussagen über die phonetische Qualität getroffen werden können.

Lautwandel wird von den Sprachteilnehmern nicht bewusst wahrgenommen (z.B. idg. p > urgerm. f), wobei in weiterer Folge unterschieden wird zwischen spontanem Lautwandel und kombinatorischem Lautwandel:

spontaner Lautwandel: Die Ursachen hierfür sind nicht erkennbar, z.B. idg. p > urgerm. f.

kombinatorischer Lautwandel: Die Ursachen sind erkennbar, es handelt sich zumeist um Assimilationserscheinungen, z.B. Umlaut: Im Althochdeutschen wird a vor i, j der Folgesilbe zu e gehoben, z.B. ahd. *slagi > *slegi > mhd. slege.

Lautersatz (Lautsubstitution) hingegen ist eine von den Sprachbenützern bewusst vollzogene Lautveränderung, da dem „neuen" Laut höheres Prestige, mehr Modernität u.a.m. zugeschrieben wird. Auch bei Übernahmen von Lauten aus fremden Sprachen kommt es oft zum Lautersatz, wenn Laute der Gebersprache (z.B. das engl. <th> [θ] in der Nehmersprache nicht vorhanden sind und durch „ähnliche" Laute (z.B. [s]) ersetzt werden.

Etymologie bezeichnet sowohl Herkunft, Grundbedeutung, inhaltliche und formale Entwicklung einer Wortform als auch die Wissenschaft davon. Sie versucht, möglichst die älteste Form eines Wortes zu eruieren (das **Etymon**). Oberflächliche Vergleiche von gegenwärtigen Sprachformen werden als **Volksetymologie** bezeichnet (etwa die Herleitung Spanferkel vom Span, auf dem es gebraten wird – richtig: mhd. spen ‚Brustwarze', an der es gesäugt wird).

Die generative Sprachauffassung sieht Sprachwandel als Regelveränderung, d.h. als Hinzufügen, Aufgeben oder Umordnen von
Regeln. Im Vordergrund steht dabei die Regelvereinfachung. Allerdings sind nie Kriterien für „Einfachheit" in der Sprache festgelegt
worden, außer vielleicht für die phonologische Komponente.

Unerklärbarkeit des Sprachwandels
In der gesamten Sprachgeschichte kann man Phänomene ausma-
chen, die sich (zumindest bisher) einer kausalen Erklärung wider-
setzen. Nicht begründet werden können etwa die Veränderungen
der Ersten Lautverschiebung. Auch psychologisch bedingte Veränderungen sind letztlich einer rationalen Erklärung nicht zugäng-
lich. Linguisten wie ROGER LASS halten daher jede Art von Sprachwandel für irrational und somit nicht erklärbar. Man sollte daher
nicht fragen, *warum* sich Sprache ändert, sondern *wie*.

Zusammenfassung

▶ Die Historische oder Diachrone Linguistik beschäftigt sich mit der
historischen Dimension von Sprache und ihren Beschreibungs-
möglichkeiten. Synchrone und Diachrone Sprachwissenschaft sind
keine Gegensätze, sondern ergänzen einander. Die Sprachgeschichtsschreibung muss sich (als theoretischer Grundlage) mit
prinzipiellen Fragen auseinander setzen, etwa damit, was Sprache
ist, in welchen Erscheinungsformen sie auftritt und wie man sie
beschreiben kann.
Ebenso wie die Sprache selbst wandeln sich auch die Anschauungen der Sprachwissenschaft über das Wesen der Sprache und die
Möglichkeiten ihrer Beschreibung. Organismuskonzept, Stamm-
baum-, Wellen-, Substrat- und Entfaltungstheorie haben ebenso
ihre Spuren hinterlassen wie Strukturalismus, Pragmatik und
Generativistik. Aber keiner dieser Ansätze kann alleinige Gültigkeit beanspruchen, vielmehr müssen sie miteinander kombiniert
werden.
Die deutsche Sprache kann, wie jede natürliche Sprache, nach diatopischen, diastratischen und diaphasischen Gesichtspunkten
beschrieben werden. Sprachgeschichte, Dialektologie und Namenkunde bilden dabei eine unzertrennliche Trias.
Sprachgeschichtsschreibung muss alle sprachlichen Varietäten
und die sprachlichen Veränderungen (den Sprachwandel) auf allen

Zusammenfassung

sprachlichen Ebenen beschreiben, die allerdings aus forschungsgeschichtlichen Gründen unterschiedlich gut erforscht sind.
Der weltweit erste Sprachatlas wurde von GEORG WENKER begründet.
Eine der praktischen wissenschaftlichen Folgen des grundsätzlichen Sprachwandelproblems ist die Periodisierung der Sprachgeschichte.

Übungen

● Welche Sprachen gehören aufgrund der Stärke von Isoglossenbündeln (s. Abb. 6 S. 24) näher zusammen?

1

● Nennen Sie die Nachteile der Stammbaumtheorie.

2

● Von wem stammt das erste wissenschaftliche Dialektwörterbuch, von wem die erste umfassende Personennamendarstel-
lung?

3

● Nennen Sie die sprachlichen Ebenen der Systemlinguistik und
die Wissenschaftsdisziplinen, die sie beschreiben. Auf welchen
Ebenen können Sprachwandelerscheinungen auftreten?

4

● Nennen Sie Faktoren, die Sprachwandel bedingen oder auslösen
können.

5

Literatur

BESCH, WERNER/BETTEN, ANNE/REICHMANN, OSKAR/SONDEREGGER, STEFAN (1998–2004) (Hg.): Sprachge-
schichte. Ein Handbuch zur Geschichte der deutschen Sprache und ihrer Erforschung. 4 Teilbände.
2 Aufl. Berlin, New York.
BYNON, THEODORA (1981): Historische Linguistik. München.
GARDT, ANDREAS (1999): Geschichte der Sprachwissenschaft in Deutschland. Vom Mittelalter bis ins
20. Jahrhundert. Berlin, New York.
KÖNIG, WERNER (1998): dtv-Atlas zur deutschen Sprache. Tafeln und Texte. 12. Aufl. München.
ROELCKE, THORSTEN (1995): Periodisierung der deutschen Sprachgeschichte. Analysen und Tabellen.
Berlin, New York.

Vor- und Frühgeschichte des Deutschen | 2

Genau genommen kann eine „Deutsche Sprachgeschichte" nur die deutsche Sprache umfassen. Von einer solcher kann man erst ab etwa 600 n. Chr. mit dem Althochdeutschen (dieses Datum beruht auf Rekonstruktionen) und ab etwa 800 mit dem Altniederdeutschen sprechen. Die Vor- und Frühgeschichte – und das sind das Germanische und Indogermanische – gehören nach strenger Auffassung nicht zum Deutschen. Wenn sie trotzdem in Sprachgeschichten (und auch in der vorliegenden) oft mitbehandelt werden, dann deshalb, weil Sprachen nicht aus dem Nichts entstehen und zum Verständnis der Sprachgeschichte des Deutschen auch dessen Vorläufer von eminenter Bedeutung sind. Sie sollen hier aber nur überblickshaft und kursorischer als die restlichen Epochen dargestellt werden.

2.1 | Indogermanisch

In der ersten Hälfte des 19. Jahrhunderts entdeckte man durch systematische Vergleiche, dass fast alle Sprachen Europas und eine große Zahl von existenten und ausgestorbenen Sprachen in Vorderasien (bis nach Indien) so viele Übereinstimmungen im Grundwortschatz und in der Morphologie aufweisen, dass dies nicht auf Zufall beruhen kann. Die Einzelsprachen müssen vielmehr auf eine gemeinsame Grundlage, eine **Ursprache**, zurückgehen. Während der nächsten Jahrzehnte wurden ausgefeilte Methoden entwickelt, um diese Ursprache zu rekonstruieren.

2.1.1 | Das indogermanische Urvolk

Im Sinn der Stammbaumtheorie ging man fest davon aus, dass die rekonstruierte Sprache tatsächlich existierte und dass sie von einem einheitlichen Urvolk gesprochen wurde. Da sich dieses Volk aber nirgends selbst genannt hat, bezeichnete man es in Ermangelung eines anderen Begriffes **Indogermanen** (nach dem südlichsten und nördlichsten Sprachzweig) oder auch **Indoeuropäer**. Man darf aber nie vergessen, dass

Im westdeutschen Sprachraum ist eher der Terminus Indogermanen üblich, die ostdeutschen, englisch- und französischsprachigen Forscher bevorzugen im Allgemeinen Indoeuropäer.

1. die Annahme des indogermanischen Urvolks eine zweistufige Rekonstruktion ist, denn zuerst rekonstruierte man die Sprache, und dann nahm man an, dass diese Sprache auch von einem realen Volk gesprochen wurde;

Die Methodik der historisch-vergleichenden Sprachwissenschaft

Grundlage jedes Sprachvergleichs ist die Heranziehung der möglichst ältesten Sprachbelege. Dabei sind folgende Faktoren entscheidend:

- Alter, Umfang und inhaltliche Vielfalt der Zeugnisse
- die Zuverlässigkeit der Überlieferung
- die Notationsmethode der Schrift
- die Metrik (Silbenzahl und -quantität)

Die Erforschung von Verwandtschaftsverhältnissen zwischen Sprachzweigen sowie die **Rekonstruktion** früherer Sprachstufen erfolgt mittels Annahme von **Lautgesetzen** – also von Regeln für die historischen Veränderungen von Lauten bzw. Phonemen. Sie werden als **ausnahmslos** postuliert in dem Sinn, dass am selben Ort zur selben Zeit in derselben Sprachschicht und in vergleicherbarer Laut/Phonem-Umgebung dieselben Veränderungen eintreten. So wird jedes idg. p im Germanischen zu einem f, allerdings nur, solange das Lautgesetz **produktiv** ist (lat. piscis $\equiv$ germ. *fiskaz ‚Fisch'). Rekonstruierte, nicht belegte Formen werden üblicherweise mit einem davorgesetzten * Stern (**Asteriskus**) bezeichnet.

Unmittelbar an das Lautgesetz gekoppelt ist die **Analogie**. Damit werden sprachliche Veränderungen bezeichnet, die nicht auf lautgesetzlichen Grundlagen beruhen, sondern durch Anpassung an andere, bereits vorhandene häufigere sprachliche Formen erfolgen. Durch Anwendung dieser Prinzipien und Wortgleichungen, die durch eigene Symbole gekennzeichnet sind: > ‚wird zu', < ‚entsteht aus', $\equiv$ ‚entspricht' (letzteres für Sprachzweige, die nicht direkt miteinander „verwandt" sind: Germ. *fiskaz *entsteht* nicht aus lat. piscis, sondern beide gehen auf eine gemeinsame, indogermanische Grundlage zurück), kam man in mühseliger Arbeit zur Rekonstruktion der Sprachsysteme und der Zusammenhänge zwischen ihnen, z.B.:

Abb 8 | *Schema für äußere Rekonstruktion*

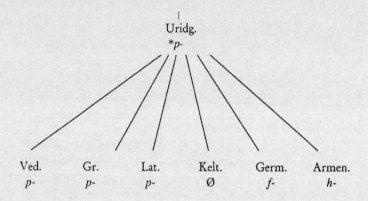

Die **äußere** oder **externe Rekonstruktion** lässt durch die Analyse von als genetisch verwandt geltenden Sprachen Rückschlüsse auf die gemeinsame Grundlage oder Ursprache zu. Die **innere** oder **interne Rekonstruktion** untersucht dagegen eine Einzelsprache und versucht, durch die Analyse systematischer Zusammenhänge ältere Sprachstufen aufzudecken.

2. weder die indogermanische Sprache noch das indogermanische Volk in realen Zeugnissen (Artefakten, schriftlichen Zeugnissen) belegt sind. Unser gesamtes Wissen über sie beruht ausschließlich auf Schlussfolgerungen.

Bis in die erste Hälfte des 20. Jahrhunderts nahm man an, dass sich alle indogermanischen Sprachen aus einer einzigen Ursprache in Form eines Stammbaumes entwickelten. Man stellte sich ein indogermanisches Urvolk als einen einzigen Stamm vor, der durch Bevölkerungswachstum so groß wurde, dass sich einzelne Gruppen (Sippen, Stämme, Generationen) abspalteten und weiterwanderten. Am neuen Siedlungsort vermischten sich die indogermanischen Neuankömmlinge mit einer bereits ansässigen nichtindogermanischen Urbevölkerung. So sollen das Griechische, Lateinische, Germanische und alle anderen indogermanischen Sprachzweige entstanden sein (vgl. Stammbaumtheorie S. 21).

Eine der denkbaren „Urheimaten" der Indogermanen | **Abb 9**

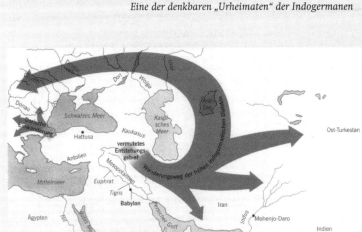

Die Bemühungen der Forscher zielten daher darauf ab, die indogermanische Ursprache zu rekonstruieren. Dies ging so weit, dass AUGUST SCHLEICHER eine Fabel des Äsop in das postulierte Indogermanische „rückübersetzte" (sie ist als so genannte „SCHLEICHER'sche Fabel" in die Wissenschaftsgeschichte eingegangen).

Erklärung

▶ 1. Ein indogermanisches Urvolk ist archäologisch nicht nachweisbar.
2. Eine indogermanische Ursprache ist nicht belegt. Alle Aussagen über das „Indogermanische" beruhen auf sprachwissenschaftlichen Rekonstruktionen.
3. Wir besitzen nur Quellen in indogermanischen Einzelsprachen, die höchstens bis in 18. Jahrhundert v. Chr. (Hethitisch) zurückreichen.

Die einzige Möglichkeit, Aussagen über die vermutete „Ursprache" zu machen, ist also der systematische Vergleich von Einzelsprachen. Um etwas über das Leben des vermeintlichen indogermanischen Urvolks herauszufinden, kann man nur Wörter aus Einzelsprachen vergleichen – eine Methode, die man „linguistische Paläontologie" genannt hat. Auf diese Weise glaubte man, Folgendes herausfinden zu können:

- Das vermutete indogermanische Urvolk lebte in Großfamilien (Sippen): Fast alle unsere Verwandtschaftsbezeichnungen sind gemeinindogermanisch: Vater, Mutter, Schwester, Bruder, Oheim etc.
- Die Indogermanen waren keine Nomaden mehr: Das zeigen Begriffe aus dem Hausbau (Dach), dem Ackerbau (Acker, Joch), von Kulturpflanzen (Korn) und aus der nicht rein nomadischen Tierzucht (Herde, Wolle, melken). (Es konnte bislang noch nicht geklärt werden, ob das wichtige Wort Pflug indogermanischen Ursprungs ist.)
- Eine auffallend große Zahl an Haustierbezeichnungen weist auf sesshafte Tierhaltung: Kuh, Stier, Ochse, Schwein, Bock, Hund, Fohlen, Gans, Ente. Auffallend ist, dass die indogermanischen Sprachen keine gemeinsamen Wörter für „exotische" Tiere wie Löwe, Tiger, Elefant, Kamel oder für Pflanzen wie Palme, Zypresse, Olive oder Öl haben.
- Die Indogermanen verfügten bereits über technische Kenntnisse: Der Wagen und seine Bestandteile (Nabe, Rad) sind ebenso indogermanisch wie die Bezeichnung Erz. Das Eisen war noch nicht bekannt (es gibt keinen einheitlichen indogermanischen Begriff dafür), sodass die indogermanische Zeit vor der Eisenzeit angesetzt wird. (Als Entdecker des Eisens gelten die Hethiter.)
- Besonders wichtig war den Indogermanen offenbar die Nacht; die Zeit wurde nach dem Mondkreis gemessen, wovon Ausdrücke wie Weihnachten, Monat (zu Mond) und engl. fortnight ‚14 Tage' zeugen.
- Bei der Terminologie für Wald- und Baumbestand gibt es keine einheitlichen indogermanischen Bezeichnungen (wie etwa für die Angehörigen der Großfamilie). Wald ist vielleicht etymologisch mit wild verwandt, offenbar ist den Indogermanen der Wald, den man sich als undurchdringlichen Urwald vorzustellen hat, immer unheimlich gewesen.
- Sie rechneten mit dem Dezimalsystem, offenbar ausgehend vom Zählen mit den zehn Fingern.

Aus diesen und weiteren Beobachtungen schloss man, dass die Urheimat der Indogermanen nicht der Mittelmeerraum oder das Gebiet um das Schwarze Meer oder das Kaspische Meer, sondern vielmehr ein Heide- oder Savannengebiet gewesen sein muss (und die Abwandernden die Bäume, die sie in ihrer neuen Heimat vorfanden, mit neuen Begriffen belegten). Man suchte nach solchen Vegetationszonen im dritten vorchristlichen Jahrtausend, von denen sowohl Europa als auch Asien leicht „erwandert" werden können.

Es muss erwähnt werden, dass diese Methode nicht unumstritten ist. Das so genannte **Lachs-Argument** beruht darauf, dass die Bezeichnung für diesen Fisch nicht nur im Germanischen, Slawischen und Baltischen vorkommt, sondern in der Bedeutung ‚Fisch' auch im Tocharischen (s. S. 52) weit im Osten von Mittelasien. Die Schlussfolgerung, dass die Indogermanen daher aus Gebieten kommen, in denen dieser Fisch heimisch war (im Flussnetz von Weichsel, Oder, Elbe oder vielleicht auch Weser), wird aber dadurch entkräftet, dass die tocharische Bedeutung ‚Fisch' die ursprüngliche gewesen sein und von dort in die anderen Sprachen (mit spezialisierter Bedeutung) gekommen sein könnte. Ähnliches gilt für das **Buchen-Argument**: Dieser Baum wächst nur westlich einer Linie Varna–Odessa–Königsberg. Die abgewanderten Indogermanen hätten dann dieses Wort auf andere Bäume in ihrer neuen Umgebung übertragen. Allerdings weiß man heute, dass die Buche im Neolithikum bedeutend weiter südlich und östlich verbreitet war und erst spät nach Mittel- und Nordeuropa gekommen ist.

Noch etwas muss bedacht werden: Gewisse Wörter sind offenbar deshalb nicht überliefert, weil sie mit einem **Tabu** belegt waren. So bedeutet **Bär** einfach nur ‚der Braune', weil man dieses gefährliche Wesen nicht bei seinem wahren Namen nennen und damit „herbeirufen" wollte. Auch für ‚Milch' und ‚Kind' gibt es kein gemeinindogermanisches Wort. Offenbar verhinderte der Glaube, dass man bei Nennung der leicht verderblichen Milch und des verletzlichen Neugeborenen und Kleinkindes die Dämonen und bösen Geister auf sie aufmerksam machen würde, die Überlieferung der ursprünglichen Bezeichnungen.

Erklärung

▶ Einen Rest der mythischen Vorstellung, durch Nennung ein böses Wesen herbeizurufen, kennen wir alle aus dem Märchen Rumpelstilzchen, in dem der „wahre Name" eine entscheidende Rolle spielt, oder wenn Abergläubische befürchten, etwas durch expressive Nennung zu „verschreien".

Obwohl es keine einheitliche Meinung über die Lokalisierung des indogermanischen Urvolks gibt, haben sich von den vielen möglichen Gegenden die Landschaft nördlich des Kaukasus, Ost-, Mittel- oder Nordeuropa am meisten durchgesetzt. Es gab aber auch Stimmen, die sich schon früh gegen die Einheitlichkeit eines indogermanischen Urvolks ausgesprochen haben, etwa NIKOLAI TRUBETZKOY (1890–1938), der in den 30er Jahren des 20. Jahrhunderts mit der Theorie aufhorchen ließ, dass das Indogermanische ein sprachliches Ausgleichsprodukt benachbarter Sprachfamilien darstellt und von Anfang an uneinheitlich war. Er prägte den Begriff des **Sprachbundes**.

Heute ist die Theorie vom einheitlichen Urvolk obsolet. Erschüttert wurde die Theorie von der Einheitlichkeit des Indogermanischen durch die Entzifferung des Hethitischen ab 1915. Als Begründer der Hethitologie gilt BEDŘICH HROZNY (1879–1952), dem als Erstem die Deutung des Hethitischen gelang, indem er nachwies, dass es sich um eine indogermanische und nicht – wie bis dahin allgemein angenommen – um eine semitische Sprache handelt. Allerdings weicht das Hethitische von der bis dahin rekonstruierten Form des Indogermanischen (die vor allem auf dem Sanskrit, Altpersischen, Griechischen und Lateinischen beruht) eklatant ab; man hat sogar behauptet, dass die Vorstellungen des 19. Jahrhunderts vom Indogermanischen vollkommen anders ausgesehen hätte, wenn man das Hethitische früher gekannt hätte. Man stellt sich heute die Indogermanen von Anfang an als lockeren Stammesverband vor, dessen Sprache vielleicht gar nicht jene Einheitlichkeit aufwies, die man früher als selbstverständlich nahm, sondern einen Verbund oder „Mundartenblock" darstellte. Was vor dieser Phase lag, lässt sich mit seriösen Mitteln nicht sagen.

Merksatz

▶ Heute stellt man sich „die Indogermanen" nicht mehr als einheitliches Urvolk, sondern als lockeren Stammesverband vor.

Erklärung

▶ Die Schwierigkeit bei der ethnologischen oder linguistischen Beurteilung von archäologischen Funden besteht darin, dass ohne schriftliche Hinweise letztlich keine eindeutig beweisbare Zuordnung möglich ist.

Die indogermanische Sprachstruktur | 2.1.2

Ein indogermanisches Wort bestand aus drei Teilen: dem **Stamm**,
dem **Ableitungselement** und dem **Flexionselement**, z.B.
    germ. *wulf—a—z ‚Wolf'
Die Klasseneinteilung bei den Substantiven und Adjektiven erfolgt
nach der Ableitung. Zum germ. a-Stamm gehören also Substantive,
deren Ableitungselement ein a ist. (Wir zitieren hier ein Beispiel
aus dem Germanischen, damit ein stärkerer Bezug zur deutschen
Sprachgeschichte besteht.)
    Die Wortbetonung (der Akzent) konnte im Indogermanischen –
bestimmten Regeln folgend – auf jedem der drei Wortteile stehen,
er war frei (allerdings nicht im Sinn von ‚beliebig'). Es handelte sich
um einen vorwiegend **musikalischen Akzent**, d.h., er wurde durch
die Tonhöhe und nicht durch erhöhten Stimmdruck (**dynamischer
Akzent**) geregelt.

Vokale
Kurz- und Langvokale: a –e – i – o– u – ə / ā – ē – ī – ō – ū
Diphthonge: ai – ei – oi / āi – ēi – ōi
             au – eu – ou / āu – ēu – ōu
Halbvokale: i̯ – u̯
Sonantische Nasale: m̥ – n̥
Sonantische Liquide: l̥ – r̥
Laryngale: h_1 – h_2 – h_3 (s. S. 49)

Konsonaten

	Tenues	Mediae	Mediae aspiratae
Verschlusslaute:	p	b	bh
Dentale	t	d	dh
Palatale	k̂	ĝ	ĝh
Velare	k	g	gh
Labiovelare	ku̯	gu̯	gu̯h

Spirans: s
Liquide: r – l
Nasale: m – n – ŋ

Das Sprachsystem der Indogermanen erscheint als erstaunlich komplex. Es umfasst nach heutigem Wissensstand:
- drei Genera: maskulin, feminin, neutrum
- Aktiv/Medium, kein Passiv (das ist eine späte Neuerung der indogermanischen Einzelsprachen)
- acht Kasus
- drei Numeri: Einzahl, Dual, Mehrzahl
- keine eigentlichen Tempora, sondern eher Aspekte einer Aktion (durativ, punktuell, ingressiv, inchoativ, iterativ, perfektiv), die später zum Tempussystem ausgebaut wurden
- mindestens vier Modi: Indikativ, Imperativ, Optativ (Wunschform), Konjunktiv (Willensform)
- keine Artikel und Präpositionen

2.1.3　Der Ablaut

Unter **Ablaut** versteht man den systematischen Wechsel der Stammsilbenvokale in etymologisch oder grammatisch verwandten Wörtern. Alle indogermanischen Sprachen kennen den Ablaut (z.B. lat. scribere [iː], aber scriptum [i], lat. fēci, factum); doch haben ihn nur die germanischen Sprachen systematisch u.a. als Wortbildungsmittel ausgebaut (vgl. unten Germanisch, Ablautreihen).

Als Grundstufe des Ablauts erscheint idg. e, das qualitativ und quantitativ verändert werden kann:

Abb 10 ｜ *Ablaut*

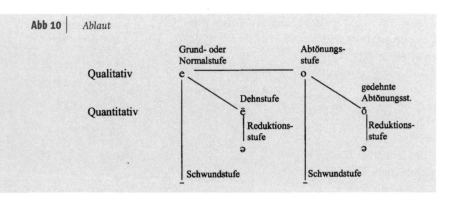

Die Laryngaltheorie

Obwohl die **Laryngaltheorie** von der Mehrheit der Indogermanisten heute anerkannt wird, erfreut sie sich nicht restloser Zustimmung, auch schwankt die Zahl der angenommenen Laryngale von (üblicherweise) drei bis zu zehn. Begründer der Laryngaltheorie ist FERDINAND DE SAUSSURE, der sie in einer genialen Arbeit 1878 zum ersten Mal postulierte. Später wurde der Ansatz u.a. von JERZY KURYŁOWICZ (1895–1978) entscheidend ausgebaut.

Laryngale sind konsonantische Kehlkopflaute, die in keiner zu SAUSSURES Zeiten bekannten indogermanischen Einzelsprache erhalten sind, die aber im Indogermanischen vorhanden waren und sich auf benachbarte Laute ausgewirkt haben. Sie sind somit nur als Reflexe nachweisbar. Tatsächlich hat die Entdeckung des Hethitischen diese Theorie stark gestützt, da in dieser Sprache Phänomene belegt sind, die glaubhaft als direkte Reflexe der Laryngale interpretiert werden können. Die Standardtheorie unterscheidet drei Laryngale (heute meist als h_1, h_2, h_3 bezeichnet), deren Lautwert allerdings umstritten ist. In Kombination mit kurzem e entstehen unterschiedliche Laute:

$$^*eh_1 > {^*e}, {^*eh_2} > {^*a}, {^*eh_3} > {^*o}$$

Lässt sich der Laryngal nicht näher bestimmen, wird er mit H notiert.

Eigenartig an dem Schema in Abb. 10 ist, dass die Reduktionsstufe eines Langvokals nicht, wie logischerweise zu erwarten wäre, einen Kurzvokal ergibt, sondern einen Schwa-Laut. Dies steht im Zusammenhang mit einer angenommenen Gruppe von konsonantischen Lauten, den so genannten Laryngalen.

Kentum- und Satemsprachen   2.1.3

Das indogermanische Verschlusslautsystem weist wie dargestellt drei Reihen an Gaumenlauten auf:

Palatale	k̑	ĝ	ĝh
Velare	k	g	gh
Labiovelare	ku̯	gu̯	gu̯h

Allerdings sind in keiner der indogermanischen Sprachen alle drei Reihen erhalten (es handelt sich also bei diesem Ansatz um ein „Proto-Indogermanisch", ein „Over-all-System", das alle potenziellen Möglichkeiten enthält). In den so genannten Kentumsprachen sind die Reihen 1 und 2 zusammengefallen, in den Satemsprachen die Reihen 2 und 3, wobei sich die Elemente der Reihe 1 zu s-Lauten (Sibilanten) weiterentwickelten. Als Merkwort wird die indogermanische Bezeichnung für ‚hundert' herangezogen:

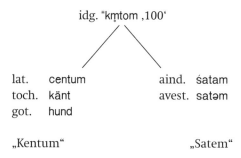

idg. *km̥tom ‚100'

lat.	centum		aind.	śatam
toch.	känt		avest.	satəm
got.	hund			

„Kentum"   „Satem"

Im Einzelnen unterscheidet man folgende indogermanischen Sprachen († = ausgestorben):

Satem-Sprachen
1. Indische Sprachen
   Altindische Sprachen (†): Vedisch, Sanskrit
   Mittelindische Sprachen: Pali u.a.
   Neuindische Sprachen: Hindi, Bengali, Romanes u.a.
2. Iranische Sprachen
   Altiranische Sprachen (†): Avestisch, Altpersisch, Medisch, Skythisch
   Mitteliranische Sprachen (†): Pehlevi u.a.
   Neuiranische Sprachen: Neupersisch, Tadschikisch u.a.
3. Armenisch
4. Albanisch
5. Baltische Sprachen
   Litauisch, Lettisch, Altpreußisch (†)
6. Slawische Sprachen
   Altslawisch (†): Altkirchenslawisch
   Ostslawisch: Russisch, Ukrainisch, Weißrussisch

Westslawisch: Polnisch, Kaschubisch, Sorbisch, Tschechisch, Slo-
wakisch
Südslawisch: Slowenisch, Serbisch, Kroatisch, Bulgarisch, Make-
donisch

Kentum-Sprachen
1. Anatolische Sprachen (†)
   Hethitisch, Lydisch, Lykisch u.a.
2. Tocharisch (†)
3. Griechisch
   Altgriechisch (†): Mykenisch, Ionisch, Attisch, Arkadisch-Ky-
   prisch, Dorisch, Äolisch u.a.
   Neugriechisch
4. Italische Sprachen
   Altitalische Sprachen (†): Oskisch-Umbrisch, Latino-Faliskisch
   Iberoromanisch: Portugiesisch, Galizisch, Spanisch, Katalanisch,
   Sefardisch (Sprache der spanischen Juden)
   Galloromanisch: Französisch, Okzitanisch (= Provenzalisch, Gas-
   cognisch)
   Italoromanisch: Italienisch, Korsisch, Sardisch
   Balkanromanisch: Rumänisch, Dalmatisch (†) u.a.
   Alpenromanisch: Rätoromanisch, Ladinisch, Friaulisch
5. Keltisch
   Festlandkeltisch (†): Gallisch, Keltiberisch, Galatisch u.a.
   Inselkeltisch: Britannisch: Kornisch (†), Kymrisch (in Wales), Bre-
   tonisch
   Goidelisch: Irisch, Schottisch, Manx (auf der Insel Man, †)
6. Germanisch
   Ostgermanisch (†): Gotisch, Vandalisch, Burgundisch, Rugisch,
   u.a.
   Nordgermanisch: Isländisch, Dänisch, Norwegisch, Schwedisch,
   Färöisch
   Westgermanisch: Englisch, Friesisch, Niederländisch, Deutsch,
   Afrikaans, Jiddisch

Nicht klassifizierte indogermanische Sprachen (†):
   Illyrisch, Messapisch, Thrakisch, Phrygisch u.a.

Nichtindogermanische Sprachen in Europa
1. Baskisch (isolierte Sprache, mit keiner anderen Sprache der Welt verwandt)
2. Finno-Ugrisch
   Ungarisch, Finnisch, Estnisch, Karelisch, Lappisch u.a.
3. Turksprachen
   Türkisch
4. Semitisch: Maltesisch (auf Malta)

Lange Zeit glaubte man, dass die Kentum-Sprachen im Westen (Europa) und die Satem-Sprachen im Osten (Asien) angesiedelt seien. Es sah daher so aus, als hätte sich das indogermanische Urvolk zunächst zweigeteilt in einen Kentum- und einen Satem-Zweig, die sich dann weiter ausgebreitet hätten. Die Entdeckung des Hethitischen und Tocharischen, die als Kentum-Sprachen in Asien gesprochen wurden, machte diese Hypothese unglaubwürdig. Heute ist die Einteilung in Kentum- und Satem-Sprachen nicht mehr so bedeutend, obwohl sie nach wie vor (mit wenigen Ausnahmen) vorgenommen werden kann.

Erklärung

▶ **Die indogermanischen Sprachen sind zu höchst unterschiedlichen Zeitpunkten erstmals schriftlich belegt:**
- **Hethitisch ab dem 18./17. Jh. v. Chr.**
- **Griechisch-Mykenisch ab dem 14. Jh v. Chr.**
- **Altindisch möglicherweise noch 2. Jt., sicher 1. Jt. Chr.**
- **Altgriechisch ca. 800 v. Chr.**
- **Latein 6. Jh. v. Chr.**
- **Keltisch u. Germanisch 2. Jh. v. Chr. (Einzelbelege)**
- **Germanisch (Gotisch) Ende 4. Jh. n. Chr. (zusammenhängende Texte, Wulfila-Bibel)**
- **Deutsch, Keltisch (Altirisch), Englisch, Slawisch 8. Jh. n. Chr.**
- **Baltisch 14. Jh. n. Chr.**

Alteuropäische Hydronymie | 2.1.4

In den 50er und 60er Jahren des 20. Jahrhunderts formulierte der Indogermanist HANS KRAHE (1898–1965) auf Grund seiner Untersuchung von Flussnamen in Europa eine neue Theorie.

Gewässernamen sind deswegen so aussagekräftig, weil Namen zum ältesten Sprachgut gehören und in eine Zeit zurückreichen, aus der keinerlei schriftliche Quellen vorhanden sind. Unter den Namen wiederum sind Gewässernamen besonders altertümlich, weil sie seit jeher zur Orientierung dienten und

Merksatz

▶ **Die Gesamtheit der Gewässernamen eines bestimmten Gebietes wird als „Hydronymie" bezeichnet.**

daher von sich neu ansiedelnden Völkerschaften oft übernommen wurden; auch wurden Flussnamen sehr häufig auf an den Flüssen entstandene Siedlungen übertragen (z.B. Melk, Wien, Fulda).

HANS KRAHE stellte fest, dass es in Europa ein weit verzweigtes Netz an altertümlichen Gewässernamenwurzeln gibt, das von Westeuropa bis an den Ural und von Nordeuropa bis in die Mittelmeerländer reicht. Zu diesen „Wasserwörtern" gehören etwa Ache (Rotach, Fulda), Albina, Alm (davon die Elbe oder die Alm in Oberösterreich), Enns, Etsch v.a.m. Er ging davon aus, dass die Gewässernamen Europas historisch geschichtet sind und die Namen der ältesten Schichten vielfach eine Verbreitung zeigen, die größer ist als die Verbreitung der Einzelsprachen. KRAHE postulierte daher, dass die Flussnamen aus einer Zeit des Indogermanischen stammen, bevor es in Einzelsprachen aufgebrochen war:

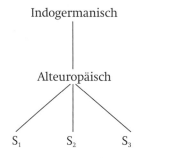

Dabei zeigen sich nach Krahes Ansicht die Flussnamen nördlich der Alpen als ältestes Sprachgut in Europa überhaupt, südlich der Alpen sind sie jünger und überlagern nichtindogermanisches Sprachgut. Zudem weisen die Namen der keltisch-germanisch-baltischen Gruppe eine größere Affinität auf, die slawische Gruppe ist nur schwach vertreten, und sie grenzt sich gegen die so genannte „italische Gruppe" (Latino-Faliskisch und Oskisch-Umbrisch) ab, sodass Krahe dieser Gruppe ein höheres Alter zuweist. Seiner Meinung nach muss das „Alteuropäische" zwischen 1500 und 1000 v.Chr. voll ausgeprägt gewesen sein.

Krahes Schüler Wolfgang Paul Schmid modifizierte die Thesen seines Lehrers dahingehend, dass er zwar die hohe Altertümlichkeit des Namengutes bestätigte, „Alteuropäisch" als eigene Sprachstufe aber ablehnt. Ein einheitliches „Alteuropäisch" kann linguistisch nicht nachgewiesen werden, es handelt sich um das „Indogermanische" selbst. „Alteuropäisch" stellt zwar eine durch Alter, Morphologie und Verbreitung gekennzeichnete indogermanische Namenklasse dar, aber keine Sprachstufe.

2.2 | Germanisch

Der älteste und einzige längere zusammenhängende germanische Text ist die gotische Bibelübersetzung, die der arianische Ostgotenbischof Wulfila (318–383/388) um 375 anfertigte. Dafür schuf er eine eigene, hauptsächlich auf dem griechischen Alphabet basierende Schrift, um die dem Germanischen eigenen Laute besser wiedergeben zu können. Ein großer Teil des Textes ist heute in einer Prachthandschrift, dem **Codex Argentus** (silberne und z.T. goldene Schrift auf purpurnem Papier, geschrieben um 520 in Ravenna, heute in Uppsala), erhalten.

Das Vaterunser im Germanischen (Gotischen)

Atta unsar þu in himinam, weihnai namo þein. qimai þiudinassus þeins, wairþai wilja þeins, swe in himina jah ana airþai. hlaif unsarana þana sinteinan gif uns himma daga. jah aflet uns þatei skulans sijaima, swaswe jah weis afletam þaim skulam unsaraim. jah ni briggais uns in fraistubnjai, ak lausei uns af þamma ubilin unte þeina ist þiudangardi jah mahts jah wulþus in aiwins. amen.

Eine Seite aus der WULFILA-Bibel | **Abb 11**

Ethnische und sprachliche Gliederung der Germanen | 2.2.1

Gegen Ende des 2. Jahrtausends v. Chr. entstand an der unteren Elbe, im heutigen Dänemark und der südlichen Ostseeküste, im südlichen Schweden und südlichen Norwegen (also rund um die Ostsee) eine einheitliche Kultur. Aus archäologischen Funden nimmt man an, dass hier die Verschmelzung einer ursprünglich ansässigen, nichtindogermanischen Bevölkerung („Megalithgräberkultur", Substrat) mit indogermanischen Einwanderern („Streitaxt-kultur", Superstrat) stattfand. Die Reste dieses vorgeschichtlichen Vorgangs dürften in der germanischen Mythologie die Vorstellungen der Göttergruppen **Asen** (die zahlenmäßig größere Gruppe von Göttern, der z.B. Wodan und Thor angehören und die die indogermanischen Einwanderer symbolisieren) und **Wanen** (die kleinere Göttergruppe als Widerspiegelung der nichtindogermanischen Urbevölkerung) begründet haben.

Abb 12 | *Germanische Beinkämme*

Im Germanischen ist etwa ein Drittel des Wortschatzes nicht indogermanischen Ursprungs. Dazu gehören v.a. folgende Bereiche:
1. Schifffahrt: Nicht indogermanisch sind etwa die Wörter Mast, Kiel, Anker, Ebbe sowie die Bezeichnungen der Himmelsrichtungen, auch das Wort (die) See.
2. Gesellschaft: Volk, König
3. Kriegswesen: Krieg, Friede, Schwert

Die ursprüngliche Schlussfolgerung der Indogermanisten, im Indogermanischen habe es überhaupt keine Wörter dafür gegeben, weil die bezeichneten Sachen unbekannt waren (daher u.a. auch die Annahme, die Indogermanen seien ein Binnenvolk gewesen), konnte aber nicht aufrechterhalten werden: Schließlich ist es auch denkbar, dass bestehende indogermanische Bezeichnungen (z.B. durch die Überlegenheit der neuen Kultur) durch nichtindogermanische überlagert wurden. (Man vgl. das deutsche Wort Rechner, das durch engl. Computer verdrängt wurde.) Daher ist man heute bei ethnologischen Schlüssen durch Untersuchung der Wortschatzbereiche vorsichtiger geworden.

Erklärung

▶ **Forschungsgeschichtlich bedeutsam sind germanische Lehnwörter im Finnischen, die besonders altertümliche Formen aufweisen, z.B. finn. rengas < germ. *hrengaz ‚Ring‘, finn. kuningas < germ. *kuningaz ‚König‘.**

Durch Anwachsen der Bevölkerung und durch Wanderungszüge breiteten sich die Germanen über das übrige Nordeuropa und den nördlichen Teil des kontinentalen Euorpa aus, sodass sie sich in der Folge stammesmäßig und sprachlich differenzierten. Im Lauf des ersten Jahrtausends v. Chr. verlagerten germanische Stämme (nach dem südöstlich von Lüneburg gelegenen Fundort großer

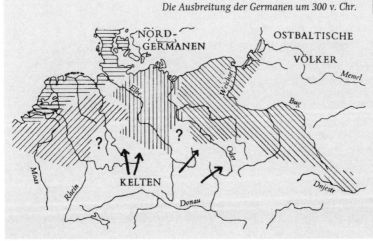

Die Ausbreitung der Germanen um 300 v. Chr. | **Abb 13**

Urnengräberfelder wird diese Stufe auch **Jastorfkultur** genannt) ihre Siedlungsgebiete allmählich nach Süden.

TACITUS erwähnt in seiner „Germania" (ca. 100 n. Chr.) die germanische Entstehungssage, nach der der Stammesvater Mannus (= ‚Mann, Mensch'), der selbst vom Gott Tuisto abstammte, drei Söhne hatte, aus denen die drei Teile der Germanen, die Ingewäonen, Herminonen und Istävonen (Ingaevones, Hermiones, Istaevones) hervorgingen. FRIEDRICH MAURER (1898–1984) brachte diese Namen ohne historische oder archäologische Grundlage mit den drei sprachlichen Germanenzweigen **Nordseegermanen**, **Weser-Rhein-Germanen** (auch **Rhein-Weser-Germanen**) und **Elb(e)germanen** in Verbindung. Diese Namen haben sich aus traditionellen Gründen bis heute gehalten.

Abb 14 | *Sprachliche Einteilung der Germanen*

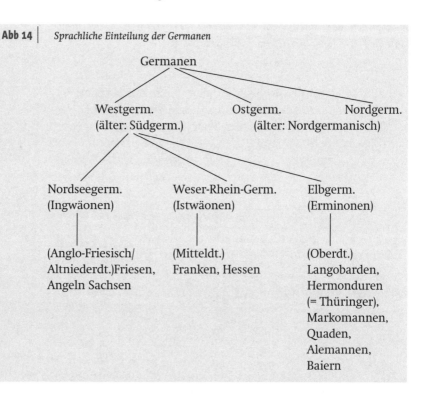

Germanen

Westgerm. (älter: Südgerm.) — Ostgerm. (älter: Nordgermanisch) — Nordgerm.

Nordseegerm. (Ingwäonen) — Weser-Rhein-Germ. (Istwäonen) — Elbgerm. (Erminonen)

(Anglo-Friesisch/ Altniederdt.)Friesen, Angeln Sachsen

(Mitteldt.) Franken, Hessen

(Oberdt.) Langobarden, Hermonduren (= Thüringer), Markomannen, Quaden, Alemannen, Baiern

Um ein Beispiel aus der Stammgeschichte zu nennen: Die **Baiern** (Bajuvarii) sind ein relativ junger Stamm. Die erste Erwähnung findet sich erst im 6. Jh. n. Chr. Ihre Entstehung (**Ethnogenese**) ist

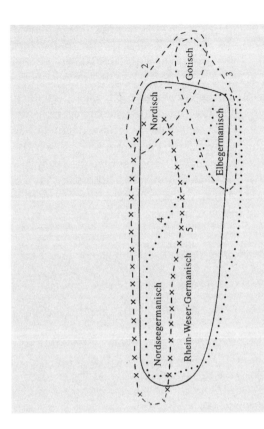

Abb 15

Schematische
Gliederung des
Germanischen

nicht geklärt, die anerkannteste Theorie besagt, dass Männer aus
dem heutigen Böhmen, worauf der vermutlich alte keltische
Stamm Boi-i im Namen verweist, in Altbayern (um Regensburg)
einwanderten und mit der dort ansässigen Bevölkerung den neuen
Stamm bildeten. Eine veraltete Erklärung will die Baiern aus Ost-
germanen entstanden wissen, die donauaufwärts nach Bayern eindrangen.

Erklärung

▶ Die Schreibung *Baiern, bairisch* bezieht sich immer auf die Sprache. (In diesem
Sinn spricht man auch in Österreich mit Ausnahme von Vorarlberg „Bairisch".)
Bayern und *bay(e)risch* hingegen beziehen sich den heutigen Freistaat Bayern,
diese Schreibung wurde erst zu Beginn des 19. Jahrhunderts eingeführt.

Nach Ansicht der Stammbaumtheorie war aus einem einheitlichen Indogermanisch ein einheitliches Germanisch entstanden (in der älteren Forschung als „Urgermanisch" bezeichnet), das dann in ein „Gemeingermanisch" übergegangen sein soll, d.h. in eine immer noch einheitliche Sprachform, die allen Germanenstämmen gemeinsam war (kurz vor dem Auseinanderbrechen in einzelne germanische „Sprachen"); dieses „Gemeingermanisch" spaltete sich dann durch Abwanderung in „Nordgermanisch", „Ostgermanisch" und „Westgermanisch". Heute wird in der Frühphase oft nicht zwischen Ur- und Gemeingermanisch unterschieden.

Aus dem Westgermanischen gingen also neben dem Deutschen noch andere moderne Sprachen hervor:

Abb 16 | *Gliederung des Westgermanischen*

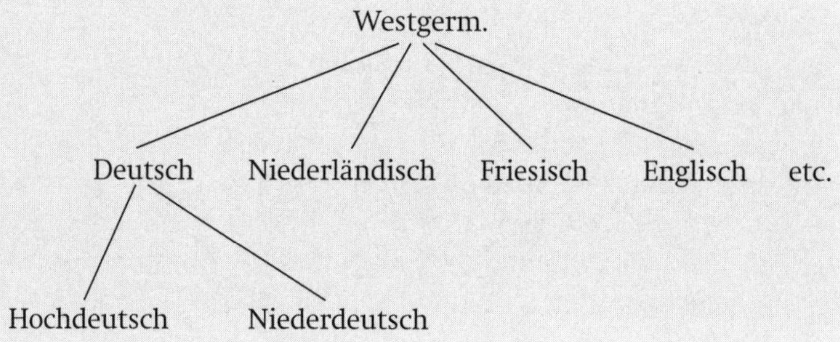

Westgerm.

Deutsch   Niederländisch   Friesisch   Englisch   etc.

Hochdeutsch   Niederdeutsch

Erklärung

► **Altniederdeutsch (Altsächsisch)**
Zum heutigen Deutschen gehört auch das Niederdeutsche. Seine Vorstufe ist das Altniederdeutsche (Altsächsische). Dieses ist typologisch im Grunde genommen eine eigene Sprache, für die aber seit Anfang der schriftlichen Bezeugung ebenfalls der Begriff deutsch verwendet wurde und die mit dem Hochdeutschen heute vor allem deshalb eine Einheit bildet, weil die niederdeutsche Bevölkerung ab dem 15./16. Jh. die hochdeutsche Schriftsprache übernommen hat. Hochdeutsche Einflüsse auf das Niederdeutsche bestanden aber schon seit der karolingischen Zeit, als die Sachsen (mit brutaler Gewalt) in das fränkische Reich eingegliedert wurden. Die oft anzutreffende Behauptung, das Deutsche sei durch die Zweite Lautverschiebung aus dem Germanischen entstanden, ist nicht richtig, weil nur das Hochdeutsche die Zweite Lautverschiebung aufweist. Während bis vor einiger Zeit nur der Terminus Altsächsisch gebräuchlich war, hat sich heute Altniederdeutsch eingebürgert.

Heute sieht man „Germanisch" aber eher als Sammelbezeichnung für von Anfang an differenzierte Dialekte. Die Frage, auf welche ältere Sprachstufen diese Dialekte zurückgehen, kann nicht seriös beantwortet werden.

So wenig man heute von einem einheitlichen Indogermanisch ausgeht, so wenig gab es ein einheitliches Germanisch. Vor allem die „westgermanische" Gruppe dürfte nach heutiger Ansicht niemals eine wirkliche Einheit gewesen sein. Es wäre auch denkbar – und immer mehr Forscher schließen sich dieser Meinung an –, dass bereits im Indogermanischen bestehende Dialekte im Germanischen weitergeführt wurden und sich gegenseitig (im Sinn der Wellentheorie) beeinflussten.

Für die heutige Ansicht spricht, dass es zwischen dem Nord-, Ost- und Westgermanischen wechselnde Übereinstimmungen, die wellentheoretisch erklärbar sind, gibt. (Die ostgermanischen Goten sind abgewanderte Skandinavier.)

1. Goto-nordische Gemeinsamkeiten:
   Sg. Ind. Praet. der starken Verben: got./anord. þu namt, hingegen ahd. du nâmi (-st in du namst ist eine spätere Entwicklung) u.a.m.
2. Westgermanisch-nordgermanische Gemeinsamkeiten
   Anlautendes fl- erhalten: ahd. fliohan, anord. flýga, aber got. þliuhan (‚fliehen')
   westgerm./nordgerm. z > r (Rhotazismus) ahd. mêro, aber got. maiza ‚mehr'
   germ. $\bar{e}_1$ > westgerm./nordgerm. ā, ahd. lâzzan, hingegen got. lātan ‚lassen'

Es ist dabei aber zu berücksichtigen, dass die ostgermanischen Sprachen relativ früh ausgestorben sind und sich vielleicht in eine Richtung weiterentwickelt hätten, die wir heute nicht beurteilen können.

Runen | 2.2.2

Im Gegensatz zum Indogermanischen verfügen wir beim Germanischen tatsächlich über reale Überlieferungen. Die ältesten, direkt von Primärsprechern aufgezeichneten Textzeugnisse sind (kurze) Runeninschriften. Runenschreibungen gibt es über einen Zeitraum von etwa 1000 Jahren, aber nur jene des 3. bis 6. Jahrhunderts sind Zeugnisse für das Germanische. Es sind etwa zwanzig sehr kurze

Die ältesten germanischen Inschriften

Die Deutung und Datierung von HARIGASTITEIVA /// IP (oder IL) auf dem Helm B von Negau (heute Steiermark) sind umstritten. Zwar sind die einzelnen Elemente durchsichtig (Harigasti ist ein Name, ‚Heergast', und Teiva bedeutet ‚Gott', vgl. deus, Tiw, Ziu), aber der Zusammenhang wird nicht klar: Stellt die Inschrift eine Anrufung dar, oder werden die im Kampf zu tötenden Feinde dem Gott geweiht? Die Zeichen /// und IP oder IL sind nie überzeugend gedeutet worden, man hat sie z.B. als Abkürzung für eine römische Legion gesehen. Zu berücksichtigen ist auch die zeitliche Entwicklung der Runenzeichen aus dem etruskischen Schriftsystem. Wenn

Abb 17 | *Die Speerspitze von Kowel. Die Schrift ist von rechts nach links zu lesen.*

man davon ausgeht, dass die Germanen die etruskische Schrift im 1. Jh. v. Chr. kennen gelernt haben, kann man die Inschrift (je nach Interpretation) um die Zeitenwende oder ca. 100 n. Chr. datieren, sie ist damit die bei weitem älteste germanische Inschrift überhaupt. Manche gehen sogar so weit, den Helm mit dem Untergang der Kimbern etwa 100 v. Chr. in Verbindung zu bringen.

Die Speerspitze von Kowel (südlich von Brestlitowsk, Ukraine), um 250 n. Chr., weist die Inschrift TILARIDS ‚Angreifer' auf. Sie ist allerdings 1945 in Warschau verschollen.

Das Goldene Horn B von Gallehus (bei Tondern, Dänemark), entstanden um 400 n. Chr. (gefunden 1743, verschollen seit 1802, vermutlich mit dem inschriftenlosen Horn A eingeschmolzen, aber in einer guten Zeichnung überliefert), zeigte die Runeninschrift EK HLEWAGASTIR HOLTIJAR HORNA TAWIDO ‚ich, Schutzgast, Holtes Sohn, machte das Horn'. Es handelt sich um eine regelmäßige Stabreimzeile. Ungeklärt ist, ob die Inschrift west- oder nordgermanisch ist, da sie im Gebiet der Angelsachen (vor deren Abwanderung auf die Britischen Inseln) gefunden worden ist.

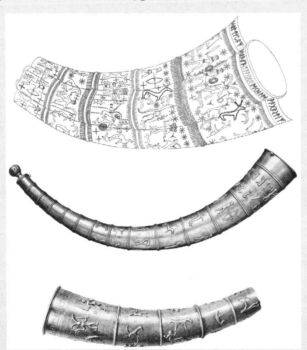

| **Abb 18**

*Goldhorn B von
Gallehus*

Inschriften aus dem 3. Jahrhundert überliefert, etwa vierzig aus der Völkerwanderungszeit. Der Rest der ca. 5000 Inschriften stammt aus späteren Zeiten. Die Runenzeichen leiten sich nicht direkt vom lateinischen oder griechischen Alphabet ab, sondern kommen von norditalienischen (etruskischen) Schriften. Trotzdem sind eigenartigerweise Dänemark und Osteuropa die Gegenden der frühesten Runenfunde und nicht die anzunehmende Kontaktzone der Alpen oder Oberitalen. Wie der Name Rune (zu raunen) zeigt, dienten die Inschriften wahrscheinlich vornehmlich dem magischen Kult.

Die Runenreihe trägt nach den Namen der 24 Zeichen auch den Namen **Futhark** (älterer Futhark), das jüngere Futhark umfasst 16 Zeichen.

Abb 19 | *Älteres Futhark auf der Steinplatte von Kylver*

ᚠ	ᚢ	ᚦ	ᚨ	ᚱ	ᚲ	ᚷ	ᚹ
f	**u**	**þ**	**a**	**r**	**k**	**g**	**w**
/f/	/u/	/þ/	/a/	/r/	/k/	/g/	/w/
ᚺ	ᚾ	ᛁ	ᛃ	ᛇ	ᛈ	ᛉ	ᛊ
h	**n**	**i**	**j**	**ï**	**p**	**R**	**s**
/h/	/n/	/i/	/j/	?	/p/	/z/	/s/
ᛏ	ᛒ	ᛖ	ᛗ	ᛚ	ᛜ	ᛞ	ᛟ
t	**b**	**e**	**m**	**l**	**ŋ**	**d**	**o**
/t/	/b/	/e/	/m/	/l/	/ŋ/	/d/	/o/

þ = (engl.) stimmloses [θ],
ᛉ wird auch mit **z**, ᛜ auch mit **ng** transliteriert

2.2.3 | Merkmale der germanischen Sprachen

Die germanischen Sprachen unterscheiden sich in folgenden Punkten von allen anderen indogermanischen Sprachen:

1. Festlegung des ursprünglich freien dynamischen Wortakzents auf die erste Silbe (den Stamm). Dies hatte weit reichende Folgen

für die weitere Entwicklung der germanischen Sprachen: Die Endsilben wurden abgeschwächt und der Ausbau eines synthetischen Sprachbaus (ein Wort enthält semantisch durch Suffixe alle Informationen, z.B. lat. laudaverim) zu Gunsten eines analytischen (z.B. dt. ich habe gelobt) sowie eines Artikelsystem u.a.m. gefördert.

2. Erste (oder Germanische) Lautverschiebung (s. S. 66);
3. Vokalische Veränderungen;
4. Systematischer Ausbau des indogermanischen Ablauts beim starken Verbum („Ablautreihen"), z.B. binden – band – gebunden;
5. Ausbau einer n-Deklination („schwache Deklination") beim Substantiv, z.B. Zunge;
6. Ausbau einer schwachen Adjektivflexion neben der starken, z.B. der gute Mensch neben guter Mensch;
7. Ausbau eines schwachen Präteritums mit t-Suffix beim Verb, z.B. lachen – lachte – gelacht.

Vokalische Veränderungen vom Indogermanischen zum Germanischen

1. idg.   o   a   ə
                       \ | /
    urgerm.   a

Beispiele: lat. noctis (Gen.) ≡ ahd. naht ‚Nacht' (Nom.), lat. ager ≡ ahd. ackar ‚Acker'

2. idg.   ā   ō
                       \   /
    urgerm.   ō

Beispiel: idg. *bhráter > got. brōþar, griech. plōtós ≡ got. flōdus.
Diese Lautgesetze wirken sich auch auf die Diphthonge aus:

3. idg.   ai   oi   au   ou   ei
               \   /   \   / |
    urgerm.   ai   au   ī

Beispiele: griech. oinós ‚1 auf dem Würfel' ≡ ahd. ains ‚1', lat. aes ≡ got. aiz ‚Erz', lat. augēre ≡ got. aukon ‚vermehren', idg. *roudhos > got. rauþs ≡ ahd. rōt ‚rot'

4. Die silbischen Liquide und Nasale entwickeln ein phonemisches u:

$$ \mathinner{\underset{\circ}{l}} > ul, \; \underset{\circ}{r} > ur, \; \underset{\circ}{m} > um, \; \underset{\circ}{n} > un $$

Beispiele: idg. *pḷnós > germ. *fullaz ‚voll', idg. *bhṛtís > germ. *burdiz ‚Bürde'

▶ **Als Faustregel gilt bis zum Ende des Mittelhochdeutschen: Die Quantität des Wurzelphonems muss erhalten bleiben: Aus einem Langvokal kann nur wieder ein Langvokal oder ein Diphthong werden (oder umgekehrt), ein Kurzvokal muss ein Kurzvokal bleiben.**

Konsonantische Veränderungen vom Indogermanischen zum Germanischen
Die wichtigste Veränderung vom Indogermanischen zum Germanischen ist die so genannte **Erste** (oder **Germanische**) **Lautverschiebung**. Sie lief in mehreren Phasen ab:

1. idg. Tenues und Tenues aspiratae > urgerm. stimmlose Reibelaute

p, ph	>	f
t, th	>	þ
k, kh	>	χ
qu̯, qu̯h	>	χu̯

Beispiele: idg. *ph₂tér > got. fadar ‚Vater'
idg. *bhráter > got. brōþar ‚Bruder'
idg. *déḱm̥ > got. taíhun ‚10'
idg. *qu̯is > got. hwer ‚wer'

Diese Verschiebung tritt nicht ein, wenn eine Spirans unmittelbar vorangeht, also in den Verbindungen idg. sp, st, sk, squ̯ (> germ. sp, st, sk).

Beispiele: lat. spuō ≡ ahd. spīwan ‚speien'
lat. est ≡ ahd. ist ‚(er) ist'
lat. scabo ≡ ahd. scaban ‚schaben'

2. idg. Mediae > urgerm. Tenues

b	>	p
d	>	t
g	>	k
gu̯	>	ku̯

Beispiele: idg. *slāb- > asächs. slāpan ‚schlafen'
lat. quod ≡ asächs. hwat ‚was'
lat. iugum ≡ got. juk ‚Joch'
lat. vivus (< qu̯ei-) ≡ engl. quick

Auch hier gibt es Ausnahmen: idg. bt, gt, gs, dt werden nicht (wie zu erwarten wäre) zu *pþ, *kþ, *ks, *tþ verschoben, sondern zu:

idg		urgerm.
bt	>	ft
gt, ht	>	χt
gs	>	χs
dt > tt >		s(s)

Beispiele: idg. *reĝtos > urgerm. *reχtaz ‚Recht'
idg. *u̯id-tom > urgerm. *u̯issa ‚Wissen'

Auf diese so genannte „Primärberührung" gehen die heutigen Unterschiede tragen – Tracht/trächtig, heben/haben – Haft, ziehen (ahd. ziogan) – Zucht, siechen – Sucht zurück.

3. idg. Mediae aspiratae > urgerm. stimmhafte Reibelaute

bh	>	ƀ	(> Verschlusslaut b)
dh	>	đ	(> Verschlusslaut d)
gh	>	ǥ	(> Verschlusslaut g)
gu̯	>	gu̯	(> Verschlusslaut g+w)

► **Achtung:** ƀ, đ, ǥ **bezeichnen stimmhafte *Reibelaute*** [β][ð][ɣ], **keine *Verschlusslaute*!**

Beispiele: idg. *bhráter > got. brōþar ‚Bruder'
                                    idg. *bhendhon- > got. bindan ‚binden'
                                    idg. *ghostis > got. gasts ‚Gast'

Die Phasen der Ersten Lautverschiebung erfolgten vermutlich nacheinander und dauerten über Jahrhunderte hinweg. Die Reihenfolge der Phasen ist nicht genau geklärt. Wenn man annimmt, dass als Erstes die Tenuesverschiebung erfolgte, so entstand im indogermanischen Verschlusslautsystem eine Lücke, die einen „Sog" ausübte und die Verschiebung b > p etc. verursachte. Man kann sich aber auch die oben als 3. Schritt dargestellte Verschiebung der Mediae aspiratae als ersten Schritt denken, sodass die neue Reihe b, d, g auf die noch bestehende alte einen „Schub" ausübte, die den Wandel von altem b, d, g zu p, t, k bewirkte. Für beide Modelle gibt es gute Argumente und Gegenargumente.

Auch die Frage nach der Datierung der Lautverschiebung ist nicht einfach zu beantworten. Hier können Lehnwörter helfen wie im berühmten **Hanf-Argument**: Das Wort für ‚Hanf', griech. kánnabis, stellt ein Lehnwort aus dem Skythischen dar, das die Griechen im 5. Jh. v. Chr. übernommen haben und das erst danach die Germanen kennen lernen konnten. Da die Verschiebung k > χ noch produktiv war, kann die Erste Lautverschiebung im 5. Jh. v. Chr. noch nicht abgeschlossen gewesen sein. Andererseits wissen wir anhand von lateinischen Lehnwörtern, die von den Germanen am Rhein im 3. u. 2. Jh. v. Chr. übernommen wurden, dass die Verschiebungen zu dieser Zeit nicht mehr eingetreten sind. Das bedeutet, dass die Erste Lautverschiebung zwischen dem 5. und 3./2. Jh. v. Chr. vollendet worden sein muss.

2.2.4 | Veränderungen im Germanischen

Vokalische Veränderungen
1. Umlaut
Der Umlaut ist die totale oder partielle Assimilation eines Vokals an einen Vokal oder Halbvokal der folgenden Silbe, seltener an einen Nasal oder Vokal der eigenen Silbe. Man unterscheidet 1. den bewirkenden Laut und 2. den betroffenen Laut. Der Umlaut von urgerm. *nemis zu germ. *nimis etwa wird korrekt als „i-Umlaut des e" bezeichnet. Oft wird aber verkürzend der betroffene Vokal nicht erwähnt („Nasalumlaut").

i-Umlaut des e: e > i vor i, j
Beispiel: urgerm. *setịan > germ. *sitjan ‚sitzen'

Nasalumlaut: e > i vor tautosyllabischem m, n
Beispiel: urgerm. *bendana > germ. *bindan ‚binden'

tautosyllabisch = zur selben Silbe gehörend

a-Umlaut des i und u: u > o und i > e vor a, ō, ē
Beispiele: urgerm. *wulfaz > germ. *wolfa ‚Wolf'
urgerm. *wiraz > germ. *weraz ‚Mann' (vgl. lat. vir, dt. Werwolf)
Dieser Vorgang wird mit einem Begriff von JACOB GRIMM auch „Brechung" (oder „Vokalharmonie") genannt.

a-Umlaut wird verhindert vor j oder Nasal + Konsonant
Beispiele: urgerm. *hunda > germ. *hunda ‚Hund' (nicht: *honda)
urgerm. *furhtịana > germ. *furhtjana ‚fürchten' (nicht: *forhtjana)

2. „Ersatzdehnung"
Nasal vor urgerm. χ schwindet bei gleichzeitiger Dehnung des vorangehenden Vokals. (Syllabische Länge muss erhalten bleiben!)

urgerm.		germ.
-anc	>	āχ
-inc	>	īχ
-unc	>	ūχ

(enχ gibt durch den Nasalumlaut nicht, onχ auch nicht, da idg. o zu urgerm. a geworden war.)
Beispiele: urgerm. *fanχan > germ. *fāhan ‚fangen'
urgerm. *þinχan > germ. *þīhan ‚gedeihen'
urgerm. *þunχta > germ. *þūhta ‚dünkte'

Konsonantische Veränderungen
Bereits JACOB GRIMM fielen Inkonsequenzen in bestimmten phonemischen Entsprechungen auf:

griech. patḗr – got. fadar – ahd. fater   idg. t > ahd. t
griech. phrā́ter – got. brōþar – ahd. bruoder   idg. t > ahd. d

GRIMM fand dafür keine Erklärung und nannte diesen und ähnliche Fälle „eine Ausnahme von der Lautverschiebung". Nun fassten die Junggrammatiker Lautveränderungen als „Gesetze" auf. Eine „Aus-

nahme" von einem Lautgesetz war für sie daher unmöglich. Und
tatsächlich gelang dem dänischen Junggrammatiker KARL VERNER
(1846–1896) die Entdeckung der Gesetzmäßigkeiten, die hinter diesem Phänomen stehen; seither werden sie als VERNER'sches Gesetz
bezeichnet.

▶ **Das VERNER'sche Gesetz**
Die im Urgermanischen vorhandenen stimmlosen Reibelaute (= s, þ, f, χ, χᵾ)
wurden in stimmhafter Umgebung stimmhaft, wenn der ursprüngliche indoger-
manische Wortakzent nicht unmittelbar voranging.

Zur Erläuterung:
1. Die Formulierung „die im Urgermanischen vorhandenen
   stimmlosen Reibelaute" ist notwendig, da es sich nicht nur um
   die Lautverschiebungsprodukte (þ, f, χ, χᵾ) handelt, sondern
   auch um urgerm. s, das bereits im Indogermanischen ein
   stimmloser Reibelaut s war.
2. „in stimmhafter Umgebung" bedeutet: zwischen Vokalen
3. „nicht unmittelbar voran" bedeutet: entweder auf der Silbe
   danach oder zwei Silben davor. Im Indogermanischen war der
   Wortakzent bestimmten Regeln folgend frei, daher die Formulierung „der ursprüngliche".
Dies bedeutet: Die Erste Lautverschiebung bewirkte, dass aus allen
Tenues stimmlose Reibelaute wurden (daher keine „Ausnahme von
der Lautverschiebung"). Unter bestimmten Akzentbedingungen
konnten diese stimmlosen Reibelaute aber stimmhaft werden; aus
den stimmhaften Reibelauten wurden schließlich Verschlusslaute.
   Aus den obigen Beispielen ergibt sich:
   Griech. patér: Der idg. Akzent steht nicht unmittelbar vor dem t,
daher wurde es über einen stimmhaften Reibelaut zum Ver-
schlusslaut.
   Griech. phráter: Der idg. Akzent geht dem t unmittelbar voran,
daher bleibt der stimmlose Reibelaut (als Produkt der Ersten Lautverschiebung) stimmlos und wird im Althochdeutschen zu d.
   Als Folge des *diachronen* VERNER'schen Gesetzes liegt im heutigen
Deutschen ein *synchroner* Wechsel bestimmter Vokale vor. Diese
Gesetzmäßigkeit wird als **Grammatischer Wechsel** bezeichnet:

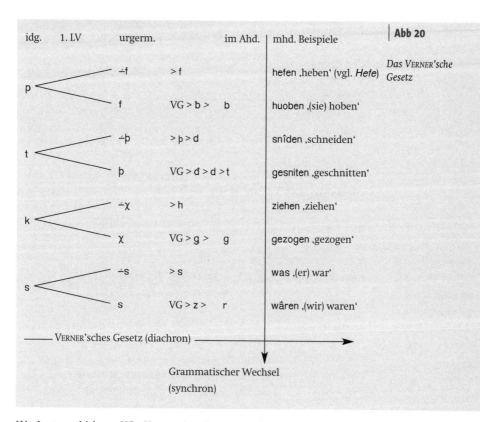

Abb 20

Das VERNER'sche Gesetz

idg.	1. LV	urgerm.	im Ahd.	mhd. Beispiele
p	´-f	> f		hefen ‚heben' (vgl. *Hefe*)
	f	VG > b >	b	huoben ‚(sie) hoben'
t	´-þ	> þ > d		snîden ‚schneiden'
	þ	VG > đ > d > t		gesniten ‚geschnitten'
k	´-χ	> h		ziehen ‚ziehen'
	χ	VG > g >	g	gezogen ‚gezogen'
s	´-s	> s		was ‚(er) war'
	s	VG > z >	r	wâren ‚(wir) waren'

VERNER'sches Gesetz (diachron) ⟶

Grammatischer Wechsel
(synchron)

LV = Lautverschiebung, VG = Vernersches Gesetz, ´- = akzenttragende Silbe

Erklärung

▶ **Der Grammatische Wechsel ist der synchrone Wechsel von f–b, d–t, h–g, s–r in
wurzelverwandten Wörtern.**

In **relativer Chronologie** geht daraus hervor, dass die Akzentfestlegung in den germanischen Sprachen erst *nach* dem VERNER'schen
Gesetz erfolgt sein kann, da dieses sonst nicht wirksam geworden
wäre (es ist dafür der ursprünglich freie Wortakzent im Indogermanischen notwendig):

Abb 21 | *Wann „beginnt" das Germanische? Nach Durchführung der Ersten Lautverschiebung (LV), des* VERNER*'schen Gesetzes (VG) oder der Aktzentfestlegung? Oder zu einem ganz anderen Zeitpunkt?*

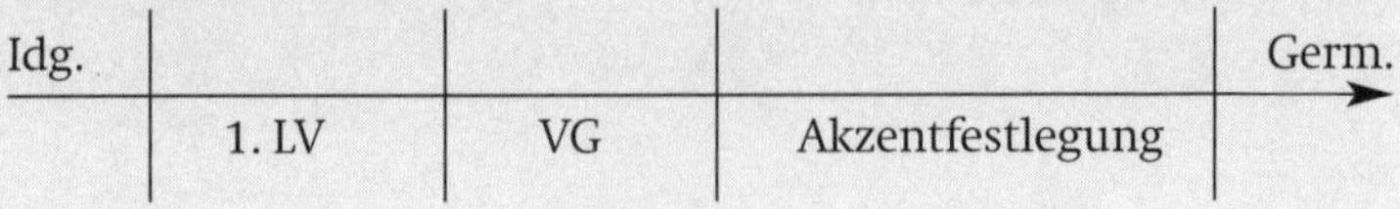

Idg.				Germ.
	1. LV	VG	Akzentfestlegung	

Westgermanische Neuerungen

Vokalismus

Im Germanischen existiert neben dem aus dem Indogermanischen ererbten $\bar{e}_1$ auch ein so genanntes $\bar{e}_2$, dessen Herkunft umstritten ist.

germ. $\bar{e}_1$ > westgerm. $\bar{a}$
Beispiel: Personennamen 1. Jh. n. Chr. Regimērus
4. Jh. n. Chr. Marcomārus

Konsonantismus

1. Westgerm. Konsonantengemination vor i, j
Alle Konsonanten außer r werden vor j geminiert (verdoppelt).
Beispiele: urgerm. *satian > westgerm. *settjan ‚setzen'
urgerm. *bidian > westgerm. *biddjan ‚bitten'

2. r-Rhotazismus
Im Westgerm. wird der stimmhafte Reibelaut z (< idg. s) zu r.
Beispiel: urgerm. *nazian > westgerm. *narjan ‚nähren'

Zusammenfassung

▶ Die historisch-vergleichende Sprachwissenschaft hat ein Inventar an ausgefeilten Methoden ausgearbeitet, um aus den ältesten Zeugnissen der indogermanischen Einzelsprachen (die zu höchst divergierenden Zeiten zum ersten Mal belegt sind) eine gemeinsame Ursprache, die in Ermangelung von selbstbenennenden Belegen „Indogermanisch" genannt wurde, zu rekonstruieren. Wäh-

Zusammenfassung

rend bis zur Mitte des 20. Jahrhunderts die Vorstellung von einem homogenen indogermanischen Urvolk die Lehrmeinung beherrschte, ist man heute bei der Beurteilung weit vorsichtiger und geht eher von einem „Mundartenblock" aus. Die „linguistische Paläontologie" versucht, anhand des gemeinindogermanischen Wortschatzes in den Einzelsprachen auf die Lebensweise, die Kultur und die Lokalisation der indogermanischen Urheimat zu schließen. HANS KRAHE setzte vor dem Auseinanderbrechen des Indogermanischen die Schicht des Alteuropäischen an, auf die er durch die Analyse der als besonders altertümlich geltenden Flussnamen in Europa kam.

Die indogermanische Sprachstruktur kann als bestens erforscht gelten. Der Ablaut ist eines der beherrschenden Prinzipien, die Laryngaltheorie gilt mittlerweile als so gut wie bewiesen. Die heute redundante Unterteilung der indogermanischen Einzelsprachen in Kentum- und Satemsprachen erfolgt nach der Erscheinungsform des Kennwortes für ‚100'.

Die germanischen Sprachen dürften im ersten Jahrtausend vor Christus rund um die Ostsee entstanden sein. Man geht davon aus, dass eine einwandernde indogermanische Übermacht eine ursprüngliche nichtindogermanische Bevölkerung, von der sie etwa die Schifffahrt und ihre Termini übernahm, überlagerte. Die Germanenstämme, die sich selbst nie als Einheit empfanden und daher auch keinen gemeinsamen Namen führten – die Etymologie der Fremdbezeichnung Germanen ist unklar –, breiteten sich durch verschiedene Umstände immer mehr nach Süden und Osten aus und kamen schließlich mit der römischen Kultur in Berührung, von der sie eine Reihe von kulturellen Neuerungen mit deren Benennungen übernahmen. Heute ist die sprachliche Unterteilung in Nord-, Ost- und Westgermanen üblich, wobei sich Letztere aus den Nordsee-, Weser-Rhein- und Elbgermanen zusammensetzen. Auch hier wird die Einheitlichkeit der Ursprungssprachen, von der die Stammbaumtheorie ausgeht, heute hinterfragt.

Die sprachlichen Veränderungen im Germanischen sind im Gegensatz zum nicht belegten Indogermanischen durch Runen- und andere Inschriften und Texte zum Teil bezeugt.

Übungen

1. ● Erklären Sie den Unterschied zwischen äußerer und innerer Rekonstruktion.

2. ● Nennen Sie die wichtigsten Stufen des Ablauts und führen Sie diese Ablautstufen bei e an.

3. ● Ordnen Sie folgende Sprachen der Gruppe der Kentum- und Satemsprachen zu:
Litauisch, Dänisch, Latein, Tschechisch, Persisch, Baskisch

4. ● Erläutern Sie die Erste Lautverschiebung.

5. ● Wie müssen folgende indogermanischen stammsilbenbetonte Wörter im Westgermanischen lauten?
idg. *bhrāter, *reĝtos, bhendhon-, *ghostis

Literatur

HUTTERER, CLAUS JÜRGEN (1990): Die germanischen Sprachen. 3. Aufl. Wiesbaden.

KRÜGER, BRUNO (1983) (Hg.): Die Germanen. 2 Bände. Berlin (Ost).

RAMAT, PAOLO (1981): Einführung in das Germanische. Tübingen.

Reallexikon der germanischen Altertumskunde (1973 ff.). 2. Aufl., hg. von HEINRICH BECK u.a. Berlin u.a. [wird fortgesetzt]

TICHY, EVA (2000): Indogermanistisches Grundwissen für Studierende sprachwissenschaftlicher Disziplinen. Bremen.

Althochdeutsch 3

Die Bezeichnungen Alt-, Mittel-, Frühneu- und Neuhochdeutsch beinhalten sowohl eine chronologische als auch eine geographische sowie eine typologische Komponente: „alt", „mittel" etc. bezeichnen einen Zeitabschnitt, „hoch" die räumliche Ausdehnung und auch die Sprachstruktur: Das **Niederdeutsche** umfasst das Gebiet nördlich der Benrather Linie (s. S. 94), südlich davon befindet sich das **Hochdeutsche**, das durch die Zweite (Hochdeutsche) Lautverschiebung gekennzeichnet ist.

3.1 | Die Geburt einer neuen Sprache

Ein althochdeutsches Vaterunser
Fater unsēr, thu in himilom bist, giuuīhit sī namo thīn. quaeme rīchi thīn. uuerdhe uuilleo thīn, sama sō in himile endi in erthu. Broot unseraz emezzīgaz gib uns hiutu. endi farlāz uns sculdhi unsero, sama sō uuir farlāzzēm scolōm unserēm, endi ni gileidi unsih in costunga. auh arlōsi unsih fona ubile.

Weißenburger Paternoster, geschrieben im 9. Jh.

Es ist zu beachten, dass das „Althochdeutsche" (wie der Begriff fälschlicherweise nahe legen könnte) keine einheitliche Sprachform darstellt, sondern aus einer Reihe von mehr oder weniger deutlich voneinander abgegrenzten einzelnen Dialekten bestand, die unter diesem Oberbegriff zusammengefasst werden.

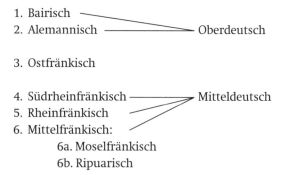

1. Bairisch
2. Alemannisch ——————— Oberdeutsch

3. Ostfränkisch

4. Südrheinfränkisch ——————— Mitteldeutsch
5. Rheinfränkisch
6. Mittelfränkisch:
      6a. Moselfränkisch
      6b. Ripuarisch

Das Mittelfränkische gliedert sich in zwei Bereiche: zum einen das Ripuarische (von lat. ripa ‚Ufer‘), die Sprache der besonders organisierten „Uferfranken" (um Köln), zum anderen den Dialekt jener Franken, die als „Moselfranken" im Raum um Trier und Koblenz siedelten.

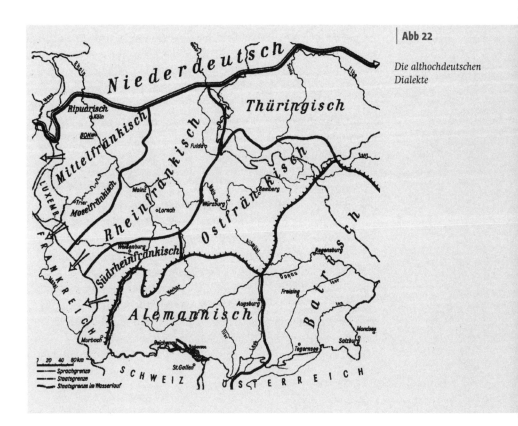

Abb 22

Die althochdeutschen Dialekte

Das Bairische und Alemannische werden als **Oberdeutsch** zusammengefasst, die fränkischen Dialekte am Rhein als **Mitteldeutsch**. Das Ostfränkische zeigt Merkmale beider Dialektgruppen, sodass es nicht eindeutig zugeordnet werden kann und manchmal auch als eigenständiger Dialekt klassifiziert wird. Zwischen dem Hoch- und Niederdeutschen besteht nordwestlich vom Mittelfränkischen das Niederfränkische (am Niederrhein), das zur Grundlage des Niederländischen wurde.

Das Niederdeutsche

Der größte Unterschied zwischen Nieder- und Hochdeutsch ist das Ausbleiben der Zweiten Lautverschiebung nördlich der Benrather Linie (s. S. 94). Allerdings bestehen auch im Vokalismus und in anderen Bereichen Abweichungen. So blieb etwa germ. ō bewahrt (>ahd. uo), german. ai, au wurden generell zu ē, ō. Morphologisch lässt sich das Niederdeutsche durch den Einheitsplural im Präsens der Verben (westndt. wi, gi, se māk(e)t, ostndt. māk(e)n, vgl. das Englische) vom Hochdeutschen (wir machen, ihr macht, sie machen) abgrenzen.

Die schriftliche Überlieferung ist geringer als im Hochdeutschen, obwohl einige wesentliche Werke des Frühmittelalters aus dem niederdeutschen Raum stammen, etwa der **Heliand** und die **Altsächsische Genesis.**

Der Heliand entstand um 830, er umfasst ca. 6000 Langzeilen im Stabreim. Es handelt sich um eine Erzählung vom Leben Jesu, die – wohl im Kontext der Heidenmission vom fränkischen Königtum gefördert – eine Transformation des biblischen Stoffes in die germanische Umwelt darstellt: Christus tritt als Lehensherr, die Jünger als Gefolgsleute auf, Jerusalem wird als burg bezeichnet etc. Die Altsächsische Genesis, ebenfalls etwa um 830 entstanden, umfasst Bruchstücke der Schöpfungs- und Patriarchengeschichte. Das Niederdeutsche, das mit dem Englischen und Niederländischen zu einer eigenen Gruppe gehört, zeigt noch heute einige sehr markante sprachliche Erscheinungen der nordseegermanischen Gruppe, eine der bekanntesten sind die Pronominalformen wē ‚wir‘, jū ‚ihr‘, vgl. engl. we, you.

So wie das heutige Deutsche auf frühere Sprachstufen zurückgeht, wissen wir, dass auch das Althochdeutsche aus Protoformen entstanden sein muss. Als Vorstufe der hoch- und niederdeutschen Dialekte werden germanische Dialekte angenommen, allerdings sind die genauen Zusammenhänge zwischen den germanischen Stämmen (deren Namen uns antike Schriftsteller wie CAESAR und TACITUS überliefert haben) vor allem mangels germanischer Schriftquellen nicht eindeutig zu klären. Das heißt, dass sich die heutigen in der Sprachwissenschaft üblichen Bezeichnungen wie *Aleman-*

nisch, Bairisch nur zum Teil unmittelbar auf die historisch-archäologisch nachweisbaren germanischen Stämme beziehen. Die sprachlichen Grundlagen des Ostfränkischen etwa sind bis heute ungeklärt. Von der der jungen germanistischen Wissenschaft in der ersten Hälfte des 19. Jahrhunderts wurden die Dialektbezeichnungen teilweise aus romantischen Vorstellung heraus vergeben – etwa gleichzeitig vorgeschlagene rein geographische Bezeichnungen (etwa SCHMELLERS *Westlechisch* für *Alemannisch*) konnten sich nicht durchsetzen.

Es erhebt sich nun die berechtigte Frage, *wann* sich das Deutsche aus dem Germanischen herauszulösen beginnt. Auch diese Frage kann nicht eindeutig beantwortet werden. Denn für die Frühzeit (ab 600) besitzen wir nur vereinzelte Inschriften, deren Datierungen selbst unter Experten umstritten sind. Als einer der ältesten Belege des Hochdeutschen gilt die Lanzenspitze von Wurmlingen (nordwestlich des Bodensees), die nur ein einziges Wort, den Namen IDORIH, aufweist. Falls das Lautverschiebungsprodukt -rîh wirklich als Beleg für die Lautverschiebung von älterem -rîk gelten kann (das ist umstritten) und die Datierung um 600 n. Chr. wahrscheinlich ist, haben wir den ersten Beleg für die Zweite Lautverschiebung. Allerdings wird es von diesem Zeitpunkt an noch ca. 150 Jahre brauchen, bis umfassendere Texte im Althochdeutschen einsetzen.

> **Merksatz**
>
> ▶ **Einer der ältesten Belege des Deutschen datiert von ca. 600 n. Chr., erhaltene umfassendere Texte des Althochdeutschen entstehen aber erst ca. 150 Jahre später.**

Für die Tradierung der Schriftlichkeit während der Spätantike, der Völkerwanderungszeit und des Frühmittelalters sorgen ausschließlich die christlichen Einrichtungen.

Die wichtigsten Schreiborte im Althochdeutschen | 3.1.1

Im Ostfränkischen:

Würzburg: Am Ort, wo der irische Missionar KILIAN 689 ermordet worden war, entstand nach Gründung des Bistums (zur Zeit des Angelsachsen BONIFATIUS) eine reiche Glossentradition. (Die ältesten altirischen Texte stammen nicht aus Irland, sondern aus Würzburg.)

Abb 23 | *Die Schreiborte im Althochdeutschen*

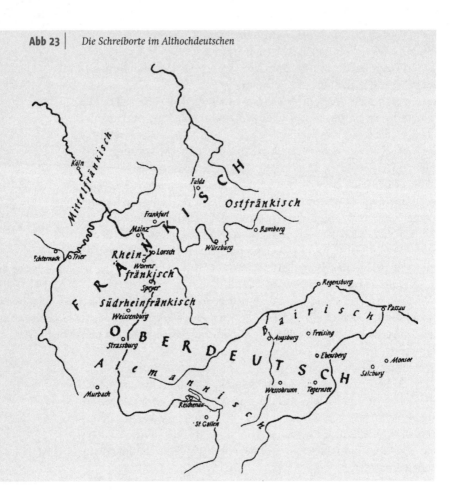

Fulda: 744 wurde vom Hl. BONIFATIUS als künftige Kloster-Grablege gegründet. Genau genommen liegt es im Rheinfränkischen, war im 9. Jahrhundert aber zeitweise vor allem von ostfränkischen und bairischen Mönchen besiedelt. Dieses Kloster ist von höchster Bedeutung für die althochdeutsche Literatur, besonders durch das Wirken von Abt HRABANUS MAURUS (um 780–856), eines des bedeutendsten Gelehrten seiner Zeit. Der ostfränkische **Tatian** (eine Evangelienharmonie) entstand hier ebenso wie die fragmentarische Abschrift des Hildebrandslieds (heute in Kassel). Auch so bedeutende Werke wie der Heliand und OTFRIDS **Evangelienharmonie** entstammen dem geistigen Umkreis dieses Klosters.

Eine Evangelienharmonie ist eine freie Zusammenfügung der vier Evangelien, die eine kontinuierliche und lineare Lebensgeschichte Jesu erzählen will.

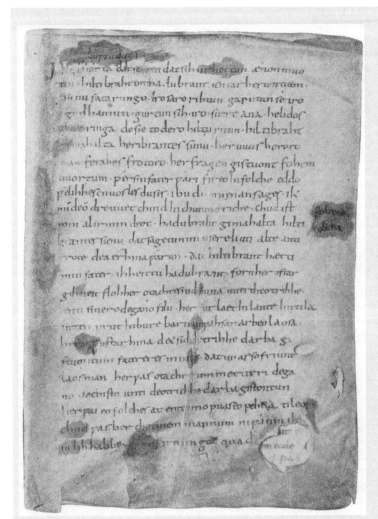

Abb 24

Der Beginn des Hildebrandslieds

Im Rheinfränkischen:
Mainz ist eines der bedeutendsten Bistümer des deutschsprachigen Raums, seit BONIFATIUS stieg es zum größten deutschen Erzbistum auf. Gründungen im Umkreis von Mainz sind **Lorsch** und das linksrheinische **Weißenburg**, das durch OTFRIDS Evangelienbuch (um 860) berühmt ist.

Im Mittelfränkischen:
Trier: Das wichtigste Zeugnis für das Mittelfränkische aus althochdeutscher Zeit ist das **Trierer Kapitulare**.

Das **Thüringische** ist nur in Einzelwörtern belegt, sodass wir über seine Sprachgestalt in althochdeutscher Zeit nichts Verlässliches sagen können, es tritt – ebenso wie das **Hessische** – erst im Mittelhochdeutschen in die Überlieferungsgeschichte ein.

Für das Althochdeutsche ist die **Missionierung** durch irische und angelsächsische Mönche seit dem 7. Jahrhundert von besonderer Bedeutung. Sie regen nicht nur Klostergründungen an, sondern legen auch die Grundlage für die Aufteilung in Kirchenprovinzen, die Beschäftigung mit der Heiligen Schrift, das Anwachsen des geistlichen Schrifttums u.v.a.m. Der bedeutendste dieser Missionare war der Mönch Wynfrith, der unter seinem christlichen Namen Bonifatius 744 das Kloster Fulda gründete und später Erzbischof von Mainz wurde.

Eines der Hauptprobleme bei der Missionierung war, den Germanen die christliche Gedankenwelt nahe zu bringen. Begriffe wie „Gnade" oder „Feindesliebe" war der germanischen Vorstellungswelt unbekannt, daher gab es dafür auch kein Wort. Es war ein überaus mühsamer Prozess für die Missionare, neben der Erklärung der Sachwelt des Neuen Testaments auch neue Wörter zu prägen oder bestehende Wortformen umzuprägen. So hat sich eine Reihe von Lehnwörtern aus dem christlich-religiösen Bereich im Deutschen eingebürgert, z.B. Zelle, Kloster, Münster, Mönch, Bischof, Priester, Pfaffe (zunächst nicht pejorativ gemeint, diese Bedeutung erhält es erst in der Reformation), Kirche, Abt, Kreuz, Pfingsten (Ostern ist im Gegensatz dazu vermutlich ein umgeprägtes germanisches Erbwort, Weihnachten eine Neubildung). Eines der wenigen Lehnwörter aus dem Altirischen ist Glocke.

Wir können aber auch beobachten, wie die Missionare um neue Wörter ringen. Sie mussten den Fränkisch und Oberdeutsch Sprechenden in ihrer Sprache christliches Gedankengut nahe bringen, für das es bis dahin keine Vorstellungen und keine Wörter gab. Ein praktikabler Weg war, mit Hilfe deutscher Wortbildungsmittel neue Wörter nach dem Muster bestehender lateinischer zu formen, wie Gewissen parallel zu lat. conscientia oder Barmherzigkeit zu lat. misericordia. Oft gibt es mehrere nebeneinander verwendete

Formen für einen Begriff, und man kann in den Schriften verfolgen, wie sich langsam der eine oder andere Begriff durchsetzt.

Im Wesentlichen kann man drei Großgruppen unterscheiden:

1. Erbwörter: Wörter aus einer systemischen Protostufe (wie dem Indogermanischen) bestehen weiter (wie Auge, Baum). Darüber hinaus gibt es einen spezifisch germanisch-heidnischen Wortschatz, der im Lauf der Zeit verschwindet. Im Hildebrandslied etwa sind überliefert: gudea ‚Kampf', inwit ‚List, Betrug', wewurt ‚Missgeschick, Unheil'.

2. Fremdwörter: Sie sind aus einer anderen Sprache übernommen, an Lautstand, Wortbildung, Betonung und/oder Schreibung als Übernahme erkennbar, z.B. heutiges Kuvert (aus dem Französischen) oder Computer (aus dem Englischen).

3. Bei Lehnwörtern handelt es sich um Fremdwörter aus einer früheren Zeitstufe, das Lautveränderungen der Zielsprache unterworfen wurde und heute nicht mehr ohne weiteres als Übernahme erkennbar ist, z.B. Spiegel (aus vulgärlat. spēculum im 8. Jahrhundert als Fremdwort übernommen, unterlag der ahd. Diphthongierung und der nhd. Monophthongierung, heute ein Lehnwort).

> **Merksatz**
>
> ▶ **Unter historischem Aspekt kann man den Wortschatz einer Sprache in Erbwörter, Lehnwörter und Fremdwörter unterscheiden, auch wenn diese Klassifizierung sehr ungenau ist.**

Daraus geht hervor, dass der Unterschied zwischen Lehn- und Fremdwörtern durch die Sprachgeschichte bestimmt und nicht eindeutig zu ziehen ist.

WERNER BETZ hat den althochdeutschen Wortschatz genau eingeteilt, wobei er das Lehngut unterteilt in Wortentlehnungen (Fremd- und Lehnwörter) sowie Lehnprägungen: Wörter, die nach dem Muster von Fremdwörtern mit den systemeigenen Mitteln des Deutschen nachgebildet werden.

Bei den **Lehnprägungen** gibt es:

1. **Lehnbedeutung**: Ererbte Wörter werden mit neuem (christlichem) Inhalt besetzt, z.B. Gott, Himmel, Gabe, Trost, Buße (ursprünglich in der Bedeutung ‚Schadenersatz', noch im Wort Lückenbüßer, heute mit vorwiegend religiösem Konnotat).

2. **Lehnbildung**: Neubildung nach dem Vorbild lateinischer oder griechischer Wörter mit den Mitteln der deutschen Sprache

   2.1. **Lehnschöpfung**: ohne formale Nachahmung, z.B. lat. experimentum > ahd. findunga

2.2. **Lehnformung:** mit formaler Nachahmung:
    2.2.1. **Lehnübersetzung:** Übersetzung Glied für Glied, z.B.
        lat. super-fluitas > ahd. ubar-fleozzida, lat. com-munio >
        ahd. ge-meinida, lat. bene-ficium > ahd. wola-tât, lat.
        miseri-cors > lat. arma-herzi ‚barmherzig‘
    2.2.2. **Lehnübertragung:** Übersetzung nur eines Wortteils
        oder freiere Nachbildung: lat. pro-videre > ahd. foraki-
        sëhan, lat. negare > ahd. fersagên (dabei erheben sich
        oft Zweifel, ob der Bezug wirklich besteht).

Abb 25 | *Lehnwörter im Althochdeutschen*

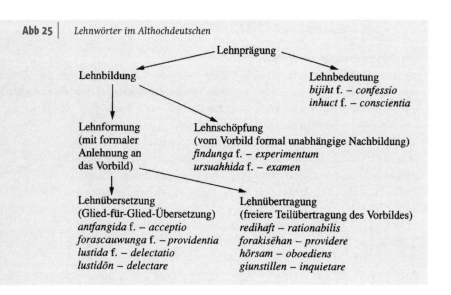

Es darf nicht vergessen werden, dass dieses Ringen jahrhunderte-
lang dauerte und von vielen allein arbeitenden Schreibern und
Übersetzern in mühevoller Arbeit geleistet wurde. STEFAN SONDEREG-
GER hat z.B. anhand des Wortes **Barmherzigkeit** gezeigt, dass oft
jahrzehntelang mehrere Konkurrenzformen nebeneinander standen (die von verschiedenen Übersetzern kreiert wurden), bis sich
eine bestimmte Form durchsetzen konnte (aus verschiedenen Ursachen, z.B. durch die häufige Überlieferung eines beliebten Textes,
das Ansehen eines bestimmten Klosters u.a.m.).

Als ein Beispiel für den Einfluss der Kirche soll ein Blick auf die
heutigen Wochentagsnamen geworfen werden. Schon die rheini-
schen Germanen hatten zu heidnischer Zeit die lateinischen Tages-
namen sowie die Zeitrechnung nach Tagen (bei den Germanen war
die Nacht das Entscheidende) von den Römern übernommen,
indem sie die lateinischen Namen im Sinne einer **interpretatio
germanica** durch ihre Begriffe umsetzten. In christlicher althochdeutscher Zeit wurden diese dann noch einmal überformt:

Tabelle

heute	Latein	Bemerkungen
Sonntag	Solis dies	
Montag	Lunae dies	
Dienstag	Martis dies	Mars = Zīu, anord. Tyr, das heutige Wort Dienstag hängt mit der alten Bezeichnungen Thingsus („Mars Thingsus" in lat. Inschriften) zusammen
Mittwoch	Mercurii dies	Merkur wurde mit Wotan (vgl. engl. Wednesday) gleichgesetzt, der der Kirche als oberster heidnischer Gott besonders gefährlich erschien; daher im Deutschen die Ersetzung durchdas „harmlose" Wort, es zeigt aber zugleich an, dass für die Kirche als 1. Tag der Woche der Sonntag gilt
Donnerstag	Jovis dies	Gleichsetzung von Jupiter mit dem Donnergott Donar
Freitag	Veneris dies	Venus = ahd. Frîa
Sonnabend	Saturni dies	auch Saturn erschien der Kirche als äußerst verdächtig, das im deutschen Süden übliche Samstag ist ein durch die Ostgoten vermitteltes griech.-dt. Wort, das mit Sabbat zusammenhängt.

Der Begriff „deutsch"

Im Gegensatz zu den meisten europäischen Sprachbezeichnungen besteht im Deutschen kein Zusammenhang zwischen einer Länder- oder Stammesbezeichnung und dem Sprachennamen (nach dem Muster England – Englisch, Frankreich – Französisch, Italien – Italienisch, Schweden – Schwedisch etc.).

Im Jahr 786 berichtet der päpstliche Nuntius GEORG VON OSTIA Papst HADRIAN I. über zwei Synoden, die er in England abgehalten hat. In der zweiten hatte er die Beschlüsse der ersten in der englischen Volkssprache vorlesen lassen, damit sie von allen verstanden würden: tam latine quam theodisce, quo omnes intellegere potuissent. Mit der lateinischen Form theodisce ist die Volkssprache gemeint, somit das Altenglische, aber der Kontext beweist, dass GEORG VON OSTIA, der selbst aus dem Frankenreich stammte, dieses Wort von dorther hatte und dass es bereits in Rom bekannt war als Bezeichnung für Volkssprache, für die es keine genaueren lateinischen Ausdruck gab.

Das Adjektiv deutsch ist somit zum ersten Mal in der lateinischen bzw. latinisierten Form theodiscus u.ä. belegt und bedeutet ‚zum Volk gehörig‘, ‚dem Volk eigen‘. Die althochdeutsche Form lautet diutisk und hängt zusammen mit ahd. diot, mhd. diet ‚Volk‘ (etwa in den Personennamen Dietmar, Dietrich etc.). Es bezeichnet ursprünglich die ‚Volkssprache‘, also die im Gegensatz zum gelehrten Latein vom „einfachen" Volk gesprochene Sprache. In dieser Bedeutung wäre es an sich für jede andere europäische Sprache möglich, es hat sich aber nur für das „Deutsche" durchgesetzt, was dafür spricht, dass es von Anfang an – überwiegend, aber doch mit Ausnahmen – für die „deutschen" Dialekte verwendet wurde und von den Sprechern derselben einfach mit ihrer Sprache gleichgesetzt wurde. Die Kulturpolitik KARLS DES GROSSEN („Karolingische Renaissance") förderte die Verwendung des Ausdrucks, sodass er weitere Verbreitung und Anwendung fand. In der Frühen Neuzeit wurde der Ausdruck sehr oft als teutsch geschrieben, weil man eine – heute als falsch erkannte – Verbindung zum Germanenstamm der Teutonen annahm.

Sprachliche Entwicklungen | 3.2

Vokalische Veränderungen vom Germanischen zum Althochdeutschen | 3.2.1

1. Althochdeutsche Monophthongierung
(Beispiel für einen kombinatorischen Lautwandel)

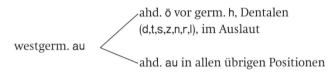

westgerm. au

ahd. ō vor germ. h, Dentalen (d,t,s,z,n,r,l), im Auslaut

ahd. au in allen übrigen Positionen

Beispiele: lat. caulis, ahd. kōl ‚Kohl'
got. auk, frühahd. *auch ‚auch'

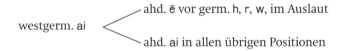

westgerm. ai

ahd. ē vor germ. h, r, w, im Auslaut

ahd. ai in allen übrigen Positionen

Beispiele: got *laiza, ahd. lêra ‚Lehre'
got. ains, frühahd. *ain ‚1'

2. Althochdeutsche Diphthonghebung
Die durch die ahd. Monophthongierung unveränderten Diphthonge ai, au werden in ihrer ersten Komponente zu ahd. ei, ou gehoben:

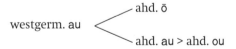

westgerm. au

ahd. ō

ahd. au > ahd. ou

Beispiel: frühahd. *auch > ahd. ouch ‚auch'

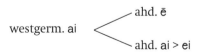

westgerm. ai

ahd. ē

ahd. ai > ei

Beispiel: frühahd. *ain > ahd. ein ‚1'

3. Althochdeutsche Diphthongierung

westgerm. ē₂> ahd. ea, ia (> mhd. ie) auf Einzelwörter beschränkt)
Beispiele: westgerm. stēga > ahd. stiaga ‚Stiege'
         lat. spēculum ≡ mhd. spiegel ‚Spiegel'
         lat. tēgula ≡ mhd. ziegel ‚Ziegel'

westgerm. ō > ahd. uo
Beispiel: got. brōþar ≡ ahd. bruoder

4. German. eu

westgerm. eu   ahd. iu

     ahd. eo vor a,e,o > fränk.-ahd. io > mhd. ie
         (in Verbindung mit
         Labialen und Gutturalen
         > oberdt.-ahd. iu
         > oberdt.-ahd. io (vor
         Dental, germ. h)

Beispiele: germ.*beudu   > ahd. biutu ‚ich biete'
       germ.*beudan   > ahd. biotan ‚bieten' (Inf.)

       germ.*leugan   > fränk.-ahd. liogan ‚lügen'
                    > oberdt.-ahd. liugan

       germ.*fleugan   > oberdt.-ahd. fliugan
                    (daher noch heute dialektal Floign ‚Fliege')

5. Althochdeutscher i-Umlaut

Primärumlaut
i-Umlaut des a: westgerm. a > ahd. e vor i, j
     Beispiel: ahd. slag ‚Schlag', dazu: vorahd. *slagi (Pl.) > ahd. slegi
             ‚Schläge' (Nom. Pl.)

Die Merseburger Zaubersprüche

Die zwei **Merseburger Zaubersprüche** sind wohl im 8. Jh. entstanden, erhalten haben sie sich in einer im 10. Jh. auf das Vorsatzblatt einer geistlichen Handschrift erfolgten Niederschrift, wahrscheinlich aus Fulda. Die Handschrift wurde in Merseburg gefunden, den Text hat Jacob Grimm 1842 zum ersten Mal herausgegeben. Es ist das einzige deutsches Sprachdenkmal mit vollkommen heidnischem Charakter (da im Fragment des **Hildebrandslieds**, entstanden um 810–20, um 850 von zwei Mönchen in Fulda niedergeschrieben, der christliche Gott angerufen wird).

Es handelt sich um zwei Sprüche. Der erste soll die Befreiung eines Gefangenen bewirken, der zweite die Heilung der Beinverrenkung eines Pferdes. Zuerst wird jeweils ein ähnlicher Vorfall berichtet, dann erfolgt die Beschwörung der beabsichtigten Wirkung. Der Text ist im germanischen Stabreim sowie als Langzeilen mit Zäsur abgefasst.

Der zweite der Merseburger Zaubersprüche lautet:

Phol ende Uuodan	vuorun zi holza
du uuart dem balderes volon	sin vuoz birenkit
thu biguol en Sinthgunt,	Sunna era suister
thu biguol en Friia	Volla era suister
thu biguol en Uuodan	so he uuola conda
sose berenki	sose bluotrenki
sose lidirenki	
ben zi bena	bluot zi bluoda
lid zi geliden	sose gelimida sin

Übersetzung:
„Phol (= Balder) und Wodan ritten in den Wald, da verrenkte sich das Ross Balders seinen Fuß. Da besang ihn (den Fuß) Sinthgunt [und] Sunna ihre Schwester (oder Sinthgunt, die Schwester der Sunna = Sonne); da besang ihn Frija [und] der Volla ihre Schwester; da besang ihn Wotan, der das gut konnte: Sei es Beinrenkung, sei es Blutrenkung, sei es Gliedrenkung: Bein zu Bein, Blut zu Blut, Glied zu Gliedern, als ob sie geleimt wären."

Sekundärumlaut

Der Primärumlaut wird im Althochdeutschen verzögert vor den Phonemkombinationen -ht-, -hs-, Konsonant + w, im Oberdt. außerdem vor l + Konsonant, r + Konsonant, germ. h, ahd. χ (< germ. k)

Beispiel: ahd. mahti ‚Mächte'

Es ist anzunehmen, dass im Althochdeutschen der Umlaut in dieser Position zwar realisiert wurde (Aussprache als offenes e), in der Schrift jedoch nicht. Schriftlich kommt der Sekundärumlaut erst spätahd./frühmhd. zum Ausdruck:

ahd. mahti > mhd. mähte

Diese Regelung ist in Zusammenhang mit der Abschwächung aller Neben- und Endsilben im Spätalthochdeutschen zu sehen. Solange das i vorhanden war, war die phonetische Realisation des a als [e] eindeutig. Sobald aber das Nebensilben-i zu <e> [ə] abgeschwächt worden war, war dieses distinktive Merkmal verschwunden, und der e-Charakter kam auch in der Schrift zu Ausdruck. Dieser Vorgang wird auch als **Phonematisierung** (der Allophone a und e) bezeichnet.

Restumlaut

Als „Restumlaut" (auch „Analogumlaut") wird der Umlaut aller umlautfähigen Vokale (außer kurz a) vor i, j der Folgesilbe verstanden. Dieser Umlaut kommt schriftlich erst im Mhd. zum Ausdruck, obwohl er mündlich sicherlich auch schon im Ahd. vorhanden war.

Heute ist eher die Bezeichnung „so genannter Restumlaut" üblich, da der Begriff eine chronologische Abfolge nach dem Sekundärumlaut nahe legt. Tatsächlich ist er aber als zeitgleich mit dem Sekundärumlaut anzusehen.

		Beispiele			
o	>	ö	ahd. gotir	>	mhd. götter ‚Götter'
u	>	ü	ahd. turi	>	mhd. türe ‚Tür'
ā	>	æ ([ɛ:])	ahd. māri	>	mhd. mære ‚Erzählung'
ō	>	œ ([ø:])	ahd. skōni	>	mhd. schœne ‚schön'
ū	>	iu ([y:])	ahd. mūsi	>	mhd. miuse ‚Mäuse'
ou	>	öü	ahd. houbit	>	mhd. höübet ‚Haupt'
uo	>	üe	ahd. muodi	>	mhd. müede ‚müde'

Erklärung

▶ **Forschungsgeschichtliche Schreibtraditionen**
In der deutschen Sprachgeschichte haben sich im 19. Jahrhundert bestimmte Notationsweisen festgesetzt, die heute aus forschungsgeschichtlichen Gründen beibehalten werden. So wird die Vokallänge bis zum Germanischen mit einem Querstrich (ā), ab dem Althochdeutschen mit einem Zirkumflex (â) dargestellt. Eine einheitliche phonetisch-phonologische Schreibweise, wie sie etwa LEONARD BLOOMFIELD (1887–1949) forcierte (a:), konnte sich nicht durchsetzen.

In manchen Darstellungen wird der so genannte Restumlaut zum Sekundärumlaut hinzugezählt. Dies entspricht aber nicht der klassischen Lehrmeinung, da nach dieser der Sekundärumlaut nur das kurze a betrifft.

Konsonantische Veränderungen vom Germanischen zum Althochdeutschen | 3.2.2

1. Westgerm. þ > ahd. d
   Westgerm. þ wird in allen Positionen zu ahd. d.
   Beispiel: got. brōþar ≡ ahd. bruoder
   Die Abfolge ist im Althochdeutschen deutlich verfolgbar.

2. Die **Zweite (Hochdeutsche) Lautverschiebung**
   Die Zweite Lautverschiebung läuft in folgenden Phasen ab:
   I. Tenuesverschiebung
      1. zu Affrikaten: germ. p, t, k > ahd. pf, ts, kχ im Anlaut, In- und Auslaut nach Konsonant in der Gemination
      2. zu Frikativen: germ. p, t, k > ahd. f(f), ʒ (ʒ), χ(χ) im In- u. Auslaut nach Vokal
         f(f): Nach Kurzvokal wird die Tenuis zum Fortisfrikativ verschoben, nach Langvokal oder Diphthong zum Einfachfrikativ, vgl. ahd. ěʒʒan ‚essen‘, aber ahd. slāfan ‚schlafen‘.

   II. Medienverschiebung
      1. germ. b, d, g > ahd. p, t, k
      2. in der Gemination: germ. bb, dd, gg > ahd. pp, tt, kk

Die Zweite (Hochdeutsche) Lautverschiebung (LV) ist allerdings im Hochdeutschen nicht gleichmäßig durchgeführt worden – anders als die Erste (Germanische) Lautverschiebung, die alle germanischen Sprachen gleichermaßen betraf. Die Verschiebungsprodukte der 2. LV hängen von zwei Faktoren ab:
1. der Position des Phonems im Wort (An-, In-, Auslaut)
2. dem althochdeutschen Dialekt

Zur Erinnerung die ahd. Dialekte: 1. Bairisch, 2. Alemannisch, 3. Ostfränkisch, 4. Südrheinfränkisch, 5. Rheinfränkisch, 6. Mittelfränkisch: 6a. Moselfränkisch, 6b. Ripuarisch

Die 2. LV wurde folgendermaßen durchgeführt:

Abb 26

Die Zweite Lautverschiebung

I. Tenues		Dialekte	Anmerkungen	ahd. Beispiele
p <	> pf-	1-3		pflëgan ‚pflegen‘
	> -pf(-)	1-5	4: pf überall, außer im Anlaut	pund ‚Pfund‘
			5: nur nach l, r	hëlpfan, dorpf
			6: völlig unverschoben	hëlpan, dorp
				‚helfen, Dorf‘
p	> -f(f)(-)	1-6	6: Einzelwörter unverschoben	slāfan ‚schlafen‘
			(up ‚auf‘)	obdt. ff
t	> ts	1-6		ziohan ‚ziehen‘
t	> -ʒ(ʒ)-	1-6	6: Einzelwörter unverschoben	bîʒan ‚beißen‘
			(dat, wat, ...)	obdt. ʒʒ
k	> kχ	1-2		wërch ‚Werk‘
k	> -χ(χ)-	1-6		mahhôn ‚machen‘

II. Medien				
b	> p	1-2	im Anlaut bald rückgängig	pluot, bluot ‚Blut‘
d	> t-	1-3		tag ‚Tag‘
	> -t(-)	1-4		bëton ‚bitten‘
g	> k	1-2	bald generell rückgängig	këpan, g- ‚geben‘
bb	> pp	1-6		sippa ‚Sippe‘
dd	> tt	1-5		bittan ‚bitten‘
gg	> kk	1-6		rucki ‚Rücken‘

ts alle Positionen, pf- Anlaut, f- Inlaut, -f Auslaut, -f(-) In- und Auslaut

Die p-Verschiebung zu pf im Hochdeutschen (bearb. nach Abb. 22). Im dunkelsten **Abb 27**
Gebiet ist vorahd. p in allen Positionen verschoben (Bairisch, Alemannisch, Ost-
fränkisch), im Südrheinfränkischen bleibt es im Anlaut unverschoben, im Rhein-
fränkischen wird es nur nach l und r verschoben, im Mittelfränkischen überhaupt
nicht. Man sieht deutlich die Abnahme der Graufärbung von Süden nach Norden,
die die Abnahme der Verschiebungsmöglichkeiten symbolisiert.

Die Ursachen der Zweiten Lautverschiebung sind nach wie vor
unklar, obwohl unzählige Erklärungsversuche vorgelegt worden
sind. Wahrscheinlich hängt sie mit Änderungen der Akzentverhält-
nisse in den einzelnen Dialektsystemen zusammen. Auf keinen Fall
aber handelt es sich, wie früher angenommen, um eine Wellenbewegung, die im Süden ihren Ausgang nimmt und nach Norden
„abflacht" – eine Erklärung dieser Art lässt sich mit der Geschichte
nicht vereinbaren, da der deutsche Süden kein kulturell ausstrah-
lendes Zentrum bildete.

Die Forscher haben anhand von **Isoglossen** die „Auswirkungen"
der Zweiten Lautverschiebungen sichtbar gemacht. Eine Isoglosse
ist die Grenzlinie zwischen der unterschiedlichen Realisierung
zweier Sprach- oder Dialektformen. Die bekannteste dieser Linien

Abb 28 | *Die Isoglossen des Rheinischen Fächers*

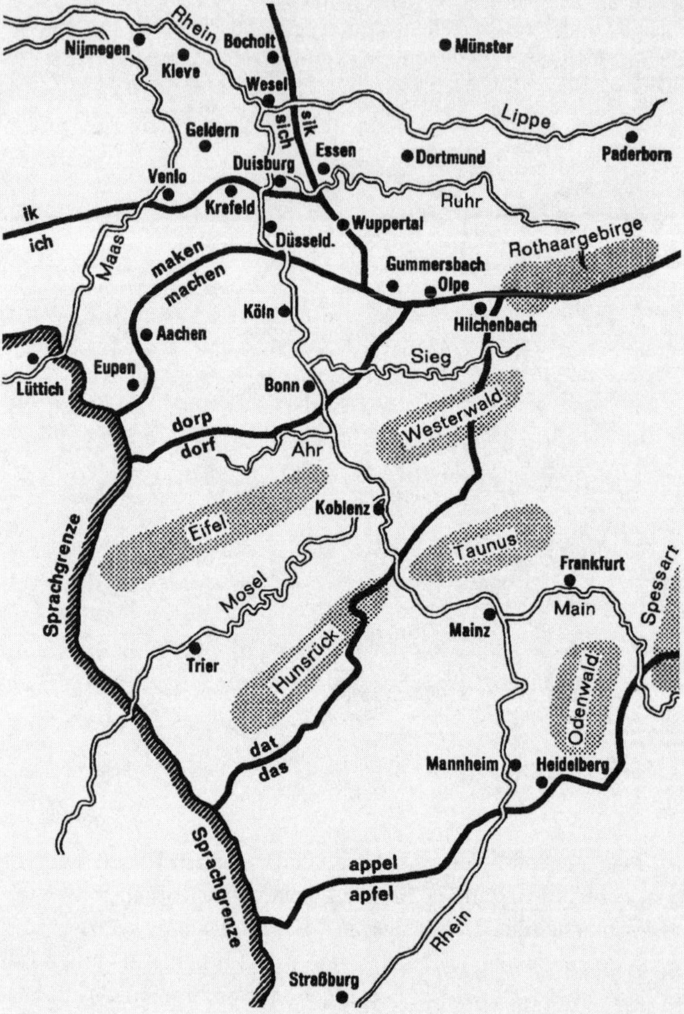

ist die so genannte *Benrather Linie*, die von West nach Ost über Düs-
seldorf, Kassel, Wittenberg und Frankfurt/Oder verläuft. Diese Linie
wird anhand des Schibboleths maken/machen festgemacht. **Schibboleth** ist eine Doppelform zum Erkennen sprachlicher Merkmale.
Der Ausdruck (wörtl. Bedeutung ‚Ähre, Stroh') wurde von der
Sprachwissenschaft gewählt in Anspielung an das Alte Testament

(Buch der Richter 12,5–6): „Da besetzte Gilead vor Ephraim die Jordanfurten, und wenn ephraimitische Flüchtlinge sagten: ‚Lasst mich hinüber!‘, fragten die Leute von Gilead: ‚Bist du ein Ephraimit?‘ Antwortete er: ‚Nein‘, dann sagten sie zu ihm: ‚Sag mal Schibboleth!‘ Da sagte er ‚Sibboleth‘, denn er konnte es nicht richtig aussprechen. Dann packten sie ihn und erschlugen ihn an den Jordanfurten. Auf diese Weise kamen zweiundvierzigtausend Mann aus Ephraim um.“

> **Tabelle**

Dialektgebiete	Schibboleth	Linienname
Niederdt./Hochdt.	maken/machen ik/ich	Benrather Linie Ürdinger Linie
Moselfränk./Ripuarisch	dorp/dorf	
Rheinfränk./Mittelfrank.	dat/daʒ	Bacharacher Linie
Mitteldt./Oberdt.	appel/apfel	Germersheimer Linie
Westmdt./Ostmdt.	pund/fund	

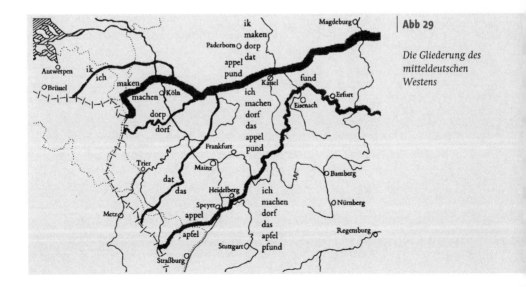

Abb 29

Die Gliederung des mitteldeutschen Westens

▶ *Althochdeutsch* als sprachgeschichtlicher Terminus bezeichnet sowohl eine Sprachperiode als auch ein räumliches Gebiet, in dem die althochdeutschen Dialekte Bairisch, Alemannisch, Ostfränkisch, Südrheinfränkisch, Rheinfränkisch und Mittelfränkisch gesprochen wurden. Es ist demnach keine einheitliche Sprachform, sondern eine Sammelbezeichnung für Einzeldialekte, die alle – wenn auch in unterschiedlichem Ausmaß – der Zweiten (Hochdeutschen) Lautverschiebung unterliegen. Obwohl der Schluss nahe liegt, dass sich die althochdeutschen Dialekte aus früheren Protosystemen (dem „Germanischen") entwickelt haben, sind die Zusammenhänge mangels ausreichender schriftlicher Belege nicht vollkommen deutlich. Die Dialektbezeichnungen sind mehr oder minder willkürlich nach historischen Stammesbezeichnungen bzw. geographischen Begriffen gewählt. Für die Frühzeit liegen nur wenige schriftliche Zeugnisse, ein Teil davon als Runeninschriften, vor; eine größere zusammenhängende Überlieferung setzt erst gegen Mitte des 8. Jahrhunderts ein. Den entscheidenden Anteil daran hat die christliche Missionierung durch Iren und Angelsachsen und die christliche Tradierung des kulturellen Erbes in den Kirchen und Klöstern.

Die Dialekte nördlich der Lautverschiebungsgrenze (die zu jener Zeit anders verlief als die heutige Benrather Linie) werden als *Altniederdeutsch* (älterer Terminus: *Altsächsisch*) bezeichnet. Die Überlieferung setzt dort später ein. Althochdeutsch und Altniederdeutsch bilden zusammen das Deutsche, obwohl es sich genau genommen um zwei strukturell unterschiedliche Sprachen handelt. Der große Unterschied zeigt sich etwa bei der Durchführung der Zweiten Lautverschiebung, die dem Altniederdeutschen fehlt. Aber beide Dialektgruppen weisen vokalische Entwicklungen auf, die sie deutlich vom Germanischen abheben. Auch innerhalb des Hochdeutschen gibt es verschiedene Sprachlandschaften, die sich durch Isoglossenbündel voneinander unterscheiden.

Übungen

● Vergleichen Sie das gotische Vaterunser (S. 54) mit der angeführten althochdeutschen Version (S. 76). Können Sie Übereinstimmungen im Wortschatz entdecken? Eruieren Sie mit Hilfe einer historischen Grammatik, um welche heutigen Wörter es sich handelt.

1

● Nennen Sie einige sprachliche Merkmale des Niederdeutschen.

2

● Beschreiben Sie die Stufen der p-Verschiebung im Althochdeutschen.

3

● Nennen Sie die (alt)hochdeutschen Isoglossen.

4

● Wie müssen folgende westgermanischen Wörter im Althochdeutschen lauten? Berücksichtigen Sie dabei die Endsilbenabschwächung.
brōþar, reχtaz, bindan, gastiz

5

Literatur

Althochdeutsch (1987). Hg. von ROLF BERGMANN in Verbindung mit HERBERT KOLB. 2 Bde. Heidelberg.
BERGMANN, ROLF / PAULY, PETER / MOULIN-FRANKHÄNEL, CLAUDINE (1999): Alt- und Mittelhochdeutsch. Arbeitsbuch zur Grammatik der älteren deutschen Sprachstufen und zur deutschen Sprachgeschichte. 5. Aufl. Göttingen.
MEINEKE, ECKHARD / SCHWERDT, JUDITH (2001): Einführung in das Althochdeutsche. Paderborn u.a. (UTB 2167)
PENZL, HERBERT (1986): Althochdeutsch. Bern, Frankfurt am Main, New York.
SONDEREGGER, STEFAN (1987): Althochdeutsche Sprache und Literatur. Eine Einführung in das ältere Deutsch. Darstellung und Grammatik. 3. Aufl. Berlin, New York.

Mittelhochdeutsch 4

In mittelhochdeutscher Zeit, d.h. von etwa 1050 bis 1350, setzen sich die althochdeutschen Dialekte weiter fort. Dazu entstehen in Folge der Ostkolonisation (ab dem 11./12. Jahrhundert) im Osten neue deutschsprachige Dialektlandschaften durch Zu- und Neubesiedlung in ursprünglich slawischen Gebieten bzw. durch Rodung unbesiedelter Waldlandschaften. Auf diese Weise bilden sich das Thüringische, Obersächsische und Schlesische (im Nordosten kommt noch das Hochpreußische hinzu). Sie werden als **Ostmitteldeutsch** bezeichnet (im Gegensatz zu den fränkischen Dialekten, die das **Westmitteldeutsche** bilden). Die sorbische Sprachinsel um Cottbus und Bautzen ist ein Relikt der ehemals slawischen Besiedlungsschicht. Der oberdeutsche Sprachraum erweitert sich auch nach Süden und Südosten und bildet deutsche Sprachinseln inmitten romanischer, ungarischer und westslawischer Gebiete.

Merksatz

▶ **Wie der Terminus Althochdeutsch bezeichnet auch Mittelhochdeutsch keine einheitliche Sprachform, sondern eine Anzahl von Einzeldialekten.**

Abb 30 | *Der mittelhochdeutsche Sprachraum*

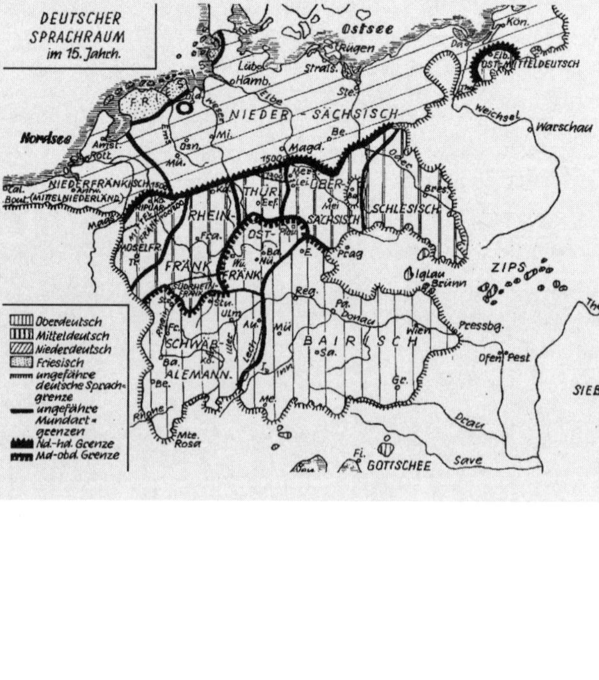

Historisch-kulturelle Voraussetzungen | 4.1

War im Althochdeutschen die Begegnung von Antike und Christentum einer der wichtigsten außersprachlichen Katalysatoren für die sprachliche Entwicklung, so sind es im Mittelhochdeutschen vor allem drei kulturelle Veränderungen, die sich auf die Sprachgeschichte auswirken: 1. die Vollendung der Feudalisierung (Entstehen der höfischen Ritterkultur), 2. die deutsche Ostkolonisation und 3. das Aufkommen der Städte.

Selbstverständlich sind diese Entwicklungen (Höfische Kultur, Ostkolonisation, Städtewesen) und andere Komponenten in Abhängigkeit voneinander zu sehen: Zwischen 1050 und 1500 machte die Gesellschaft im deutschsprachigen Raum tiefgreifende Wandlungen durch. Es begannen sich territoriale Fürstentümer und Machtzentren unabhängig von der alten Stammesstruktur zu bilden, Handelsniederlassungen und Städte mit neuen Verfassungen wurden gegründet, die Bevölkerung wuchs kontinuierlich an (bis zu den großen Pestepidemien im 14. Jahrhundert), in den Städten entstanden neue Bevölkerungsschichten mit neuen Bedürfnissen. All dies wirkte sich auf Sprache und Literatur der Zeit aus. Im 19. Jahrhundert wurde allerdings oft der Fehler gemacht, literarische Texte als authentische historische Quellen heranzuziehen. Heute wissen wir, dass die Texte vielfach fiktiv sind und Wunschvorstellungen ausdrücken.

Mittelhochdeutsches Vaterunser

Got vater unser, dâ du bist in dem himelrîche gewaltic alles des dir ist, geheiliget sô werde dîn nam, zuo müeze uns komen das rîche dîn. Dîn wille werde dem gelîch Hie ûf der erde als in den himeln, des gewer unsich, nu gip uns unser tegelîch brôt und swes wir dar nâch dürftic sîn. Vergip uns allen sament unser schulde, alsô du wilt, daz wir durch dîne hulde vergeben, der wir ie genâmen dekeinen schaden, swie grôz er sî: vor sünden kor sô mache uns vrî und lœse uns ouch von allem übele. âmen.

REINMAR VON ZWETER um 1230

4.1.1 | Das Rittertum

Schon TACITUS berichtet in der „Germania", dass im Krieg die Germanen einem Gefolgsherrn zugeteilt sind und dass es Abstufungen in der Rangfolge gibt. Das wesentliche Element der germanischen Kriegsführung war nicht nur das Kämpfen in Verbänden, sondern auch die Gefolgschaft. Voraussetzung für das spezifische mittelalterliche Lehenswesen ist das Aufkommen der Reiterkrieger seit der Mitte des 8. Jahrhunderts. Damit der Reiter seine eigene Ausrüstung finanzieren kann, wird er mit Land ausgestattet (Landleihe). Auf diese Weise verbindet sich die spätrömische **Commendatio** (Ergebung eines „Vasallen" in den Schutz eines Herrn) mit dem germanischen, auf **Treue** beruhenden Gefolgschaftswesen. Durch den Treuebegriff wandelt sich der Knechtsdienst zu einem Ehrenbegriff, und das Treueverhältnis zwischen Herrn und Vasallen wird gegenseitig. Zu dieser persönlich-ideellen Vorstellung tritt dann das Lehen als dingliche Ausprägung dieses Verhältnisses. Später wird der Gedanke des Lehenswesen von den Reiterkriegern auf die gesamte Gesellschaft, d.h. auch auf die Machtträger (Herzöge, Grafen) und sogar den Klerus ausgedehnt. Anfänglich fällt das Lehen nach dem Tod des Vasallen wieder an den Herrn zurück, schon bald aber wird es erblich (und damit auch die Ämter, eine heute für uns ungewöhnliche Vorstellung). Dadurch wird die Treuebindung des Adels an den Herrscher geschwächt und die Bildung von Territorien gefördert. Darin unterscheidet sich aber auch Deutschland wesentlich von England oder Frankreich, wo verwaiste Lehen wieder an den König zurückfielen, der sie seiner Hausmacht zuschlagen könnte und auf diese Weise immer mächtiger wurde (WOLFRAM VON ESCHENBACH kommentiert am Anfang des „Parzival" die unterschiedlichen Verhältnisse in Deutschland und in Frankreich). Diese Prozesse haben aber auch einen Einfluss auf die Sprachgeschichte, denn die territoriale Aufsplitterung verhinderte letztlich das Aufkommen einer Zentralmacht und damit auch einer „Hauptstadt" wie London oder Paris, die als sprachliches Zentrum und Vorbild auf das gesamte Land wirken konnte.

Merksatz

▶ **Anders als in Frankreich oder England bildete sich im territorial aufgesplitterten deutschen Sprachraum kein sprachliches Zentrum aus.**

Im Hochmittelalter wurde das Lehenssystem innerhalb der siebenstufigen „Lehenspyramide" verfeindert: An der Spitze stand der König, dem alle freien männlichen Erwachsenen zum Dienst verpflichtet waren. Er besaß im Prinzip das Land, das er in Form von „Lehen" vergab. Nach der „Heerschildordnung" (Sachsen- und

Abb 31

Zeitgenössische Darstellung einer Burganlage um 1400

Schwabenspiegel) standen unter dem König an zweiter Stelle die geistlichen Fürsten, dann die weltlichen Fürsten (3), die freien Herren (4), die Schöffenfreien und Ministerialen (5), deren Lehensleute (6) und schließlich die übrigen Ritterfähigen, die so genannten „Einschildritter" (7). Das Lehenswesen war im Frühmittelalter offenbar ein Mittel, die Kriegsfähigkeit zu sichern. Indem die Verbände an Personen und räumlicher Ausdehnung zunahmen, diente es zur Fixierung und zum Ausbau territorialer Macht. Denn bis in die Neuzeit hinein gilt: Reale Macht ist an den Besitz von realem Grund und Boden gebunden. Und das gilt auch und im Besonderen für die Kirche.

Im gesamten Frühmittelalter ist die Literatur fast zur Gänze religiöser Provenienz (wenn wir von den wenigen „heidnischen" Texten wie Zaubersprüchen und Hildebrandslied sowie den Gebrauchstexten wie Namen- und Besitzlis-

Merksatz

▶ Im Frühmittelalter war fast die gesamte Literatur religiöser Herkunft, im Hochmittelalter wuchs die weltlich Literatur, die in erster Linie Auftragswerke des Adels umfasste, stark an.

ten absehen). Die Entstehung der weltlichen Literatur im Hochmittelalter ist nicht von der ritterlichen Kultur und ihrem adeligen Publikum zu trennen. Sie wurde für Adelige und z.T. auch von Adeligen geschrieben, und sie spiegelt (v.a. in der Lyrik) die Wunschvorstellungen des (kirchlichen und weltlichen) Adels wider. Fast die gesamte Literatur bis ins Spätmittelalter ist als Auftragswerk des Adels zu sehen. Die großen weltlichen Fürstenhöfe wurden zu literarischen Zentren dieses Mäzenatentums.

▶ Tabelle: Mittelhochdeutsche Dichter und ihre Mäzene

WALTHER VON DER VOGELWEIDE	OTTO IV. VON BRAUNSCHWEIG, HERMANN VON THÜRINGEN, LEOPOLD V. , PHILIPP VON SCHWABEN, die Babenberger FRIEDRICH I., FRIEDRICH II. und LEOPOLD VI., DIETRICH VON MEISSEN, WOLFGER, Bischof von Passau und später von Aquileja
WOLFRAM VON ESCHENBACH	HERMANN VON THÜRINGEN
HEINRICH VON VELDEKE	die Herren von Loen, HERMANN VON THÜRINGEN
HEINRICH VON MORUNGEN	DIETRICH VON MEIßEN
Dichter des Nibelungenlieds, THOMASIN VON ZERCLAERE	WOLFGER, Bischof von Passau und später von Aquileja
REINMAR VON ZWETER	die Babenberger LEOPOLD V., FRIEDRICH I. und LEOPOLD VI. in Wien

Im Hochmittelalter entfaltete das Rittertum seine größte politische Bedeutung. Mit dem Aufstieg des Adels entwickelte sich eine eigene ritterliche, höfische Kultur, zu der auch die höfische Literatur zählt (Blütezeit etwa 1180–1220). Abgesehen von den höfischen Inhalten (Verherrlichung der ritterlichen Tugenden, der Minne, des Lebens am Hof etc.) wird diese Dichtung auch durch eine relativ einheitliche Sprachform gekennzeichnet, die man heute als „mittelhochdeutsche Dichtersprache (oder Literatursprache)" bezeichnet. Besonders im 19. Jahrhundert sah man im Hinblick auf das mittelalterliche Kaisertum eine solche einheitliche Form als historische Tatsache an. Der Eindruck entstand dadurch, dass die hochmittelalterlichen Dichter (zumindest der Blütezeit) bewusst kleinräumige Dialektmerkmale vermieden und sich an das Alemannische (HARTMANN VON AUE war das große Vorbild) anlehnten. Als Resultat dieser Entwicklung können wir heute die Herkunftsorte der hochmittelalterlichen Dichter nur großräumig bestimmen, wenn keine weiteren biographische Hinweise vorliegen (und dies ist höchst selten der Fall). Von WALTHER VON DER VOGELWEIDE etwa wissen wir nur, dass er aus dem bairischen Sprachraum stammen muss. Da das Bairische aber bis heute die größte Dialektlandschaft des Deutschen bildet, sind die Herkunftsmöglichkeiten sehr groß und eine genauere Einschränkung nicht möglich. Die St. Galler Parzival-Handschrift kann man bis heute landschaftlich nicht einordnen. Gegen Ende des 19. Jahrhunderts machten sich dann immer mehr Zweifel an der vermuteten Einheitlichkeit breit, und sie wurde für einige Zeit sogar ganz geleugnet.

Abb 32

WALTHER VON DER VOGELWEIDE *in der Abbildung aus der* „MANESSE'*schen Handschrift" (Große Heidelberger Liederhandschaft, 1. Hälfte des 14. Jhs.)*

Heute nimmt man in Bezug auf die mittelhochdeutsche Dichtersprache eine vermittelnde Position ein. Sicherlich gab es einen gewissen Grad an sprachlichen Vereinheitlichungstendenzen. Diese sind aber nicht als bindende Norm im Sinn unserer heutigen Hochsprache und Orthografie zu verstehen. Es gab verschiedene Schreibweisen ein und desselben Wortes, sogar in ein und demselben Text, doch sind kleinräumige Dialektunterschiede im Großen und Ganzen beseitigt. Die Sprachform des „klassischen Mittelhochdeutsch" war außerdem auf die höfische Literatur beschränkt und ging mit dem kulturellen Niedergang der höfischen Gesellschaft und der Kaisermacht wieder verloren.

4.1.2 | Die Ostkolonisation

Die deutsche Ostkolonisation erfolgte vom 11. bis zum 15. Jahrhundert (in ihren letzten Ausläufern) in unterschiedlichen Etappen und Formen – obwohl nicht vergessen werden darf, dass bereits das fränkische Reich unter KARL DEM GROSSEN über die Grenzen der deutschen Stämme nach Osten expandierte. Unter Kaiser LOTHAR VON SUPPLINBURG aus Niedersachsen erhielt die Ostbewegung im 12. Jahrhundert neue Impulse, indem auch das Städtewesen nach Osten ausgreift. Zwischen 1160 und 1170 siegte HEINRICH DER LÖWE in Mecklenburg und Pommern und dehnte die deutsche Vorherrschaft bis zur Weichsel aus, seine Entmachtung durch Kaiser BARBAROSSA bedeutete aber einen Stillstand der Ostexpansion. Der

Erklärung

▶ Im 11. Jahrhundert beginnt das deutsche Reich wie schon vorher das fränkische nach Osten auszugreifen, und zwar in verschiedenen Stufen:
(primäre) Ausbaukolonisation: Die im Osten unmittelbar an das Reich grenzenden Gebiete wurden in einer so genannten Burgwardenverfassung mit militärischer Sicherung besetzt. Man rief die Siedler aus dem Altland direkt in das Neuland. Nach ein bis zwei Generationen wurde allerdings der Boden wiederum knapp, z.B. in Sachsen und im westlichen Böhmen. Daher zogen in der
(sekundären) Auftragskolonisation Siedler weiter nach Osten (z.B. nach Schlesien, das unter slawischer Herrschaft stand). Diese erfolgte v.a. vom östlichen Thüringen und von Obersachsen, einem z.T. von Slawen besiedelten Gebiet, das aber zum deutschen Reich gehörte.

Deutsche Orden (oder Deutschritterorden, 1190 gegründet) nahm sie in kriegerischer Form wieder auf, belastete aber das Verhältnis der Volksgruppen nachhaltig durch extreme Brutalität bei der Neubesiedlung. Das Gebiet östlich der Saale und Elbe (östlich der Linie Lauenburg–Kiel) war im Früh- und Hochmittelalter slawisches Siedlungsgebiet, z.T. allerdings noch unbesiedelt.

Die Kolonisationswelle im 11. Jahrhundert wurde vor allem durch die neu entwickelte landwirtschaftliche Methode der Dreifelderwirtschaft ermöglicht. Sie erlaubte eine intensivere Nutzung des Bodens und brachte reichere Erträge. Dadurch stiegen die Geburten und die Bevölkerung nahm zu. Es wurden neue, attraktive Siedlungsformen (Haufendörfer) und eine neue Art von Stadt entwickelt. Die Besiedlung des Ostens wird allerdings im 14. Jahrhundert durch die großen Bevölkerungsdezimierungen während der Pestepidemien verlangsamt und kommt schließlich ganz zum Erliegen.

THEODOR FRINGS sah daher das vom 11. bis ins 13. Jh. neu besiedelte Gebiet östlich der Elbe als idealen sprachlichen „Schmelztiegel" an, in dem die Neusiedler eine mündliche Ausgleichssprache

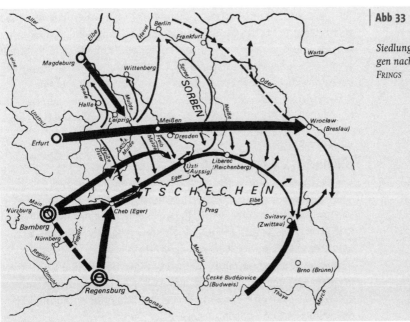

Abb 33

Siedlungsbewegungen nach THEODOR FRINGS

prägten. Dabei weist er auf drei Siedlungsströme hin: einen niederdeutschen in der Linie Magdeburg–Leipzig, einen mitteldeutschen in der Linie Erfurt–Leipzig–Breslau und einen oberdeutsch-mainfränkischen in der Linie Bamberg–Meißen–Dresden.

Die Ostbewegung, nicht zuletzt auch durch slawische Fürsten mitveranlasst, hatte – mit Ausnahmen – eine friedliche Durchdringung des Landes zur Folge, die slawische Bevölkerung wurde nicht unterworfen oder ausgerottet, sondern in den Kolonisationsprozess mit eingebunden – so kam es vor allem im östlichen und südlichen Polen, in Litauen, in der Ukraine und Weißrussland zu slawischen Siedlungen nach deutschem Recht (dem Sachsenspiegel).

Im Zusammenhang mit der Ostsiedlung wird allerdings gerne übersehen, dass die deutsche Sprache von dem schon zur Karolingerzeit fest zum Reich gehörenden Österreich nach Süden und Südosten ausgriff. Auf dem Gebiet des heutigen Norditalien, Slowenien, Ungarn und Rumänien wurden ebenfalls planmäßige Besiedlungen durchgeführt, die aber nicht so weitläufig wie im Osten waren und nicht zu so großen Städten führten. Allerdings sind die bis heute existierenden Sprachinselmundarten (etwa Pladen/Sappada und die Sieben und Dreizehn Gemeinden in Norditalien, Gottschee/Kočevje in Krain/Slowenien, die „Siebenbürger Sachsen" in Rumänien) wertvolle Zeugnisse für Sprachmerkmale. So verfügt die deutsche Mundart der Sieben Gemeinden in Oberitalien offenbar noch über ein erzählendes Präteritum und einen Genitiv (beides ist im heutigen Bairischen nicht mehr vorhanden), sie unterscheidet zwischen mhd. /s/ und lautverschobenem /ʒ/ (im Standarddeutschen zusammengefallen) und lässt auf den bilabialen Charakter des /w/ im Mittelhochdeutschen schließen.

4.1.3 | Die Entwicklung der Städte

Seit fränkischer Zeit gab es für den Fernhandel mit dem Osten (den Kaufmannsgilden unter königlichem Schutz betrieben) befestigte Lagerstätten (die **Wike**, vgl. den Namen Braunschweig aus Brunswîk ‚Wik des Brun[o]'). Neben dem Weiterbestehen römischer Siedlungen (z.B. im Rheinland), deren strategisch günstige Lage sowie Mauern und Verteidigungsanlagen weiter genutzt wurden, kam es auch zu bewussten Neugründungen, vor allem an markanten Handelswegen. In der Karolingerzeit etwa wurden Doppelsiedlungen

von Burg und Kaufmannsansiedlung in ihrem Schutz charakteristisch (z.B. Magdeburg und Halle). Die Herrscher waren am Aufkommen der Städte vor allem wegen der hohen Einnahmen aus dem
Handel interessiert und räumten ihnen eine Reihe von Privilegien
ein (z.B. Münz-, Markt-, Zoll- und Handelsrechte). Allerdings entstand in der Stadt ein neuer Freiheitsbegriff („Stadtluft macht
frei"), der letztlich darin gipfelte, dass der fürstliche Landesherr aus
der Stadt verdrängt werden konnte – es entwickelte sich der Begriff
der „freien (Reichs-)Stadt".

Wie entscheidend der Handel, d.h. der wirtschaftliche Faktor,
war, erkennt man auch daran, dass er die Stadt in vielen anderen
Bereichen völlig umgestaltete:

1. Der Handel brachte das Aufkommen der Geldwirtschaft mit
   sich. Aber Geld hat vor allem einen Vorteil: Man kann Leute
   damit bezahlen. Dies war im Lehenswesen nicht notwendig,
   denn die Vasallen waren dem Herrn gegenüber durch ihren
   Treueeid und mit ihren Dienstleistungen gebunden, und der
   Herr ihnen gegenüber ebenso. Diese Verpflichtung ist aber nicht
   mit späterem Lohn oder Gehalt gleichzusetzen, und aus diesem
   Grund beschäftigte ein Lehensherr auch keine „Beamten". Die
   Stadtverwaltung aber verfügte dank der Abgaben und Steuern,
   die nun mit Geld geleistet wurden, über die notwendigen Mittel,
   um eine Beamtenschaft anstellen und bezahlen zu können.
2. Dies wurde auch notwendig, denn das komplexe Zusammenleben auf engem Raum in einer Stadt machte auch eine effiziente
   Verwaltung nötig. In der Tat kümmerte sich die Stadtverwaltung um die kleinsten Details des Zusammenlebens, die sogar
   bis in die Privatsphäre hineingingen (etwa mit Fest- und Fastver-
   ordnungen, Kleidervorschriften u. dgl.), und es ist aus heutiger
   Sicht erstaunlich, wie gut im Großen und Ganzen das Zusammenleben in der Stadt funktionierte.
3. Damit die Kaufleute ihrem Beruf nachgehen konnten, wurde es
   zunehmend notwendig, dass sie lesen und schreiben lernten. In
   den Städten entstanden daher zuerst private Schulen, Stadt-
   schulen, die nicht unter kirchlicher Hoheit standen. Aus diesem
   Grund waren der Stadtherr bzw. die Stadtverwaltung an der
   Gründung von Schulen sehr interessiert, da sie den Kaufmanns-
   stand und damit den Wohlstand der Stadtgemeinde förderten,
   und deshalb entstanden auch die Universitäten in den Städten.
   Auch sie wurden von der Obrigkeit (zumeist) sehr gefördert, da

sie Ansehen, Macht, Reichtum und Unabhängigkeit von der Kirche steigerten.

Aus all diesen Gründen ermöglichten und beschleunigten die Städte die Entstehung unserer heutigen **Familiennamen**. Aus indogermanisch-germanischer Zeit wurde die Sitte weitergegeben, einfache Rufnamen zu führen. Diese konnten ein- oder zweigliedrig sein (Arn, Friedrich). Familienzusammengehörigkeit wurde (besonders bei Adeligen) durch Vergabe desselben Namens (z.B. Leopold bei den Babenbergern, Friedrich bei den Hohenstaufen) oder von Namen mit Stabreim und/oder gleichen Namengliedern (Hildebrand, Hadubrand) gekennzeichnet. Die überschaubare Siedlungsweise im Frühmittelalter, die über ein paar Gehöfte – wo man einander kannte – kaum hinausging, machte ein Abgehen von dieser Gepflogenheit auch nicht notwendig; doch gab es sicher charakterisierende Beinamen jeder Art. In der Stadt aber, wo auf engem Raum mehr Menschen zusammenlebten, als man es bis dahin gewohnt war – auch wenn die Städte aus heutiger Sicht winzig waren –, genügte dies nicht mehr. Es wurden Zusätze notwendig, die die Namenträger auf irgendeine Weise kennzeichneten und so unterscheidbar machten.

In einer Stadt leben und kommunizieren nicht nur Menschen unterschiedlicher Herkunft und unterschiedlichen sozialen Rangs auf engem Raum miteinander, sondern hier entstehen auch die für die Sprachentwicklung bedeutsamen Institutionen wie Kanzleien, Schulen, Universitäten, Buchdruckereien u.a.m., die ihrerseits auf die Entwicklung der Sprache starken Einfluss nehmen. Dieser Einfluss wirkt sich in dreifacher Weise aus:

1. Die Stadt ist ein Ort des sprachlichen Ausgleichs. Die Koexistenz verschiedener Gruppen nach sozialem Status (z.B. Ackerbauern – Amtsträger), Herkunft (z.B. Einsässige – Zuwanderer), Fachwortschatz (z.B. Mediziner – Handwerker) u.a.m. fördert den Ausgleich der jeweiligen Varietäten. Andererseits darf der sicherlich vorhandene Sprachausgleich – gerade im Mittelalter – nicht auf Grund heutiger Erfahrungen mit Stadtsprachen überbewertet werden: Wir müssen dennoch mit der Existenz von Varietäten rechnen, zudem können wir die Sprache heute natürlich nur mehr anhand der schriftlichen Zeugnisse beurteilen, wie die sprechsprachlichen Gegebenheiten aussahen, kann heute nur noch über den Reflex der Schreibsprachen vermutet

Die Entstehung der mittelalterlichen Familiennamen

Das Zusammenleben vieler Menschen auf engem Raum verstärkte die Tendenz, dass die schon früher verwendeten Beinamen an die Nachkommen „weitervererbt" wurden. Auf diese Weise kamen die charakterisierenden Beinamen, die eine Eigenschaft ihres ursprünglichen Trägers bezeichneten, auch auf Personen, die diese Eigenschaft womöglich nicht mehr aufwiesen.

Familiennamen können entstehen aus:
1. Herkunftsnamen:
   Wollfhart von Amsteten, Hans von Eselarn
   Herkunftsbezeichnungen auf -er
   Stephan der Frawndorffer, Hertt der Reysenperger, Hans Mewrlinger
2. Berufsbezeichnungen und/oder Benennungen nach Ämtern:
   mit Ulreichen dem Zeller, dem vischer
   mit Niclasen dem Mechtler, dem vischer
   Hier liegen für die Zeit typische Doppelnennungen vor.
3. Übernamen, die sich auf ein besonderes Charakteristikum beziehen:
   3.1 (charakterliche oder andere) Eigenschaft des Trägers (entweder real vorhanden oder von den Benennern imaginiert):
       Jakob Reych, mit ... Andren dem Churzen, Jörg der Lanng
   3.2 eine besondere geistige oder körperliche Eigenheit:
       Metten dem Snabel (was mit mhd. snabel ‚Schnabel; Lippe, Mund' bezeichnet wird, ist unklar, vielleicht ein Mensch mit einer Missbildung oder ein besonders Vorlauter oder Schlagfertiger), mit Petren dem Weyzchopf
   3.3 ein (im Beruf verwendetes) Werkzeug oder Hilfsmittel:
       mit ... Niclasen dem Rorcholb (mhd. rôr-kolbe ‚alga', eine Pflanzenbezeichnung, die offenbar als für den Namenträger charakteristisch empfunden wurde), Wolffhart der Chemml vermutlich im Zusammenhang mit mhd. kamp, -be, kamme ‚Kamm')

Alle Beispiele stammen aus Wiener Ratsurkunden 1280–1430 und werden mit dem notwendigen Kontext wiedergegeben. Insgesamt kann man beobachten, dass die Familiennamen in relativ kurzer Zeit (in etwa zwei bis drei Generationen) fest werden (wobei der mittelalterliche Mensch natürlich nicht dieselbe Lebenserwartung wie wir heute hatte).

3.4 Spottbezeichnungen:
hat ... Annen, Liepharts hawsfrawn des Trukchenprots, Fridreich Achtseynnicht, mit Hainreichen dem Chrewzzenczeler, mit Niklasen dem Chrautwurm
Die Bezeichnungen sind oft etymologisch durchsichtig, die Gründe für ihre Vergabe können aber heute zum Teil nicht mehr nachvollzogen werden.

3.5 Wohnstätten:
Ulreich bey dem Prunn
Belege dieser Art sind sehr selten, eine Abgrenzung zu den Herkunftsnamen ist schwierig.

3.6 Tierbenennungen:
mit Niclasen dem Fuchslein
Es erscheint nicht eindeutig, ob hier eine bestimmte Eigenschaft (Schläue, Charakterlosigkeit des Namenträgers), die Haarfarbe oder ein anderes Merkmal (etwa ein Hauszeichen) gemeint ist.
fraw Kathrey, Ulreichs seligen des Hesleins

4. Benennungen nach dem Rufnamen des Vaters (seltener nach dem Rufnamen der Mutter):
Hanns der Seybot, der vischer
Chunrat Wyelant
Ulreich der Dyetram· Fridreich der Dyetram (In diesem Fall liegt offenbar wirklich schon ein ererbter Familienname in unserem Sinn vor, da es sich um Cousins vetter handelt.)

werden. Trotzdem müssen die genauen Verhältnisse an jeder Stadt einzeln exemplifiziert werden.

2. Die Stadt wirkt in ihre Umgebung hinein als sprachliches Ausgleichszentrum ihrer Region. Die Dialektologie betont immer wieder die Ausstrahlkraft größerer Städte. Bei der Übernahme des Mitteldeutschen im ursprünglich niederdeutschen Gebiet um Halle und Merseburg spielten die Städte mit ihrem Vorbildcharakter eine entscheidende Rolle. Ob die Neuerungen allerdings zuerst auf schriftsprachlicher und dann erst auf sprechsprachlicher Ebene erfolger, ist sehr fraglich.

3. Die Stadt stellt einen dominierenden Faktor bei der Ausbildung überregionaler Einheitssprachen dar. In diesem Sinn ist das **Gemeine Deutsch** zu verstehen, eine

▶ **Die Stadt ist – auch für ihre Umgebung – ein Ort des sprachlichen Ausgleichs und ein dominierender Faktor bei der Aubildung einer überregionalen Sprachform.**

süddeutsche regionale Ausgleichssprache auf schriftlicher Ebene. Sie zeigt Prägung durch die Kaiser- und Residenzstadt Wien. Als überregionale Sprachform galt sie im gesamten süddeutschen Raum und strahlte in den Westen, Südwesten und Norden des deutschen Sprachraums aus. Der Ausdruck „(die) Gemeine Deutsch" ist in seiner Bedeutung bis heute umstritten. Er lässt sowohl eine stilistische (‚gewöhnlich, nicht herausgehoben') als auch geographische (‚allgemein/weit verbreitet') Interpretation zu.
4. Die Städte haben bei der Entwicklung der Kanzlei- und Urkundensprachen eine bedeutende Rolle gespielt.

▶ **Die Bedeutung der Städte**
Städte sind für die deutsche Sprachgeschichte in folgenden Bereichen von Bedeutung:
1. der Entwicklung einer volkssprachlichen Schriftlichkeit
2. der Ausbildung regionaler und – in späterer Folge – überregionaler Schreib- und Schriftsprachen
3. der Entstehung groß- und überregionaler mündlicher Verkehrssprachen im 19. und 20. Jahrhundert

Eine der wichtigsten Funktionen der Stadt in der Sprachgeschichte ist die Anbahnung und Ermöglichung von sprachlichen Ausgleichs- und Mischungsvorgängen. Außerdem ist in der Stadt mit einer Vielfalt sprechsprachlicher Ausdrucksformen zu rechnen, die für uns verloren gegangen sind, da sie niemand aufgezeichnet hat.

4.2 | Sprachliche Charakteristik

In mittelhochdeutscher Zeit traten für die Sprecher deutscher Dialekte immer deutlicher die Gemeinsamkeiten hervor. Das Wort deutsch erhielt seine heutige Bedeutung, und die Bildung Deutscher und Deutschland (mhd. diutsche man und diutsche lant) setzte sich immer mehr durch. Offenbar wurde man sich durch den Handel miteinander und das Zusammensiedeln (etwa im Osten) des Gemeinsamen in den verschiedenen Dialekten stärker bewusst und grenzte es gegen das sprachlich Trennende (die umgebenden anderen Sprachen wie das „Welsche" und das „Windische") ab. Natürlich war man sich aber auch der Unterschiede in den deutschen Dialekten bewusst, und in der Literatur wird gelegentlich darauf angespielt. Eine der berühmtesten Stellen stammt aus dem um 1300 entstandenen Lehrgedicht „Der Renner" von HUGO VON TRIMBERG (aus dem Kapitel „Von manigerlei sprâch" V. 22265–22276):

> Swâben ir wörter spaltent,
> Die Franken ein teil sie valtent,
> Die Beier si zezerrent,
> Die Düringe si ûf sperrent,
> Die Sahsen sie bezückent,
> Die Rînliute si verdrückent,
> Die Wetereiber si würgent,
> Die Mîsener si vol schürgent,
> Egerlant sie swenkent,
> Oesterrîche si schrenkent,
> Stîrlant si baz lenkent,
> Kernde ein teil sie senkent, ...

Es ist heute allerdings nicht mehr eruierbar, welche Dialektmerkmale HUGO mit seinen Kurzcharakteristiken ansprechen will.

Unter sprachhistorischem Aspekt kann man vier relevante Textgruppen (nach NORBERT RICHARD WOLF) unterscheiden:

1. Die frühmittelalterliche geistliche Dichtung: gerichtet an ein Laienpublikum, getragen von den geistlichen Reformbewegungen von etwa 1070 bis 1170.
2. Die weltliche Dichtung: gekennzeichnet durch das Vordringen des Endreimverses, getragen von der vorhöfischen und höfischen Ritterkultur. Übergänge von der beherrschenden geist-

lichen Dichtung des Frühmittelalters zur höfischen Dichtung ergeben sich durch Gestaltung profaner Stoffe durch dichtende Geistliche wie den PFAFFEN LAMPRECHT („Alexanderlied").

3. Geistliche Prosa: seit der Mitte des 13. Jahrhunderts, als typisch spätmittelalterlich zu bezeichnen: Bibelschrifttum, theologisches Schrifttum, kanonische und liturgische Literatur, Enzyklopädien, Predigten, Erbauungsliteratur, Heiligenlegenden u.a.m. Immer mehr Bereiche werden der Prosa erschlossen, Ausläufer reichen bis ins 18. Jahrhundert. Die neu entstehenden Predigerorden in den Städten (Franziskaner, Dominikaner) tragen wesentlich dazu bei.

4. Urkunden und verwandte Textsorten (z.B. Urbare): Seit dem Mainzer Landfrieden (1235), dem ersten Reichsgesetz in deutscher Sprache, werden immer häufiger Urkunden auf Deutsch verfasst. Das Urkundenwesen in deutscher Sprache begann im Südwesten und breitete sich von dort nach Norden und Osten aus.

Für das hochmittelalterliche Deutsch entwickelte HUGO MOSER folgende „sprachsoziologische Pyramide" der diatopischen und diastratischen Gegebenheiten:

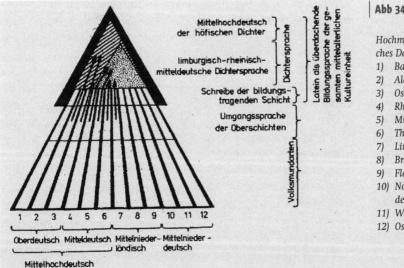

Abb 34

Hochmittelalterliches Deutsch
1) Bairisch
2) Alemannisch
3) Ostfränkisch
4) Rheinfränkisch
5) Mittelfränkisch
6) Thüringisch
7) Limburgisch
8) Brabantisch
9) Flämisch
10) Nordniederdeutsch
11) Westfälisch
12) Ostfälisch

Es darf nie vergessen werden, dass die gesamte Sprachgeschichte bis in unsere unmittelbare Gegenwart nur auf schriftlichen Zeugnissen aufgebaut ist. So ist uns auch das Mittelhochdeutsche nur aus Aufzeichnungen bekannt, und trotz der reichhalten hochstilisierten höfischen Literatur können wir nicht sagen, wie die Ritter denn wirklich „gesprochen" haben. Zwei Fakten sind zu berücksichtigen:

1. Rückschlüsse auf die tatsächlich gesprochene Sprache sind nur indirekt möglich, v.a. durch
   - die Arten des Reims in gereimter Dichtung
   - Verschreibungen ungeübter Schreiber („phonetische Direktanzeigen", Hyperkorrektismen)
   - die heutigen Mundarten, v.a. auch die konservativen Sprachinselmundarten

2. Die sprachliche Ausdrucksform der Unterschichten ist uns fast völlig unbekannt, da sie nicht aufgezeichnet worden ist und daher verlorgen ging. Wir kennen sie z.B. nur aus Beinamen.

Die Spitze der Pyramide bildet die „höfische Dichtersprache". In der früheren Forschung verstand man darunter ein allgemein in der Oberschicht verbreitetes „klassisches" Mittelhochdeutsch, wie es auch KARL LACHMANN sah. Heute wissen wir, dass es eine solche Sprachform nie gab, ebenso wenig wie eine allgemeine mittelhochdeutsche Schreibsprache. Trotzdem ist eine gewisse Tendenz dazu erkennbar, denn die Dichter versuchten extrem Dialektales zu vermeiden, oder sie verwendeten bestimmte Formen, die als vornehmer galten. Da als Vorbild der mittelhochdeutschen Dichter das Alemannische/Schwäbische des HARTMANN VON AUE bzw. das schwäbische Kaiserhaus der Staufer galt, wurden viele oberdeutsche Sprachmerkmale übernommen. So verwendeten auch bairische Dichter neben dem im Bairischen üblichen gēn, stēn die alemannischen Formen gân, stân. Die mittelhochdeutsche Dichtersprache ist somit eher als Funktiolekt zu sehen, eine Sprachform, derer sich die Dichter in bestimmten Situationen unter bestimmten Voraussetzungen bedienten, ohne ihren Heimatdialekt ganz zu verleugnen.

Hyperkorrektismus oder Hyperkorrektion nennt man eine Sprachform, die durch falsch angewandte Analogie in sprachgeschichtlichem Sinn „falsch" wurde. Sprachteilnehmer glauben dabei, eine „Regel" gefunden zu haben, und setzen diese falsche Regel an unpassender Stelle ein. So wird in Sprachlandschaften, in denen e-Apokope zu e-losen Imperativformen führte (lach' für lache, stell' für stelle), das e in hyperkorrekter Weise auch an Formen angeführt, in denen es sprachhistorisch nicht hingehört: *helfe statt etymologisch richtigem hilf (Imp. Sg.).

Normalisieren

Im 19. Jahrhundert war man von der Existenz eines einheitlichen Mittelhochdeutsch so fest überzeugt, dass die Herausgeber mittelhochdeutscher Texte – dem so genannten LACHMANN'schen Prinzip folgend – diese in eine vermutete einheitliche Textform brachten, also „normalisierten". „Normalisieren" bedeutet, dass der Herausgeber den Text sprachlich bearbeitet, indem er die Schreibungen den Etymologien anpasst und vereinheitlicht. So werden alle Langvokale durch Circumflex gekennzeichet, z.B. mhd. wîn. Diese Längenbezeichnungen fehlen im Allgemeinen in den Handschriften. Und die Schreibweise von Wörter wird vereinheitlich, es steht also immer wîn für ,Wein', obwohl sich in Codices die Schreibungen win, wîn, wein, uuin, uuein finden lassen (auch in derselben Handschrift, von ein und demselben Schreiber verfasst). Auch als sich die Überzeugung von einem einheitlichen Mittelhochdeutsch, von dem die Schreiber aus Unwissenheit oder Unachtsamkeit im Einzelfall abwichen, als falsch herausstellte, blieb man beim Normalisieren. Heute gibt es Argumente dafür und dagegen: Dafür spricht, dass die Texte untereinander besser vergleichbar sind (und so die literarische Qualität besser beurteilt werden kann), dagegen spricht, dass eine Textgestalt wiedergegeben wird, die in dieser Form niemals existiert hat. Solange man sich dessen bewusst ist, mag es ja noch angehen, problematisch wird es aber, wenn sich die tatsächliche Textüberlieferung und die normalisierte Rekonstruktion sehr weit voneinander entfernen. So ist etwa der „Erec" von HARTMANN VON AUE nur in einer einzigen Handschrift, dem „Ambraser Heldenbuch" überliefert, die aus einer anderen Dialektlandschaft stammt und über 300 Jahre nach der vermutlichen Entstehungszeit des Originals geschrieben wurde.

Vom Althochdeutschen zum Mittelhochdeutschen   4.2.1

1. Als wichtigste Veränderung vom Ahd. zum Mhd. ist die **Neben- und Endsilbenabschwächung** zu werten: Alle althochdeutschen Vokale der Neben- und Endsilben werden zu e abgeschwächt:

ahd. salbôn   > mhd. salben ‚salben‘
ahd. habên   > mhd. haben ‚haben‘
ahd. mûsi   > mhd. miuse ‚Mäuse‘
ahd. wechsit   > mhd. wechset ‚er wächst‘

Der Zeitpunkt, an dem diese Entwicklung auch in der Schrift auftritt (etwa 1050 n. Chr.), wird allgemein als Beginn des Mittelhochdeutschen angesehen. Einer der ersten, der dies einigermaßen einheitlich handhabte, war der St. Galler Mönch NOTKER III., „Labeo“ (offenbar wegen einer auffäligen Lippengestaltung) oder „der Deutsche“ genannt († 1022), der seit langem wieder der erste Gebildete war, der sich einer deutsche Schreibsprache bediente.

2. **Auslautverhärtung**
Die stimmhaften Verschluss- und Reibelaute ahd. b, d, g, v werden im Wortauslaut verhärtet zu p, t, k (geschrieben auch als c), f:

mhd. liep, aber Genitiv   liebes ‚lieb‘
mhd. rat,   rades ‚Rad‘
mhd. slac,   slages ‚Schlag‘
mhd. hof,   hoves ‚Hof‘

3. **h-Schwund im Wortanlaut**
Anlautendes h schwindet schon im späteren Althochdeutsch in den Phonemverbindungen hw-, hl-, hr-, hn-: ahd. hross > mhd. ross ‚Ross‘

4. Ahd. sk > mhd. sch: ahd. skôni > mhd. schœne ‚schön‘

5. Ahd. iu (< germ. eu) > mhd. iu [y:], mhd. liuhten ‚leuchten‘

6. Ahd. ea > ia
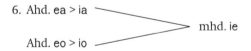
   Ahd. eo > io   mhd. ie

ahd. hiar > mhd. hier ‚hier‘
ahd. biotan > mhd. bieten ‚bieten‘

Die Ablautreihen

Wie bereits ausgeführt, haben die germanischen Sprachen den im Indogermanischen vorhandenen Ablaut bei der Flexion der starken Verben systematisch ausgebaut. Das in Bezug auf die Vokale gleichbleibende Konjugationsschema der starken Verben nennt man daher auch **Ablautreihen.**

Erklärung

▶ Starke Verben sind nicht nur durch den Ablaut gekennzeichnet, sondern auch durch das Morphem -en im Part. Praet., schwache Verben durch Fehlen des Ablauts und -(e)t im Part. Praet., also

stark: singen – sang – gesungen
schwach: lachen – lachte – gelacht

Das Mittelhochdeutsche kennt sechs Ablautklassen und die ehemals reduplizierenden (d.h. ein Wurzelemelent wiederholende) Verben, also insgesamt sieben Reihen. Um die Reihe einwandfrei feststellen zu können, ist die Angabe von fünf Verbformen nötig:

1.	Infinitiv, z.B. mhd.	gëben
2.	1. Sg. Ind. Praes.	(ich) gibe
3.	1. Sg. Ind. Praet.	(ich) gap
4.	1. Pl. Ind. Praet.	(wir) gâben
5.	Part. Praet.	gegëben

Mit diesen Verbformen kann das ganze Verbparadigma abgedeckt werden:
- Die erste Form steht für den Vokal des Infinitvs, des Pl. Ind. Praes. und des ganzen Konj. Praes. + Imp. Pl.
- Die zweite Form steht für den Vokal des Sg. Ind. Praes. + Imp. Sg.
- Die dritte Form steht für den Vokal der 1. u. 3. Sg. Ind. Praet.
- Die vierte Form steht für den Vokal der 2. Sg. Ind. Praet. und des ganzen Pl. Ind. Praet. sowie des ganzen Konj. Praet. (Ist der Vokal des Konj. Praet. umlautfähig, steht hier und in der 2. Sg. Ind. Praet. die umgelautete Variante.)
- Die fünfte Form steht für den Vokal des Part. Praet.

Schematisch lässt sich dies so verdeutlichen:

Abb 35 | *Die Kennformen.* (du) gëbe *(2. Sg. Ind.Praet.) ist eine westgermanische Besonderheit;* du gabst *ist erst eine spätere Analogiebildung*

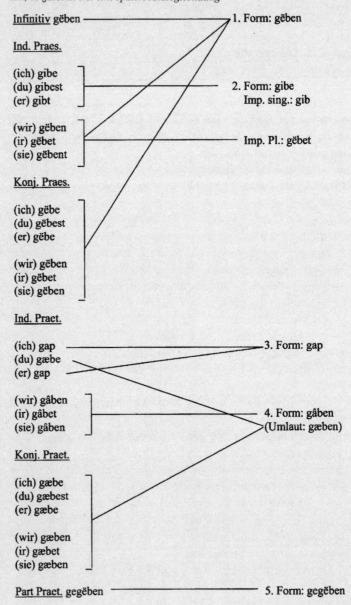

Infinitiv gëben ─────────── 1. Form: gëben

Ind. Praes.

(ich) gibe
(du) gibest ──── 2. Form: gibe
(er) gibt   Imp. sing.: gib

(wir) gëben
(ir) gëbet ──── Imp. Pl.: gëbet
(sie) gëbent

Konj. Praes.

(ich) gëbe
(du) gëbest
(er) gëbe

(wir) gëben
(ir) gëbet
(sie) gëben

Ind. Praet.

(ich) gap ──────── 3. Form: gap
(du) gæbe
(er) gap

(wir) gâben
(ir) gâbet ──── 4. Form: gâben
(sie) gâben   (Umlaut: gæben)

Konj. Praet.

(ich) gæbe
(du) gæbest
(er) gæbe

(wir) gæben
(ir) gæbet
(sie) gæben

Part Praet. gegëben ─────── 5. Form: gegëben

Die Ablautreihen im Einzelnen:

Reihe I: Vokal ahd./mhd. î

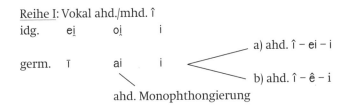

idg.   ei̯   oi̯   i

germ.   ī   ai   i

a) ahd. î – ei – i

b) ahd. î – ê – i

ahd. Monophthongierung

mhd. Beispiele:
a) grîfen – grîfe – greif – griffen – gegriffen   ,greifen'
b) dîhen – dîhe – dêch – digen – gedigen   ,(ge)deihen'

Reihe II: Vokal ahd. io/mhd. ie

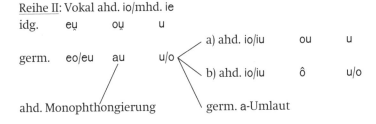

idg.   eu̯   ou̯   u

germ.   eo/eu   au   u/o

a) ahd. io/iu   ou   u

b) ahd. io/iu   ô   u/o

ahd. Monophthongierung   germ. a-Umlaut

mhd. Beispiele:
a) biegen – biuge – bouc – bugen – gebogen ,biegen'
b) bieten – biute – bôt – buten – geboten   ,bieten'
Anmerkung: Das Verbum fliehen, das auch in diese Reihe gehört,
hat schon im Ahd. den Vokalwechsel im Praes. durch Analogie aufgegeben.

Reihe III: Vokal vor Liquid (l) + Konsonant oder Nasal (n) + Konsonant

idg.   a) el+k   ol+k   l̥+k
        b) en+k   on+k   n̥+k

germ.   a) el+k   al+k   ul+k/ol+k (germ. a-Umlaut)
        b) in+k   an+k   un+k   a-Umlaut vor Nasal
                  germ. Nasalumlaut   verhindert

                  ahd. ë > i vor u

ahd.   a)   ë(i)   a   u/o
        b)   i   a   u

mhd. Beispiele:
a) hëlfen – hilfe – half – hulfen – geholfen
b) singen – singe – sanc – sungen – gesungen

Reihe IV: Vokal + einfacher Liquid (l) oder Nasal (n)

idg.	el	ol	ēl	ļ	
westgerm.	el	al	āl	ul/ol	germ. a-Umlaut
ahd.	ë/i	a	â	o	

mhd. Beispiel:
nëmen – nime – nam – nâmen – genomen
Anmerkung: Hierher gehören auch Verba, die in anderen Klassen zu erwarten wären, nämlich a) Verba mit l, n vor dem Vokal wie brëchen, sprëchen, trëffen, flëhten, b) Verba ohne l oder n, die in Klasse V zu erwarten wären, aber nach Klasse IV umgeformt sind, wie fëhten (nach flëchten), stëchen (nach brëchen).

Reihe V: Verba auf einfachen Konsonant (außer l oder n)

idg.	e+k	o+k	ē+k	k
westgerm.	e+k	a+k	ā+k	e+k (!)
ahd.	ë/i	a	â	ë

mhd. Beispiel:
gëben – gibe – gap – gâben – gegëben
Anmerkung: In diese Reihe gehören auch die Verba mhd. bitten, sitzen, ligen, die als „j-Praesentia" (im Praesens i) zusammengefasst werden.

Reihe VI: Zusammenfall mehrer idg. Verbalbildungen, im Praes. a

westgerm.	a	ō	a
ahd.	a	uo	a

mhd. Beispiel:
tragen – trage – truoc – truogen – getragen
Anmerkung: Auch in dieser Reihe gibt es so genannte „j-Praesentia", z.B. heffen, entseben.

Reihe VII: (ehemals) reduplizierende Verba

Unter **Reduplikation** versteht man die ursprüngliche Präteritum-
bildung durch Verdoppelung (Reduplikation) des Stammanlauts,
z.B. im Got., das die germanischen Verhältnisse beibehält:

haiten ‚heißen' – haíhait ['hehait]

lêtan ‚lassen' – laílôt ['leloːt]

Durch die Abschwächung der Zweitsilben entstand (bei Vereinfa-
chung des reduplizierenden Konsonanten) im Althochdeutschen
ein ablaut*ähnlicher* Vokalwechsel, der genau genommen keinen
Ablaut darstellt. Es ist daher auch nicht richtig, von Reihe VII als
Ablautreihe zu sprechen (stattdessen besser: ehemals reduplizierende Verba).

Im Ahd. gibt es zwei Gruppen ehemals reduplizierender Verba:

1) germ. $\bar{e}_2$ im Praet. > ahd. ia > mhd. ie

2) germ. eo im Praet. > ahd. eo, io > mhd. ie

Im Mittelhochdeutschen sind die Unterschiede daher nicht mehr
zu sehen, sondern nur mehr historisch fassbar.

Praesensvokal

1)	a)	a	halten – halte – hielt – hielten – gehalten
	b)	â	lâʒen – lâʒe – lieʒ – lieʒen – gelâʒen
	c)	ei	heiʒen – heiʒe – hieʒ – hieʒen – geheiʒen
2)	a)	ou	loufen – loufe – lief – liefen – geloufen
	b)	ô	stôʒen – stôʒe – stieʒ – stieʒen – gestôʒen
	c)	uo	ruofen – ruofe – rief – riefen – geruofen

Man erkennt, dass bereits im Althochdeutschen und im Mittelhochdeutschen Übertritte von einzelnen Verba in andere Klassen
sowie der Übergang von starken zu schwachen Verba möglich
waren. Die Unterschiede zwischen den Ablautreihen werden im
Neuhochdeutschen durch Analogieausgleich noch stärker ver-
wischt, sodass sie heute nur mehr indirekt erkennbar sind, z.B.

mhd. hëlfen – hilfe – half – hulfen – geholfen

nhd. helfen – helfe – half – halfen – geholfen

In verschiedenen Bereichen der mittelalterlichen Kultur beginnen
sich eigene Fachwortschatzbereiche herauszubilden, die mit Veränderungen des täglichen Lebens in engem Zusammenhang stehen: die höfische Kultur, die Volkspredigt, die Sprache der Mystik
sowie jene des Handels und Bankwesens.

4.2.3 | ### Die höfische Kultur

Die mittelhochdeutsche Dichtersprache unterscheidet sich neben dem Erwähnten aus einem weiteren Grund von den gesprochenen Dialekten der Zeit: Sie zeigt starke Einflüsse aus dem Französischen und Niederländischen, woher die literarischen Vorbilder stammen, in Form von Lehnwörtern.

Da das Rittertum und die höfische Kultur in Frankreich und den Niederlanden früher ausgeprägt waren als im deutschen Sprachraum, wurde mit der Sachkultur auch das Vokabular ins Mittelhochdeutsche übernommen. Das bedeutet im Einzelnen, dass die mittelhochdeutsche Dichtersprache viele französische und niederländische Fremd- und Lehnwörtern aufweist, die aus Nordfrankreich, Flandern und Brabant entlang des Rheins ins deutsche Sprachgebiet eindrangen. Wir merken in der mittelhochdeutschen Literatur, dass es in der Oberschicht – offenbar ähnlich dem Fremdwortgebrauch im 16. und 17. Jahrhundert – zum guten Ton gehörte, Fremdwörter in das Gespräch einfließen zu lassen.

Abb 36 | *Die Kemenate, der einzige beheizbare Raum einer Burg, in der Marksburg in Braubach bei Koblenz*

Die französischen Fremdwörter gehören Bereichen an, mit denen die Oberschicht zu tun hatte, etwa mit Titeln (duc ‚Herzog‘, cunt ‚Graf‘, barûn ‚Baron‘, vassal ‚Vasall, Ritter, Junker‘) oder dem Ritterwesen (turnei ‚Turnier‘, tjoste ‚Zweikampf‘, bûhurt ‚Massenkampf‘). Daneben gibt es auch Lehnübersetzungen und -bildungen, d.h. Wörter aus dem ererbten Sprachschatz, die fremde Bildungen nachahmen, etwa prîs ‚Auszeichnung, Preis‘. Dieser spezialisierte Wortschatz verschwand wieder, trotzdem hat sich ein kleiner Teil bis heute erhalten, etwa Preis, Lanze, Abenteuer, Alarm (wörtlich ‚zu den Waffen‘), Buckel (ursprünglich die Erhebung auf einem Schild, dann der ganze Schild), hurtig, Turnier. Dieser Epoche verdankt das Deutsche auch die Fremdwörter auf -ie, das dann zu einem produktiven Suffix wurde und (später) Wörter bildete wie Drogerie, Batterie, Garantie, Diplomatie. Eingedeutscht als -ei ist es auch in späteren Bildungen wie Bäckerei, Malerei, Schlägerei vorhanden – die Endbetonung der Wörter auf -ieren, -ei und -ie zeigt noch deutlich ihre Herkunft an.

Einigen der Wörter ist die Herkunft aus dem Niederländischen anzumerken. Das wichtigste davon ist Ritter. Es stammt von riddere, wohl nach dem Vorbild von altfranzös. chevalier. Dieses riddere wurde dann lautgerecht zu ritter, mit mittelhochdeutschen Mitteln gebildet müsste es *rîtære und dementsprechend heute Reiter lauten. Auch Treck und trecken ‚ziehen‘, snacken, traben, Wappen (wörtlich ‚Waffe‘), höflich/hübsch aus hövesch, -isch (‚dem Hof angehörend, entsprechend‘), Tölpel (aus pejorativem dörper, also ‚Dörfler‘) gehören hierher.

Es muss ausdrücklich betont werden, dass dieser Spezialwortschatz ausschließlich ein Merkmal der höfischen Literatur darstellt. Er ist weder in den vorhöfischen Romanen (etwa der „Eneit“ von HEINRICH VON VELDEKE oder dem „Alexanderlied“ und „Rolandslied“) zu finden und schon gar nicht in der Heldendichtung wie dem „Nibelungenlied“ oder der „Kudrun“. Die Heldendichtung zeigt dafür einen archaisierenden Wortschatz, der vor allem aus dem Bereich des Kampfes kommt, z.B. die Bezeichnungen für den Kämpfer selbst: recke, degen, wîgant, aber auch hervart ‚Kampf‘, wal ‚Kampfplatz‘ u.a.m.

4.2.4 | Die deutsche Volkspredigt

Im Spätmittelalter kam eine neue literarische Gattung zu ihrer Blüte: die Volkspredigt in deutscher Sprache. Natürlich spielte die Predigt im Christentum seit den Anfängen eine herausragende Rolle, aber die Sprache dieser Texte war das Griechische und Lateinische. Außerdem liebten es große Theologen, ihre Kommentare zur Bibel oder ihre Auslegungen in Predigtform niederzuschreiben, berühmt sind jene von AUGUSTINUS oder BERNHARD VON CLAIRVAUX. Trotzdem ist aus praktischen Überlegungen – und auch anhand spärlicher Belege – davon auszugehen, dass dem Volk in der Volkssprache gepredigt wurde, anders wären etwa die großen Missionierungen des 7. und 8. Jahrhunderts nicht denkbar. Außerdem verfügte bereits KARL DER GROSSE die Förderung der Volkssprache. Es sind von diesen Predigten bis ins 13. Jahrhundert bis auf vereinzelte Ausnahmen keine größeren Texte erhalten geblieben, da sie der Mündlichkeit verhaftet waren und niemand sie aufgezeichnet hat. Die vereinzelten Predigten, die auf uns gekommen sind, nehmen sich eher wie „Mustersammlungen" für die Erstellung von Predigten aus. Sie richteten sich an die Fachtheologen und nicht an die Laien wie die tatsächlich gehaltenen Predigten. Erst im 12. Jahrhundert entstand eine umfangreichere Sammlung an deutschen Predigten, das „Speculum Ecclesiae".

Das änderte sich im 13. Jahrhundert, als die so genannten Predigerorden gegründet wurden. Begnadete Volksprediger aus ihren Reihen zogen riesige Menschenmassen in ihren Bann. Vor allem der Franziskaner- (gegr. 1210) und der Dominikanerorden (gegr. 1216) nahmen sich der Seelsorge in den Städten und damit dieser Art des Predigens an, und aus ihren Reihen gingen wahre „Starprediger" hervor. Eines der allerersten Franziskanerklöster in Deutschland war das Regensburger Salvatorkloster. Dort wirkte als Novizenmeister der um 1210 geborene DAVID VON AUGSBURG, der seine Ausbildung wahrscheinlich im Studium Generale der Franziskaner in Magdeburg erhalten hatte. 1243 wurde er nach Augsburg berufen, wo er im Jahr 1272 starb. DAVID hinterließ mehrere Schriften in deutscher Sprache, die sich durch klare Gedankenführung und eine ein-

Merksatz

▶ Volkspredigten in deutscher Sprache sind als Quelle für die Sprachgeschichte von großem Wert, weil sie – soferne sie nicht literarisch überarbeitet wurden – den tatsächlichen Sprachgebrauch ihrer Zeit zeigen.

fache, sichere Sprache auszeichnen und noch nicht der Mystik zuzurechnen sind.

Zu seinen Schülern in Regensburg zählt BERTHOLD VON REGENSBURG. Geboren spätestens um 1220, wirkte er ab 1247 gemeinsam mit seinem Lehrer als Visitant des Frauenklosters Niedermünster in Regensburg. Weite Predigtfahrten führten ihn durch West- und Süddeutschland, Böhmen, Mähren, Schlesien, Österreich bis in die Schweiz. In Regensburg starb er am 13. Dezember 1272. Der Zulauf zu seinen Predigten muss gewaltig gewesen sein, auch wenn die sporadischen Zahlenangaben (wie 40 000) heute unglaubwürdig klingen. Oftmals bezeugt sind aber zahlreiche Spontanbekehrungen sowie Versöhnungen während und nach seinen Predigten, sodass an seiner Wirkung auf die Zuhörer nicht gezweifelt werden kann.

BERTHOLD VON REGENSBURG *predigt.*
Zeichnung aus dem 15. Jh.

| Abb 37

Unsicher ist, ob wirklich alle unter BERTHOLDS Namen überlieferten Predigten von ihm stammen. Wie bei allen populären Dichtern wird es auch Nachahmer gegeben haben (so wie wir es im Fall von NEIDHART VON REUENTHAL kennen). Auf jeden Fall sind aber die sechs so genannten „Klosterpredigten" von ihm. In ihnen zeigt er sich als meisterlicher Psychologe. Er versteht es, auf seine Zuhörer einzugehen, sie zu packen, indem er etwa gewisse Personengruppen gesondert herausnimmt und anspricht und in der Wortwahl zeigt, dass er ihre Probleme und Wertvorstellungen kennt. Vor einem ritterlichen Publikum etwa geht er auf die für diesen Stand besonders wichtigen Begriffe dienest, arebeit, êre ein.

4.2.5 | Die Sprache der Mystik

Die Zeit vom 13. bis ins 15. Jahrhundert wird gerne als „Zeitalter der Mystik" bezeichnet. Obwohl man sich vor allzu groben Verallgemeinerungen hüten soll, entbehrt dies nicht einer gewissen Grundlage.

Diese Zeit ist im religiösen Bereich vor allem durch zwei große Strömungen charakterisiert: die Scholastik und die Mystik. Man kann die Scholastik als den Versuch bezeichnen, Gott auf wissenschaftliche Weise zu finden – durch die Anwendung der aristotelischen Begriffe der Logik –, und die Mystik als das gefühlsmäßige Erfassen Gottes. Diese beiden Bereiche lassen sich jedoch nicht klar trennen. Die Scholastik „arbeitet" ebenfalls mit dem Gefühl, und auch die Mystik versucht sich in einer Art Systematik. Die einfache Unterscheidung, die Scholastik sei in lateinischer Sprache, die Mystik in Deutsch überliefert worden, stimmt nicht mehr, seit man eine mittelhochdeutsche Übersetzung der „Summa Theologiae" des THOMAS VON AQUIN entdeckt hat. In älteren Darstellungen kann man daher oft lesen, dass die Mystiker einen eigenen Fachwortschatz schufen, um den dem menschlichen Verstand nicht logisch zugänglichen Vorgang des Erfassens von Gott, die Vereinigung mit Gott („unio mystica"), besser verständlich zu machen. Darauf sollen Wörter wie Einfluss, einfließen (das wörtlich zu verstehende Einfließen des Geistes Gottes), Anschauung, Wesenheit, wesentlich, Begriff, begreifen sowie die zahlreichen Abstraktbildungen auf -heit, -keit, -ung zurückgehen. Es scheint aber auch so etwas wie eine deutschsprachige Scholastik gegeben zu haben, die diese Begriffe schon vorgeprägt hatte, welche die Mystiker daher „nur" zu übernehmen brauchten. Besonders deutlich wird das am Beispiel der MECHTHILD VON MAGDEBURG. Sie schrieb nur einen Teil ihrer Visionen selbst, einen Großteil erzählte und diktierte sie einem geistlichen Berater. Da dieser im Gegensatz zu MECHTHILD über eine profunde theologische Ausbildung verfügte, ist die sprachliche Form wohl ihm zuzuschreiben. Zu den Hauptvertretern der deutschen Mystik zählen neben MECHTHILD VON MAGDEBURG (um 1210–1282) MEISTER ECKHART (um 1260–1328), HEINRICH SEUSE (1295?–1366) und JOHANNES TAULER (1300–1361). MEISTER ECKHART betont immer wieder, dass Worte nicht in der Lage sind, die mystischen Vorgänge zu beschreiben. Am ehesten kann man persönliche Erfahrungen in der eigenen Muttersprache mitteilen. Jemand, der diese Erfahrung nicht selbst gemacht hat, könne dies auch nicht mit Worten, d.h. nur mit der Sprache, vermittelt bekommen.

Die Sprache des Handels und des Bankwesens | 4.2.6

In Norddeutschland entstand seit der 2. Hälfte des 12. Jahrhunderts eine Vereinigung von Fernhandelskaufleuten unter dem mittelalterlichen Namen Hanse (ahd. hansa ist ursprünglich eine ,Gruppe von Kriegern'). Der Zweck war zunächst der gegenseitige Schutz vor den Risiken weiter Handelsreisen. Die wirtschaftlichen Grundlagen für den Aufschwung waren dadurch gegeben, dass die deutschen Kaufmannsniederlassungen im Ausland wirtschaftliche Privilegien erhielten. Durch die deutsche Ostkolonisation verlagerte sich das Schwergewicht der Interessen immer mehr nach Ost- und Nordosteuropa. 1356 wurde die Hanse ein förmliches Bündnis, ihre Blütezeit lag in den Jahrzehnten nach 1370 – zu dieser Zeit gehörten ihr alle großen Städte nördlich der Linie Köln–Dortmund–Göttingen–Halle–Breslau an. Die Hanse ist also genaugenommen ein Städtebund, aber anders als andere Städtebünde (wie der süddeutsche oder oberitalienische) verfolgte sie keine politischen, sondern nur wirtschaftliche Ziele.

Der Niedergang der Hanse begann mit Schließung des hanseatischen Kontors in Nowgorod 1494, 1598 wurde das Londoner Kontor geschlossen. Der Dreißigjährige Krieg bedeutete das faktische Ende der Hanse, der letzte Hansetag fand 1669 statt. Die Hanse hinterließ deutliche Spuren im Wortschatz des Deutschen und der skandinavischen Sprachen, vor allem mit Begriffen des Handels, aber auch der Seefahrt, denen ihre niederdeutsche Herkunft anzusehen ist, z.B. Ware, Stapel (hochdt. Staffel), Fracht, Rolle (aus lat. rotula), Boot (aus dem Englischen, unsicher), Dock, Lotse, liefern, makeln und Makler, Kran, bodmen (,Kredit aufnehmen'), aber auch

Abb 38 | Der Wirkungsbereich der Hanse im Nord- und Ostseeraum

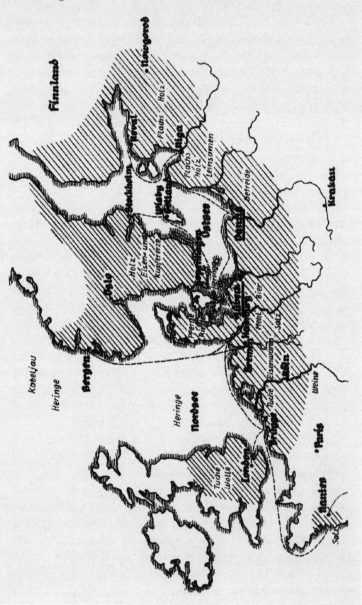

andere Wörter aus anderen Bereichen: echt, Gerücht, Pranger, fett (hochdt. feist), Lippe (hochdt. Lefze) und der Personenname Detlev (hochdt. Dietleib).

Die Ausdehnung des Handels und das Aufkommen der Geldwirtschaft hatten eine weitere Verbreitung der damit verbundenen Ausdrücke zur Folge. Führend in dieser Beziehung waren die oberitalienischen Städte, daher stammen viele der heutigen Ausdrücke des Bankwesen aus dem Italienischen: Bankrott (kommt vom Zerschlagen der Wechselbänke von verschuldeten und daher geflohenen Händlern), Lombard (Kredit gegen Verpfändung beweglicher Sachen), Risiko, Saldo, saldieren, Valuta, aber auch Lehnübersetzungen wie Wechsel für ital. Cambio, Soll und Haben für debito und credito. Durch das Handelswesen sind auch einzelne Ausdrücke aus dem Arabischen ins Deutsche gekommen wie Tara (‚Verpackungsgewicht‘), Karawane, Bazar, Magazin.

Zu berücksichtigen sind auch noch andere Fach- und Sondersprachen wie die immer differenzierter werdenden Berufsfachsprachen (der Weinbauern, Bergleute, Jäger, Ärzte etc.), aber auch Geheimsprachen wie das **Rotwelsch**. Das **Jiddische** (s. S. 51) stellt eine eigene westgermanische Sprache dar, die sich auf der Grundlage rheinfränkischer Mundarten durch Interferenz mit dem Hebräischen gebildet und sich in einen west- und einen ostjiddischen Teil aufgespalten hat. Texte sind seit dem 13. Jahrhundert erhalten. Dem Jiddischen entstammen Wörter wie Ganove und Pleitegeier (hebr. palota ‚Konkurs‘ und geyer ‚Gänger‘, volksetymologisch mit dt. Geier in Verbindung gebracht).

Das Mittelniederdeutsche | 4.2.7

Im **Mittelniederdeutschen** entwickelte sich früh eine eigene Schreibsprache, die durch die Schriften von EIKE VON REPGOW (um 1180–um 1230) beeinflusst wurde, nämlich dem „Sachsenspiegel" (einem höchst bedeutenden Rechtstext) und der „Sächsischen Weltchronik". Unter dem wirtschaftlichen Einfluss der Hanse im 14. und 15. Jahrhundert erlebte die niederdeutsche Schreibsprache einen Aufschwung, dem auf hochdeutscher Seite nichts Vergleichbares gegenüber steht. Mit dem Niedergang der Hanse nahm allerdings auch die Verbreitung dieser niederdeutschen Schriftsprache ab, und in der Neuzeit dehnte sich das Hochdeutsche als überge-

Historische Bedeutungsveränderungen

Im 19. Jahrhundert wollte die Sprachwissenschaft Veränderungen in der Bedeutungsstruktur systematisch erfassen. Dafür wurde eine zweiachsige Matrix aufgestellt, die von Quantität und Qualität der Bedeutungsveränderungen ausging.

Quantitative Bedeutungsveränderungen

Bedeutungserweiterung: Ein Wort mit enger oder einfacher Bedeutung erhält im Lauf der Zeit mehrere Bedeutungskomponenten. Ahd. sahha, mhd. sache bedeutete nur ‚Gerichtssache, Streit, Ursache', also einen vor Gericht anhängigen Streitfall. Heute kann mit Sache fast alles außer Lebewesen bezeichnet werden, eine starke Verallgemeinerung, die interessanterweise auch bei ahd., mhd. ding ‚das, was auf dem Thing verhandelt wird, Gerichtssache' und französ. chose (aus lat. causa) eintrat.

Bedeutungsverengung: Ein Wort mit weiter gefasster Bedeutung oder mehreren Bedeutungsfacetten wird auf wenige oder eine einzige Bedeutung festgelegt. Ahd. mhd. gift war zunächst die ‚Gabe' im Allgemeinen, bereits seit dem Althochdeutschen, gezielt aber im 16. Jahrhundert wird Gift auf ‚Arzneigabe, Giftgabe' eingeschränkt (als Neutrum), während die ursprüngliche weite Bedeutung im **Reliktwort** Mitgift (ein Femininum) weiterlebt.

Qualitativ unveränderlich ist die **Bedeutungsverschiebung**, bei der eine Bedeutung durch eine andere ersetzt wird. Nhd. künstlich ‚kunstvoll', so noch bei Goethe und Schiller zu finden, wurde im 18. Jahrhundert in dieser Bedeutung durch künstlerisch ersetzt, während künstlich durch die Industrialisierung im 19. Jahrhundert die Bedeutung ‚nachgemacht, nicht natürlich' erhielt.

Qualitative Bedeutungsveränderungen

Bedeutungsverbesserung: Ein ursprünglich abwertender (pejorativer) Begriff erfährt im Lauf der Zeit eine inhaltliche „Aufwertung". Ahd. mar(ah)-scalc, ein Kompositum aus ahd. marah- ‚Pferd' (vgl. nhd. Mähre) und ahd. scalc ‚Knecht' (vgl. nhd. Schalk) bezeichnete auf dem frühmittelalterlichen Guts- bzw. Fürstenhof ursprünglich den Pferdeknecht, der sich um das Füttern, Reinigen der Tiere usf. zu kümmern hat, also eine niedrige Tätigkeit ausübt.

Mit dem Anwachsen der fürstlichen Höfe und der Aufwertung ihrer politischen und gesellschaftlichen Bedeutung ging auch ein sozialer Aufstieg dieser Position und damit der Bezeichnung Marschalk einher, die von ‚Stallmeister‘ über ‚Aufseher über den fürstlichen Tross‘ und ‚Reitergeneral‘ schließlich eines der höchsten Ämter in der frühen und mittleren Neuzeit bezeichnete (die Form Marschall geht auf den Einfluss von französ. maréchal zurück).

Bedeutungsverschlechterung: Ahd. wîb, mhd. wîp war die neutrale Geschlechtsbezeichnung im Gegensatz zu ahd. frouwa, mhd. vrouwe, der Standesbezeichnung und Anrede für die verheiratete Edeldame als Vorsteherin des Hauswesens. In der Neuzeit, besonders im 18. Jahrhundert, wurde unter dem Einfluss des Bürgertums bzw. durch Verwendung in der höflichen Anrede in der Standardsprache Frau zur allgemeinen Geschlechtsbezeichnung, während Weib eine pejorative Konnotation erhielt und nur mehr in den Dialekten und im Adjektiv weiblich seine ursprüngliche Bedeutung bewahrt.

Die **Bedeutungsverschiebung** in qualitativer Hinsicht meint, dass ein Begriff weder „besser" noch „schlechter" besetzt wird, sondern einfach seine Bedeutung von einer Vorstellung zu einer anderen ändert, wie das oben vorgestellte künstlich.

Eine solche Abgrenzung einzelner Entwicklungsstränge bringt allerdings theoretische und sachliche Probleme mit sich. In der Tat sind quantitative und qualitative Veränderungen sehr oft miteinander verbunden, wie gerade das Beispiel Gift als gleichzeitige Bedeutungsverengung und Bedeutungsverschlechterung zeigt.

ordnete Schreibsprache bis in den hohen Norden aus, verstärkt auch durch das neue Luthertum. Das Niederdeutsche blieb nur als mündliche Sprachform der bäuerlichen Bevölkerung auf dem flachen Land bestehen (daher **Plattdeutsch** – zunächst neutral, später allerdings in pejorativer Bedeutung ‚einfach, primitiv‘), bis im 18. und 19. Jahrhundert eine Rückbesinnung auf diese Sprachform erfolgte (etwa durch den Schrifsteller Fritz Reuter, 1810–1874).

Zusammenfassung

▶ Ebenso wie *Althochdeutsch* bezeichnet auch *Mittelhochdeutsch* keine einheitliche Sprachform, sondern eine Anzahl von Einzeldialekten im Zeitraum von etwa 1050 bis 1350. Zu den im Althochdeutschen vorhandenen Dialekten kommen nun, bedingt durch die Ostkolonisation, die ostmitteldeutschen Mundarten hinzu. Markantester sprachlicher Unterschied zwischen dem Mittel- und Althochdeutschen ist die Abschwächung der „vollen" Nebensilben zu einheitlichem e oder deren völliger Schwund. Die Überlieferung der schriftlichen Zeugnisse nimmt stark zu, und so ist eine der philologischen Aufgaben, das Erhaltene im Rahmen der Textkritik zu sichten und zu ordnen.

In mittelhochdeutscher Zeit treten kulturelle Entwicklungen ein, die die gesellschaftlichen Grundlagen völlig verändern und damit auch Auswirkungen auf die Sprache als „fait social" haben. Die wichtigsten sind der rasche Aufschwung des Rittertums und der höfischen Kultur, die ebenso rasch vom Aufschwung der Städte und des wohlhabenden Bürgertums abgelöst werden.

In sprachlicher Hinsicht sind große Veränderungen, etwa vergleichbar der Zweiten Lautverschiebung, nicht zu konstatieren. Die Ablautreihen gehören zum festen Bestandteil des Sprachsystems. Mit den kulturellen und sozialen Veränderungen geht eine grundlegende Erweiterung und Veränderung des gesprochenen Wortschatzes einher, vor allem auf dem Gebiet der Volkspredigt, der Mystik sowie des Handels und Bankwesens. Der niederdeutsche Raum entwickelt unter dem ökonomischen Einfluss der Hanse eine relativ einheitliche Schriftsprache, dem der deutsche Süden kaum Gleichwertiges entgegenzusetzen hat.

Übungen

● Bestimmen Sie von folgenden Verben die Ablautreihe und geben Sie die Kennformen an:
singen, bitten, waschen, rîten, vliegen   1

● Vergleichen Sie das althochdeutsche Vaterunser (S. 76) mit der mittelhochdeutschen Fassung (S. 101). Welche sprachlichen Unterschiede sind auffällig?   2

● Nennen Sie die ostmitteldeutschen Dialekte.   3

● Worin liegt die Bedeutung des Städtewesens für die deutsche Sprachgeschichte?   4

● Ordnen Sie die Ausdrücke Hochzeit, feige, Ampel, Pfaffe, Liebe, schlecht mit Hilfe eines etymologischen Wörterbuchs den Kategorien der quantitativen und qualitativen Bedeutungsveränderung zu. Vewenden Sie die zitierten etymologischen Wörterbücher auf „http://homepage.univie.ac.at/peter.ernst".   5

Literatur

PAUL, HERMANN (1989): Mittelhochdeutsche Grammatik. Neu bearb. von PETER WIEHL u. SIEGFRIED GROSSE. 23. Aufl. Tübingen.
PENZL, HERBERT (1989): Mittelhochdeutsch. Bern, Frankfurt am Main, New York.
SARAN, FRANZ (1975): Das Übersetzen aus dem Mittelhochdeutschen. Neubearb. von BERT NAGEL. 6. Aufl. Tübingen.
SCHNEIDER, KARIN (1999): Paläographie / Handschriftenkunde. Tübingen.
WEDDIGE, HILKERT (1997): Einführung in die germanistische Mediävistik. 3. Aufl. München.

Frühneuhochdeutsch | 5

Abb 39 | *Der frühneuhochdeutsche Sprachraum*

5.1 | Innersprachliche Entwicklungen

Bis zum Anfang des 20. Jahrhunderts war die Vorstellung von der sprachlichen Entwicklung in der frühen Neuzeit sehr einfach: Im Mittelhochdeutschen gab es vermutlich eine einheitliche Sprachform, eine Art „Hochsprache", die mit dem Untergang der höfisch-ritterlichen Kultur und der Schwächung der Zentralgewalt wieder verloren ging. Im Laufe des Spätmittelalters war es daher – wie in althochdeutscher Zeit – wieder zu einer „Zersplitterung" in einzelne Dialekte gekommen. Da aus späterer Sicht damit eine Wertung verbunden war, hat man die Hochsprache als „gut" und „wertvoll" und die Dialekte als „schlecht" oder „minderwertig" betrachtet. So musste eine solche Entwicklung natürlich als „Abstieg" gesehen werden. Heute ist man von dieser Beurteilung abgekommen und sieht die dialekte Vielfalt des Frühneuhochdeutschen wertfrei als Weiterentwicklung der mittelhochdeutschen Verhältnisse.

Über den Dialekten bildete sich vom 14. bis 17. Jahrhundert die so genannte **neuhochdeutsche Schriftsprache**. Während bis in die 60er Jahre des 20. Jahrhunderts eine bestimmte Stadt (z.B. Prag) oder Dialektlandschaft (z.B. das Ostmitteldeutsche) als ihre „Wiege" gesucht wurden, versteht man den Weg zur neuhochdeutschen Schrift-

sprache heute als Auswahl aus einer vorhandenen Anzahl von Varietäten, also als Varietätenabbau. Die Aufgabe der Sprachgeschichtsschreibung ist dabei, die Regularitäten und Einflüsse, nach denen dieser Variantenabbau erfolgte, ausfindig zu machen und zu beschreiben. Nach WERNER BESCH sind die Ausbildungsprozesse einer gemeindeutschen Schriftsprache erst ab dem Beginn des 16. Jahrhunderts greifbar. BESCH charakterisiert die Entstehung der neuhochdeutschen Schriftsprache als Auslese-, Ausgleichs- und Mischungsprozess, in dem sich die Sprachformen mehrerer Sprachlandschaften in verschiedenem Ausmaß durchsetzen konnten. Er beschreibt diese Prozesse mit den Prinzipien des **Geltungsareals**, der **Landschaftskombinatorik**, des **Geltungsgrades** und der **Strukturellen Disponiertheit**.

Unter Geltungsareal versteht BESCH die räumliche Gültigkeit eines sprachlichen Ausdrucks: Je größer das Geltungsgebiet einer Sprachform, desto leichter setzt sie sich durch. Zusätzlich fällt auf, dass verschiedene Sprachlandschaften in bestimmten Fällen konform gehen. Dabei kommt der Kombination (u.a. wegen der von LUTHER bevorzugten Landschaftskombinatorik) Ostmitteldeutsch – Ostfränkisch – Bairisch besonderes Gewicht zu. Sprachformen, die in diesen Bereichen gelten, setzen sich öfter durch als Formen aus anderen Gebieten. Ein wichtiger Faktor ist weiters die Häufigkeit der Verwendung, der „Geltungsgrad" einer Sprachform. Die Strukturelle Disponiertheit geht einen innersprachlichen und, wie der Name schon andeutet, „strukturalistischen" Weg, indem sie das Sprachsystem für Veränderungen verantwortlich macht und charakteristische Termini wie „klare Abhebung von Oppositionen", „optimale Belastung des Systems", „Abbau von strukturellen Mehrdeutigkeiten" u. dgl. einführt.

HANS MOSER führte zusätzlich zu diesen Kriterien den Begriff der **Geltungshöhe** ein. Demzufolge spielt auch das soziale Prestige des Zeichenverwenders bei der Durchsetzung eine große Rolle. Die Geltungshöhe ist anders zu werten als die drei erstgenannten Kriterien, da sie nicht wie diese auf innersprachlichen, sondern auf sprachexternen Kriterien beruht.

Das moselfränkische Vaterunser

Vater unser, du bist in den hymelen
Geheilicheit werde dyn name
Zv kome vns dyn rich
Dyn wille gewerde
als in dem hymel vnd in der erden
Vnser tegliches broit gib vns hude
Vnd vergijff vns vnsere schult
Als wir doen vnsern schuldigern
Nicht leide vns in bekorunge
Sunder erlose vns von ubel

NIKOLAUS VON KUES 1441

Wahrscheinlich zwischen 1. und 5. Jänner 1441 zeichnete der spätere Kardinal und Bischof von Brixen, NIKOLAUS KUES, auf Wunsch des Ausgburger Bischofs das Vaterunser in seinem heimatlichen moselfränkischen Dialekt auf und schuf eine Auslegung, die theologisch bis heute bedeutend ist.

5.1.1 | Sprachliche Auswahlprozesse

Die Faktoren des Sprachwandels aus mittelhochdeutscher Zeit setzen sich fort (Städte, Kanzleien, Schulen, Grammatiker, Sprachtheoretiker) und werden durch eine Reihe weiterer ergänzt (Buchdruck, Sprachgesellschaften, religöse Bewegungen). Über die sprachsoziologische Schichtung im Frühneuhochdeutschen sind wir heute nicht sehr gut orientiert. Im Großen und Ganzen sind

die Unterschiede zur sprachsozio-
logischen Pyramide des Hoch-
mittelalters (s. S. 115) nicht allzu
groß, wenn man vom ersatzlosen
Wegfall der mhd. Dichtersprache
einmal absieht.

Für das Mittelalter und die
Frühe Neuzeit stellt man sich die
Ausprägung der Soziolekte wie in
der nebenstehenden Abbildung
vor. Zu beachten ist dabei die
Positionierung von Sprache innerhalb der Matrix gesprochene – geschriebene Sprache, oberschichtige – unterschichtige Sprachform
sowie Norm – Variation. Sie stellt
den Versuch dar, die vielfältigen
Variationsformen der Schreibungen einer Norm oder besser Normierung (im Sinn von „Schriftsprache", „Schreibdialekt" usf.)
unterzuordnen. Ein weiterer Aspekt, der hier nicht ausgeführt
wird, ist die Ablösung des Lateinischen durch die deutsche Sprache
im Laufe des Hoch- und Spätmittelalters und der Frühen Neuzeit.

Man geht heute im Allgemeinen für das Mittelalter von je
einer Sprachform der Oberschicht
und der Unterschicht aus. Von
Letzterer ist nichts überliefert,
wenn man von indirekten Refle-
xen in den Schriftstücken, etwa
phonetischen Direktanzeigen, absieht. Die so genannte „Volkssprache" muss man sich als örtlich
gebundene Sprachform im Sinne
eines Basisdialekts und als klein-

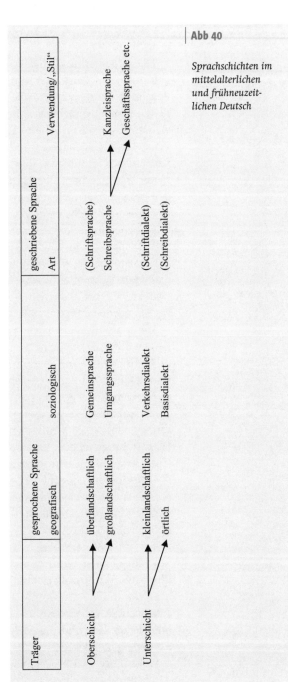

Abb 40

Sprachschichten im mittelalterlichen und frühneuzeitlichen Deutsch

landschaftlichen Verkehrsdialekt vorstellen, sie soll der „Schreibdialekt" bezeichnen.

Die so genannte „Umgangssprache" hat großräumliche Gültigkeit, sie zeigt Ausgleich von kleinlandschaftlichen Eigenheiten. Besonders interessant für die Forschung sind die überlandschaftlichen Gemeinsprachen und ihre nicht belegten bzw. noch nicht erforschten schriftlichen Gegenstücke, die Schriftsprachen. Schreibsprachen haben großlandschaftliche Gültigkeit (z.B. „Donauländisch"), sind aber innerhalb dieser Großlandschaften nicht näher lokalisierbar. Allerdings haben vor allem ungeübte Schreiber gelegentlich dialektale Formen in die Schreibsprache einfließen lassen. So gibt es in Wien zwei unterschiedliche Schreibformen nebeneinander, z.B. <chirche/chiriche, perg/perig, grôz/graz, rôt/rat>. Die Rekonstruktion legt nahe, dass die Oberschicht eine Art Norm vorgab, die versuchte, als unterschichtig empfundene dialektale Formen zu vermeiden. Mit Hilfe der heutigen rezenten Dialekte und vor allem der Reimwörter kann man versuchen, diese Unterschiede festzustellen.

Die Schreibsprache basiert auf der oberschichtigen Sprachform, sie zeigt im Allgemeinen kaum schreibdialektale Einflüsse, ist aber nicht als „Kultivierung" von Schreibdialekten zu sehen (eine solche Entwicklung hat es nie gegeben). Vielmehr gehen in sie Formen von gesprochener Sprache ein. Die Schriftsprache ist somit ein Ausgleichsprodukt aus landschaftlichen Eigenheiten. Sie kann in verschiedenen „Stilen" auftreten, z.B. als Geschäfts-, Kanzlei-, oder Literatursprache, die man noch weiter differenzieren kann (z.B. in Hinsicht auf den Fachwortschatz).

Unter „Schriftsprache" ist eine geschriebene Gemeinsprache zu verstehen. Eine überlandschaftliche Ausgleichssprache gibt es letztlich bis heute nicht, sie ist das anzustrebende Ziel (daher in Abb. 40 eingeklammert).

5.1.2 | Phonetisch-phonologische Entwicklungen

1. Mitteldeutsche (Neuhochdeutsche) Monophthongierung
mhd. ie, uo, üe > nhd. i:, u:, ü: [y:]
z.B. liebe guote brüeder > li:be gu:te brü:der
Diese Entwicklung erscheint um 1100 zuerst im Mittelfränkischen und Hessischen, also im Westmitteldeutschen, und breitet

sich dann ins Thüringische und die anderen ostmitteldeutsche Dialekte aus. Das Oberdeutsche ist nicht betroffen (mit kleinräumigen Ausnahmen im Ostfränkischen und Nordbairischen), dort herrscht heute noch diphthongische Aussprache vor. Wegen der konservativen Schreibungen der Diphthonge können wir heute aber oft keine Aussagen über die phonetische Qualität treffen. Das Monophthongierungsgebiet ist heute nicht so geschlossen wie das Diphthongierungsgebiet.

Die Monophtongierung bewirkte, dass aus mittelhochdeutschen Diphthongen mit abfallender Tonbewegung (durch abfallenden Atemdruck) und durch Akzentwandel, der zu steigendem Ton führt, Monophthonge wurden. Dies hatte zur Folge, dass das zweite Element geschlossener wurde, d.h. die Diphthongkomponente ging verloren.

i̯ə > i̯ə > i̯i > iː

2. Bairische (Neuhochdeutsche) Diphthongierung

mhd. î, iu [üː], û > nhd. ei, eu/äu, au

z.B. mîn niuwe₃ hûs > mein neues Haus

Namen in Urkunden aus der Steiermark zeigen bereits gegen Ende des 12. Jahrhunderts Diphthongierungen! Die Bezeichnung „Neuhochdeutsche Diphthongierung" ist daher genau genommen nicht korrekt, sie wird aber weiterverwendet, weil diese Erscheinung nach Ansicht vieler Sprachhistoriker für die neuhochdeutsche Epoche charakteristisch erscheint bzw. weil sie erst im Neuhochdeutschen systemtragend wird.

Der monogenetischen Theorie zufolge, die im 19. Jahrhundert favorisiert wurde, beginnt die Diphthongierung im deutschen Südosten (das Alemannische hat bis heute die alten Monophthonge bewahrt), und breitet sich von dort wellenartig aus: 12. Jh. Kärnten und Tirol, 13. Jh. der Donauraum bis ins Nordbairische, 14. Jh. das Ostfränkische (Nürnberg) und Südthüringische sowie das Schlesische, 15. Jh. Rheinfränkisch (Mainz–Frankfurt) und Ostmitteldeutsch, 16. Jh. Mittelfränkisch. Die mittelhochdeutschen Monophthonge werden im Alemannischen, in Teilen Thüringens und um Köln (also am Rand des hochdeutschen Sprachgebiets) bewahrt, auf diese drei Räume folgt stets als Zwischenstufe zum Extremdiphthong [ɑi] ein Gebiet mit [ei]: im Schwäbischen, Moselfränkischen und Hennebergischen. Das Niederdeutsche bewahrt die Monophthonge.

Abb 41 | *Ausprägung der Diphthongierung in der Schrift*

Die Diphthongierung wird heute aber nicht als Wellenbewegung, sondern als phonetischer Prozess auf Grund von Akzentveränderung angesehen:

De- oder Entpalatalisierung bezeichnet den Verlust des phonetischen Merkmals „palatal" („vordergaumig") und die Verlagerung des Artikulationsortes in den hinteren Teil des Gaumens.

iː > i̯i > ei > ɛi > ɑi
üː > ü̯ü > öü > ɔü > ɑü (Entpalatalisierung der 1. Komponente)
uː > u̯u > ou > ɔu > ɑu

Die alten Längen waren zweigipfelig akzentuiert. Durch Akzentveränderung und Dissimilation ist beim Endergebnis der Einsatz wesentlich tiefer als der Ausklang (ɑi umfasst die Distanz des gesamten Vokaldreiecks).

In der Schriftsprache fallen folgende Reihen zusammen:

î – û – û   ei – eu – au   (Diphthongierung)

ei – öu – ou   [ai] – [oü] – [au]

Dieser Zusammenfall kann aber in keinem deutschen Einzeldialekt beobachtet werden, d.h. der Zusammenfall in der Schrift hat keine gesprochene Grundlage, er resultiert nur aus dem Schriftbild.

Es bestehen also im Mittelhochdeutschen grundsätzlich drei Diphthongreihen, die sich folgendermaßen ändern:

î – û – û   ei – eu – au   (Diphthongierung)

ei – öu – ou   [ai] – [oü] – [au]   (fallende Diphthonge)

ie – üe – uo   [iː] – [yː] – [uː]   (Monophthongierung)

3. **Dehnung** kurzer Vokale in offener Silbe

Eine offene (Sprech-)Silbe schließt auf Vokal, vgl. nhd. lau-fen, sa-gen etc. Eine geschlossene Silbe schließt auf Konsonant, vgl. nhd. auf-sagen, Tag, nen-nen. Im Frühneuhochdeutschen wurden die kurzen Stammsilbenvokale in offener Silbe gedehnt, also:

     mhd. gë-ben > nhd. geːben

     mhd. sa-gen > nhd. saːgen etc.

Ausnahme:

Werden die Stammsilbenvokale in den Formen der Kasus obliqui eines Paradigmas gedehnt, so wird durch Analogiewirkung auch der kurze Stammsilbenvokal in der Form des Nominativs gedehnt, auch wenn er nicht in offener Silbe steht:

mhd. der wëc	der wëc	> nhd.	der Weːg
des wë-ges	des weːges	> nhd.	des Weːges
dem wë-ge	dem weːge	> nhd.	dem Weːge
etc.			

Unter „Kasus obliqui" (Pl.) wird die Gesamtheit der Fälle eines Paradigmas mit Ausnahme des Nom. Sg. verstanden, also Gen., Dat., Akk. Sg. und Pl. sowie Nom. Pl.

Vor bestimmten Phonemkombinationen ist die zu erwartende Dehnung nicht eigetreten (besonders bei m + -er, -el, -en, vor <sch> und <ch>), stattdessen kam es zur Verdoppelung der Konsonanten in der Schreibung:

| z.B. | mhd. himel | > | nhd. Himmel | (statt *Hiːmel) |
| | mhd. komen | > | nhd. kommen | (statt *koːmen) |

Die Dehnung der kurzen Vokale in offener Silbe betrifft alle Kurz-vokale. Sie beginnt im mittelhochdeutschen Nordwesten und lässt sich im Mitteldeutschen um ca. 1200, im Oberdeutschen im 14. Jahrhundert belegen. Da die Längen in der Schrift normalerweise nicht gesondert gekennzeichnet werden (außer in Ausnahmen, etwa durch Doppelvokale), kann die zeitliche Durchführung der Dehnung nicht mit Sicherheit festgestellt werden. Die Veränderun-gen hängen mit dem Silbengewicht zusammen: Wenn man die Kombination von Vokalquantität + Konsonantenintensität + Wort-länge betrachtet, ändern sich die Verhältnisse im Silbengewicht, was zu einer Veränderung der Quantität führt. Die gedehnten Vokale fallen mit den neuen langen Monophthongen zusammen, allerdings wiederum nur in der Schriftsprache, es gibt Dialekte (etwa das Südbairische), wo dies nicht gilt.

Im Fall der Dehnung nimmt die Schrift erst allmählich die Verän-derungen der gesprochenen Sprache auf. Außerdem sind die unter-schiedlichen Zeitpunkte der Veränderungen zu berücksichtigen: In der niederfränkischen Schreibsprache HEINRICHS VON VELDEKE sind bereits um 1150 die Dehnungen in offener Silbe zu beobachten.

Im Hochdeutschen ist die Dehnung unterschiedlich stark einge-treten, z.B. im südlichen Alemannischen bis heute überhaupt nicht. In der Rechtschreibung sind sie z.T. bis heute nicht bezeich-net, z.B. in <Name>, <Biber>.

4. **Kürzung** der Stammsilbenvokale vor Konsonantenhäufungen
Lange Stammsilbenvokale werden im Mittelhochdeutschen gekürzt vor Mehrfachkonsonanz (Doppelkonsonanz und einigen Konsonan-tenverbindungen, z.B. Nasal, Velar, r + Konsonant, <ch>, <cht>).

z.B.	mhd. dâhte >	nhd. dachte	(statt *da:chte)
	mhd. hôchzît >	nhd. Hochzeit	(statt *Ho:chzeit)

Diese Entwicklung kann auch bei Diphthongen eintreten:

z.B.	mhd. lieht >	nhd. Licht	(statt *Li:cht)
	mhd. vienc >	nhd. fing	(statt *fi:ng)

Die Kürzung beginnt um die Mitte des 12. Jahrhunderts im Mittel-deutschen. Bei Komposita wird häufig der Stammvokal eines Bestandteils (welcher betroffen ist, hängt von der Stärke der Beto-

nung ab) gekürzt, z.B. Vier-teil > Viertel. Aber auch diese Art der
Kürzung ist nicht konsequent durchgeführt.

5. Mitteldeutsche Vokalsenkung

In den mitteldeutschen Dialekt werden u und o – besonders vor
Nasal, aber auch vor l, r + Konsonant – zu ü und ö gesenkt. Diese
Entwicklung wird in die neuhochdeutsche Schriftsprache über-
nommen.

mhd. sunne >	mdt. sonne	> nhd. Sonne
		(vgl. bair. Sun)
mhd. nunne >	mdt. nonne	> nhd. Nonne
mhd. münech >	mdt. mönch	> nhd. Mönch
		(vgl. München/Bayern)

Die Senkung ist bereits im 12. Jahrhundert im Hessischen und
Mittelfränk. belegt und breitet sich im 13. Jahrhundert ins Thüringische, Obersächsische und weite Teile des Rheinfränkischen aus.
Die Vokalsenkung bleibt im Oberdeutschen aus. In die neuhochdeutsche Schriftsprache wurden einige markante Lexeme übernommen wie Sonne, Sohn, Mönch, König, Königin, Nonne.

6. Entrundung

Die mittelhochdeutschen gerundeten Vokale ö, ö:, ü, ü: und die
Diphthonge öu, üe werden im Hochdeutschen häufig entrundet zu
e, e:, i, i:, ei, ie und fallen mit den alten (ungerundeten) Palatalvoka-
len zusammen.

mhd. sprützen >	nhd. spritzen
mhd. küssen >	nhd. Kissen

Die Entrundung dürfte im deutschen Sprachraum an mehreren
Stellen unabhängig voneinander (autochthon) entstanden sein.
Obwohl der größte Teil des Deutschen davon betroffen ist, wurden
nur relativ wenige Lexeme mit neuer Schreibung in die Standardsprache übernommen.

7. Rundung

Die mittelhochdeutschen vorderen (ungerundeten) Palatalvokale e,
e:, i, i: werden im Oberdeutschen (aber auch dort nicht konsequent)

gerundet zu ö, ö:, ü, ü:, und zwar vor „runden" Konsonanten oder Konsonantenverbindungen (Labiale, <sch>, Nasalverbindungen).

i > ü, e > ö im Bairischen:

| mhd. leffel | > | nhd. Löffel |
| mhd. wirde | > | nhd. Würde |

8. Nebensilbenkürzung
Dreisilber werden gekürzt:

mhd. herezoge	>	nhd. Herzog
mhd. küneginne	>	nhd. Königin
mhd. arebeit	>	nhd. Arbeit

9. Nebensilbeneinschub
Bei einsilbigen Wörtern werden Nebensilben eingeschoben:

mhd. gîr	>	nhd. Geier
mhd. nern	>	nhd. nähren
mhd. ê	>	nhd. Ehe

5.1.3 | Morphologische Entwicklungen

1. e-Apokope und Formenausgleich
Durch die germanische Akzentfestlegung wurde die Entwicklung für die folgenden Jahrhunderte festgelegt. Die vollen Endsilbenvokale wurden bereits im Spätahochdeutschen zu e (das phonetisch als Murmellaut [ə] zu imaginieren ist) abgeschwächt. Dadurch wurde aber die Kasusunterscheidung undeutlich, denn das e der Endsilben führte zu morphologischer Einheitlichkeit.

	ahd.	mhd.	*frnhd. mit Apokope	heute
Nom. Sg.	gëba	gëbe	gëb	Gabe
Gen.	gëba	gëbe	gëb	Gabe
Dat.	gëbu	gëben	gëben	Gabe
Akk.	gëba	gëben	gëben	Gabe
Nom. Pl	gëbâ	gëbe	gëb	Gaben
Gen.	gëbôno	gëbe	gëb	Gaben
Dat.	gëbôm	gëbe	gëb	Gaben
Akk.	gëbâ	gëbe	gëb	Gaben

Als Folge dieser Endsilbenabschwächung war die Differenzierung zwischen Numerus und Kasus nicht mehr deutlich genug, daran konnten auch der wohl dadurch aufkommende Artikel und die Möglichkeit, das Substantiv mit einem Adjektiv zu kombinieren, nichts ändern (insbesondere, da die Flexion des Adjektivs ja auch der Abschwächung unterlag). Hinzu kommt eine wesentliche Erscheinung in der Morphologie des Frühneuhochdeutschen, die Apokope, d.h. der völlige Schwund des e in Endsilben, im Besonderen des auslautenden -e etwa im Imperativ Sg. (fahre! > fahr) und im Genitiv und Dativ (dem Tische > Tisch).

Erklärung

▶ Die e-Apokope beginnt im Bairischen in der zweiten Hälfte des 13. Jhs., seit der zweiten Hälfte des 14. Jhs. ist sie im Schwäbischen und Ostfränkischen, im späten 14. und 15. Jh. im Alemannischen und in Böhmen nachzuweisen und greift dann um die Mitte des 15. Jhs. ins Westmitteldeutsche aus. Das Ostmitteldeutsche wird erst im 16. Jh. erfasst, und da auch nur in seinen südlichen Teilen. KAI LINDGREN hat in seiner grundlegenden Untersuchung dazu nachgewiesen, dass um 1425 der größte Teil des Hochdeutschen bis zu einer Linie Main–Eger davon betroffen war.

Bei der Flexion der Substantive führt die Apokope zu einem geradezu inflationären Anwachsen von homonymen Formen. Da dieser Umstand allein durch den analytischen Sprachbau (also etwa den Einsatz von Artikeln und Pronomina) nicht beseitigt werden konnte, traten andere Entwicklungen ein. Fünf mögliche Wege sind in dieser Situation denkbar:
1. Die mittelhochdeutschen Verhältnisse werden beibehalten (z.B. mhd. daz kint – diu kint). Im mittelhochdeutschen Flexionssystem war der Numerus dem Kasus untergeordnet, was man daran erkennt, dass viele Paradigmen etwa bei den Nominativ- und Akkusativformen keinen Unterschied zwischen Singular und Plural machen. Das bedeutet, dass die Kasusunterscheidung noch Vorrang vor der Numerusunterscheidung hat. (Im Neuhochdeutschen ist dann das Gegenteil der Fall.) Eine Bewahrung der mittelhochdeutschen Verhältnisse trägt dem nicht Rechnung und scheidet daher in der Praxis aus.

2. Das e im Plural starker Substantive wird aus der ja-Deklination übernommen (das netze) und auf andere Stämme übertragen (das buch – die buche/büche). Das ist aber nur in Gegenden möglich, wo die e-Apokope nicht eingetreten ist.

3. Das Mittelhochdeutsche kannte ein starkes Mittel der Pluralkennzeichnung: Den Plural auf -er. Dieser war im Germanischen bis zum Mittelhochdeutschen allerdings nur in einer kleinen Anzahl von Substantiven eingeschränkt (Neutra), den so genannten iz/az-Stämmen (z, ein stimmhaftes s, wurde durch den westgermanischen Rhotazismus zu r, s. S. 72). Das i bewirkte dabei Umlaut bei den umlautfähigen Vokalen, (z.B. das lamb – die lember). Dieses Mittel (-er + Umlaut) wird nun auf weitere Wortstämme ausgedehnt, z.B. das Haus – die Häuser, das Kind – die Kinder (der Umlaut wird nicht immer bezeichnet, z.B. nicht in ostmitteldeutschen Handschriften).

4. Das auslautende e verschwindet durch Apokope aus dem Singular, -en im Plural bleibt bestehen, sodass die Unterscheidung Singular = Null – Plural = en deutlich wird. Dadurch entsteht im Neuhochdeutschen die so genannte „gemischte" Deklination, z.B. die Frau – die Frauen.

5. Die schwache Deklination mit ihrer Numerusunterscheidung e – en (der Bote – die Boten) wird weiter ausgebaut.

Diese fünf Möglichkeiten werden nun im Frühneuhochdeutschen nicht einheitlich, sondern (natürlich über Jahrhunderte hinweg) regional unterschiedlich genutzt:

Typ 1: in großen Teilen des Alemannischen und Schwäbischen

Typ 2: nur im Niederdeutschen (West- und Ostfälischen) und angrenzenden Gebieten

Typ 3: im Ostmitteldeutschen, Bairischen und Osten des Schwäbischen (um Augsburg)

Typ 4: in allen Gebieten, die die Apokope durchgeführt haben

Typ 5: im Niederländischen

LUTHER bevorzugt übrigens den -er-Plural und stimmt damit mit dem größten Teil des Hochdeutschen überein. Aufgrund der schon angesprochenen Landschaftskombinatorik (Ostmitteldt. + Bair.) hat dieser Typ die größten Chancen, sich durchzusetzen. Es zeigt sich im Laufe der Jahrhunderte, dass sich die Möglichkeiten 3 und 4 am meisten durchsetzen und zu unseren heutigen Verhältnissen führen.

2. Ablautreihenausgleich

Die Ablautreihen und ihre relative Vielfalt im Deutschen werden ausgeglichen. Die Ursachen dafür sind vielfältig, als Hauptgründe sind anzusehen:

1. Die 6. und 7. Reihe mit ihrem gleichförmigen Vokalwechsel a – uo – a bzw. Phonem$_1$ – ie – Phonem$_1$ erscheinen als vorbildhaft.
2. In den Reihen 1 bis 5 wird der Unterschied zwischen Sg. und Pl. Präsens und Präteritum ausgeglichen und den Reihen 6 und 7 angepasst. Das führt zu einer schärferen Profilierung des Tempusunterschieds Präsens – Präteritum.
3. Die Dehnung in offener Silbe macht eine Angleichung der Stammsilbenvokale einfacher.

	mhd.	nhd.
I.	rîten – rîte – reit – ritten – geritten	reiten – reite – ritt – ritten – geritten
	dîhen – dîhe – dêch – digen – gedigen	(ge)deihen – gedeihe – gedieh – gediehen – gediehen
II.	biegen – biuge – bouc – bugen – gebogen	biegen – biege – bog – bogen – gebogen
	bieten – biute – bôt – buten – geboten	bieten – biete – bot – boten – geboten
III.	hëlfen – hilfe – half – hulfen – geholfen	helfen – helfe – half – halfen – geholfen
	singen – singe – sanc – sungen – gesungen	singen – singe – sang – sangen – gesungen
IV.	nëmen – nime – nam – nâmen – genomen	nehmen – nehme – nahm – nahmen – genommen
V.	gëben – gibe – gap – gâben – gegëben	geben – gebe – gab – gaben – gegeben
VI.	tragen – trage – truoc – truogen – getragen	tragen – trage – trug – trugen – getragen
VII.	ruofen – ruofe – rief – riefen – geruofen	rufen – rufe – rief – riefen – gerufen

Abb 42

Ausgleich der Ablautreihen im Frühneuhochdeutschen

Man sieht deutlich:

1. Die parallelen Klassen in Reihe I und z.T. in Reihe II werden zusammengeführt, der grammatische Wechsel wird teilweise beseitigt.
2. Die unterschiedlichen Vokalformen im Präsens werden vereinheitlicht, z.B. bieten – biute > bieten – biete.
3. Der Vokal der 1. Sg. Präs wird dem Vokal der 1. Pl. Präs angeglichen:

   mhd. ich gibe – du gibst – er gibt – wir gëben

   nhd. ich gebe – du gibst – er gibt – wir geben

   Im Imperativ der Reihen III, IV und V bleibt ebenfalls der Präsensvokal: hilf!, nimm!, gib!, allerdings nur, wenn zwischen 1. und 2./3. Sg. Präs. Ind. ein Vokalwechsel stattfindet, also nicht bei ich bitte – du bittest – er bittet – bitte!
4. Die Unterschiede im Präteritum werden aufgehoben, z.B. half – hulfen > half – halfen.
5. Die Differenzierung zwischen Präsens und Präteritum wird deutlicher.

3. Rückumlaut

Der Rückumlaut wird im Neuhochdeutschen auf sechs Lexeme beschränkt:

kennen	– kannte	– gekannt
senden	– sandte	– gesandt
brennen	– brannte	– gebrannt
nennen	– nannte	– genannt
rennen	– rannte	– gerannt
wenden	– wandte	– gewandt

Allerdings entwickeln senden und wenden auch reguläre Formen: sendete, wendete. Im Bereich des Nomens ist der Rückumlaut auf wenige Reliktformen und Namen beschränkt (Durchlaucht, wohlbestallt, Naumburg ‚Neuenburg').

Erklärung

▶ Der Begriff „Rückumlaut" stammt von JACOB GRIMM, da er der Meinung war, die Präteritalformen wären im Ahd. umgelautet (a > e, s. S. 88) gewesen und später wieder zu a „rückumgelautet" worden. Heute wissen wir, dass hier nie ein Umlaut eingetreten ist, der Begriff wurde aber trotzdem beibehalten.

Syntaktische Entwicklungen | 5.1.4

Entwicklungen in der Syntax sind besonders schwer zu verfolgen, da die syntaktischen Erscheinungen stärker als im phonetisch-phonologischen Bereich von der Vorlage, den Bedingungen der Schriftlichkeit oder der Gattung/Textsorte abhängen. Zudem gibt es bis heute keinen vollständigen Überblick über die frühneuhochdeutsche Syntax. Es können hier daher nicht mehr als Tendenzen aufgezeigt werden.

1. Verbstellung und verbaler Rahmen

Im Germanischen dürfte im Aussagesatz die Initialstellung des finiten Verbs das Übliche gewesen sein. Reflexe dieser Art haben wir heute noch in mündlicher Umgangssprache (Sagt der X zum Y) und im Satzgefüge (Als er zum Tor hinaus trat, fiel er hin). Bereits im Althochdeutschen war aber die Zweitstellung des finiten Verbs (Subjekt + finites Verb – er sagte) durchgedrungen, Abweichungen davon sind im Mittelhochdeutschen nur in der gesprochenen Sprache (soweit sie belegt ist) und in der gebundenen Sprachform zu finden. Die Endstellung im Nebensatz (Ich weiß, dass du müde bist) ist seit dem Althochdeutschen bekannt, wird aber erst im 15. und 16. Jahrhundert stärker genutzt.

Das Frühneuhochdeutsche wird im Besonderen gekennzeichnet durch die Ausgestaltung des so genannten Satzrahmens. Im Aussagesatz gibt es folgende Reihenfolge der Satzglieder:

Subjekt + Prädikat + Objekte/Ergänzungen

Ich + gehe + ins Haus

Ich + helfe + dir

Eine verbale Klammer im Hauptsatz wird erreicht, indem bei einem mehrteiligen Prädikat die Objekte und Ergänzungen zwischen die Prädikatteile treten, wobei die finite Verbform an der zweiten Satzstelle verbleibt.

Ich werde gehen ins Haus > Ich werde ins Haus gehen

Ich werde helfen dir > Ich werde dir helfen

Im Deutschen ist diese Entwicklung an die Herausbildung eines mehrteiligen Prädikats (etwa durch Futurformen mit werden + Infinitiv) gebunden.

Im Frühneuhochdeutschen sind im Prinzip drei Grundtypen möglich:

1. Sätze ohne Rahmen, d.h. fehlender Rahmen, obwohl die strukturelle Möglichkeit dazu besteht: er <u>wart</u> <u>erkant</u> an synen grossen deten
2. Sätze mit nicht voll ausgebildetem Rahmen: durch die steinrotsche <u>wurden</u> sie <u>erloist</u> des dots
3. Sätze mit voll ausgebildetem Rahmen: die pfaffen <u>Können</u> Nie ohne Zanck <u>bleiben</u>

In der frühneuhochdeutschen Zeit nehmen die Sätze mit voll ausgebildetem Rahmen deutlich zu. Sätze mit partiellem Rahmen nehmen ab, Sätze ohne Rahmen bilden immer mehr die Ausnahme. Man hat auch beobachtet, dass es stilistische oder textsortenspezifische Unterschiede gibt: So soll der vollständige Rahmen im 15. und 16. Jahrhundert in kanzleisprachlichen Texten häufiger sein. Versuche, den vollständigen Rahmen als Einfluss der gesprochenen Umgangssprache zu erklären (so von WLADIMIR ADMONI) sind allerdings umstritten.

Die Endstellung des finiten Verbs im Nebensatz steigt ab dem 15. Jahrhundert deutlich an und stellt im 17. Jahrhundert die Norm dar. Das finite Verb des Hauptsatzes wird immer mehr zum Zentrum, um das sich alles andere gruppiert. Die alte Ansicht, dass dies dem Einfluss lateinischer Texte zuzuschreiben ist, gilt heute als überholt.

2. Ausbau eines **mehrteiligen Verbs**

In engem Zusammenhang mit dem Satzrahmen und von diesem nicht zu trennen ist die Ausbildung des mehrteiligen Verbs. Darunter versteht man die Tatsache, dass das Prädikat eines Satzes nicht nur aus einem einzigen Wort, sondern aus mehreren besteht. In diesem Zusammenhang ist zu betonen, dass das Germanische im Gegensatz zum Indogermanischen letztlich wahrscheinlich nur zwei Zeitstufen (Präsens und Präteritum) kannte und dass diese Entwicklung mit dem Übergang vom synthetischen zum analytischen Satzbau zu sehen ist, der auch mit der Festlegung des Akzents im Urgermanischen zusammenhängt.

Verb	eingliedrig	tun
	zweigliedrig	soll tun
	dreigliedrig	hat tun wollen
	viergliedrig	hat tun lassen wollen
	fünfgliedrig	hätte bleiben lassen zu tun

Die Normalform ist (neben dem eingliedrigen Verb) die zwei-gliedrige, seltener die dreigliedrige Variante. Sätze mit vierteiligen Verben sind eher selten, und fünfgliedrige kommen nur in Aus-nahmefällen vor. Zudem schwankt die Abfolge der Glieder; in der Umgangssprache ist sie bis heute nicht fest.

3. Periphrastische Futurformen

Das Althochdeutsche kannte keine grammatische Kategorie „Futur" (dieser moderne Begriff stammt wie viele andere aus der lateinischen Grammatik). Im Mittelhochdeutschen kommt es zu einer gravierenden Umgestaltung des Systems. Ein Geschehen, das in der Zukunft imaginiert wurde, drückte man in der Regel mit einfachen Präsensformen (die heute als Futur zu übersetzen sind) wie er rîtet, eventuell mit Beiwörtern, die auf die Zukunft deuten (er rîtet morgens) oder mit besonderen Konstruktionen (er begunde singen) aus. Daneben wird aber auch eine analytische Futurum-schreibung mit sol/will/muoz + werden üblich. Für das Neuhoch-deutsche ist dann werden + Infinitiv charakteristisch, das sich ab dem 16. Jahrhundert durchsetzt. Im mündlichen Sprachgebrauch werden vielfach bis heute Präsensformen mit Futurbedeutung ver-wendet (ich hole dich am Abend ab).

Die Frage, warum sich im Frühneuhochdeutschen die Möglich-keit von werden + Infinitiv als Futurbezeichnung herausbildete, ist bis heute nicht geklärt, vor allem ist der semantische Gehalt unklar. Außerdem erhielt die Konstruktion auch eine modale Kom-ponente, mit der man Imaginiertes oder Gewünschtes ausdrücken kann. Genauere Untersuchungen haben gezeigt, dass sich diese Form im frühneuhochdeutschen Zeitraum in allen deutschen Sprachlandschaften rein zahlenmäßig durchsetzte, am häufigsten kommt sie im Obersächsischen vor. Im Thüringischen etwa domi-nierte noch bis ins 17. Jahrhundert sollen + Infinitiv.

> „Periphrastische Konju-gation" meint die Umschreibung von Verb-formen durch analyti-sche Bildungen, wie sie im Deutschen etwa beim Futur, Perfekt, Plusquam-perfekt und Passiv vor-liegen.

Frühneuhochdeutsche Textsorten

5.1.5

Es wurde bis jetzt schon verschiedentlich auf die Textsorten im Frühneuhochdeutschen verwiesen. Aus den Ausführungen sollte deutlich geworden sein, dass ein Schema, das primär auf inhalt-lichen/formalen Kriterien beruht (wie es für die alt- und mittel-hochdeutsche Literatur angewendet wird), den sprachhistorischen

Forderungen nicht genügt. OSKAR REICHMANN und KLAUS-PETER WEGE-
RA haben daher eine Textsorteneinteilung vorgeschlagen, die auf
kommunikativen Überlegungen beruht und vorrangig den Zweck
des Texts berücksichtigt. Sie unterscheiden:

1. *sozial bindende Texte*
   Die Autoren haben die Absicht, sozialspezifische Handlungen
   von Menschen verbindlich festzulegen und Verstöße dagegen
   auszuschließen bzw. zu ahnden, z.b. durch Strafandrohung.
   Dazu gehören Gesetze, Vorschriften, Zunftbestimmungen, Han-
   delsvorschriften.

2. *legitimierende Texte*
   Diese Texte versuchen, seit längerem im Gange befindliche ge-
   sellschaftliche Vorgänge oder Zustände im Nachhinein zu
   rechtfertigen und auf diese Weise zu ihrer Aufrechterhaltung
   beizutragen. Ein Kennzeichen ist die Berufung auf anerkannte
   Normen oder Autoritäten. Dazu gehören Rechenschafts- und
   Tätigkeitsberichte, Lebensbeschreibungen, Geschichtswerke als
   Preis eines Herrschers, Reisebeschreibungen, religiöse Kampfschriften u. dgl.

3. *dokumentierende Texte*
   Der Autor oder Auftraggeber möchte eine Übersicht über Besitz-
   verhältnisse, Ereignisse, Dokumente aller Art. Dieser Typus ist
   besonders beim Ausbau städtischer, territorialer oder institutio-
   neller Macht bedeutend. Dazu gehören Pfandregister, Besitzauf-
   zeichnungen wie Urbare, Abgabenlisten, Namenlisten von Bru-
   derschaften, Klöstern etc.

4. *belehrende Texte*
   Die Rezipienten sollen auf allgemein anerkannte oder geforder-
   te ethische Inhalte ausgerichtet werden. Belehrende Texte gera-
   ten dadurch oft in die Nähe der sozial bindenden, erbaulichen,
   informierenden oder auch unterhaltenden Texten. Der Lehrin-
   halt wird in der Regel direkt angesprochen oder aber indirekt
   entwickelt. Diese Texte schließen an die didaktische Literatur
   des Hoch- und Spätmittelalters an. Dazu gehören didaktische
   Lehren aller Art („Spiegel"), z.B. Ritterspiegel, Fabeln, Moralleh-
   ren, Minnelehren.

5. *erbauende Texte*
   Die Rezipienten werden auf der Gefühlsebene angesprochen
   und sollen durch die Darlegung christlicher Heilstatsachen in
   ihrem Glauben gestärkt werden. Die Texte wandten sich nicht

mehr nur an Angehörige des geistlichen Standes, sondern auch an Laien. Sprachliche Kennzeichen sind Allegorien, Bilder, Metaphern, Exempla, Sentenzen, viele Ausruf- und Wunschsätze. Dazu gehören Bibeltexte, Lieder, Heiligenlegenden, Traktate, Postillen, Stundenbücher, Sterbehilfen, Auslegungen der Bibel, religiöse Spiegel.

6. *unterhaltende Texte*
   Ihre Autoren bemühen sich, den Stoff nach künstlerischen Gesichtspunkten zu gestalten. Manche dieser Texte sind durch formale Kriterien (Vers, Reim) bestimmt. (Doch wurde der Vers wegen seiner ästhetischen und formalen Herausforderungen an den Künstler auch bei anderen Textsorten, etwa in der Reimchronik, verwendet.) Dazu gehören Gedichte, Romane, Lieder, Epen, Verserzählungen kleineren Umfangs u. dgl.

7. *informierende Texte*
   Ein natürlicher oder kultureller Sachverhalt oder Handlungen werden für ein Fachpublikum mit dem Anspruch auf Objektivität beschrieben. Der Zweck liegt in der Informationsvermittlung. Dazu gehören Fachtexte der Wissenschaft und Technik sowie anderer Bereiche (etwa Falkenbücher, Bergbaubücher, landwirtschaftliche Darstellungen usw.).

8. *anleitende Texte*
   Den Rezipienten werden genaue Verfahrensregeln zur Erreichung eines Handlungsziels angegeben. Die anleitenden Texte stehen in engem Zusammenhang mit dem Aufschwung des Städtewesens und dem beginnenden Manufakturwesen. Dazu gehören medizinische Anleitungen zur Heilung von Menschen und Tieren, Pelzbücher (Veredeln von Pflanzen), Anleitungen zu bestimmten Techniken (Weinbau, Kriegsführung, Tieraufzucht, Alchemie, Bergbau), auch das Rechenbuch des ADAM RIES(E).

9. *agitierende Texte*
   Im Vordergrund steht meistens die Position des Autors, die als rechtmäßig dargestellt wird. Der Entscheidungswille der Rezipienten soll durch die Texte beeinflusst werden. Am stärksten haben Reformation, Gegenreformation, Bauernkriege und Ritterbewegungen von den agitierenden Texten Gebrauch gemacht.

Aus den bisherigen Ausführungen wird deutlich, dass ein einzelner Text abschnittweise in verschiedene Kategorien fallen kann, etwa eine Familienchronik oder eine Reisebeschreibung. Mit REICHMANNS

und WEGERAS Einteilung wird aber den tatsächlichen Verwen-
dungsweisen der Texte eher entsprochen als mit dem Schema
mittelalterlicher Textsorten (s. S. 114). Auch die prinzipielle Über-
schneidung ist möglich, d.h. dass ein Text mehreren Kategorien
angehört.

5.2 | Außersprachliche Entwicklungen

5.2.1 | Ausbreitung und Bedeutung des Buchdrucks

Der Druck mit beweglichen Lettern war in China schon seit dem
11. Jahrhundert bekannt, man verwendete dort Keramikschriftzei-
chen. In Korea sind im 14. Jahrhundert sogar Metalllettern nachweisbar. Erste Nachrichten von Papier gibt es in China schon im
Jahr 105 n. Chr., in Spanien im 12. Jahrhundert. In Deutschland
wurde die erste Papiermühle 1389–90 errichtet, davor importierte
man Papier in großen Mengen aus Italien. Vorformen des Buchdrucks waren auch in Deutschland und in Europa vor GUTENBERG
bekannt, etwa die so genannten Blockbücher. Dabei wurde eine
ganze Seite in Holz geschnitten und dann auf Papier gedruckt.
Auch die Presse, eine umfunktionierte Weinpresse, kannte man
dabei schon. Da sich aber die Konturen auf die Rückseite des
Papiers durchdrückten, mussten immer zwei Blätter mit der Rückseite aufeinander geklebt werden, wodurch kartonartige Blätter
entstanden. Ob die Bezeichnung „Blockbuch" von den geschnitz-
ten Holzplatten oder dem blockartigen Aussehen der Bücher
kommt, konnte bis heute nicht geklärt werden. Die Blockbücher
hatten zwei gravierende Nachteile. Jede Seite musste eigens in eine
Holzplatte eingeschnitzt werden, was sehr zeitaufwändig war. Zum
anderen nutzen sich auch die härteren Holzsorten beim Druck
leicht ab, sodass nicht allzu viele Exemplare hergestellt werden
konnten.

Auch das Drucken mit einzelnen Lettern war im deutschsprachigen Raum schon vor GUTENBERG bekannt, wenn auch die Lettern
eher in Form von Stempeln verwendet und z.B. zum Beschriften
von Glocken oder Bodenfliesen eingesetzt wurden.

Das große Verdienst von JOHANN GENSFLEISCH ZUR LADEN GEN. GU-
TENBERG (um 1397–1468) war es nun, die bekannten Verfahren
kombiniert und entscheidend verändert zu haben: Er führte den

Buchdruck mit beweglichen Lettern aus Metall ein. Dazu erfand er eine eigene Metalllegierung aus Blei, Zinn, Antimon und Wismut, die sich nicht nur beim Druck als besonders druckfest erwies, sondern die auch unkompliziert zu gießen war.

▶ GUTENBERG **kombinierte bekannte Druckverfahren und revolutionierte den Buchdruck mit zwei Erfindungen: den beweglichen Lettern aus einer speziellen Legierung und einer auf den Lettern haftenden Druckfarbe.**

Zum anderen erfand er auch eine neue Druckfarbe, die auf den Metalllettern haftete. Das Setzen der Lettern zu einer Seite war weniger zeitaufwändig als das Schnitzen einer ganzen Seite, und überdies konnten die Lettern nach Beendigung des Drucks wiederverwendet werden. All dies machte den Buchdruck zu einer revolutionären Erfindung.

Die ersten Drucke GUTENBERGS waren 1454 zwei Ablassbriefe (von diesen wurden große Auflagen benötigt) sowie die berühmte 42-zeilige Bibel (begonnen 1455, beendet 1456). Davon wurden ca. 180 Exemplare gedruckt, von denen heute noch 47 erhalten sind (davon 12 auf Pergament und 35 auf Papier). Die Bibel wurde gedruckt, um qualitativ mit den Handschriften mitzuhalten. So

Abb 43

Rekonstruktion der GUTENBERG-Werkstatt

wurden die Initialen ausgelassen und nachträglich von Illustratoren hineingemalt. Das Besondere für die Zeitgenossen war, dass das Werk einer Handschrift zum Verwechseln ähnlich sah, aber in mehreren Dutzend vollkommen identischen Exemplaren vorlag – damals eine absolute Sensation. 1462 wurde die Stadt Mainz von Bruggraf ADOLF VON NASSAU belagert, GUTENBERGS Werkstatt ging dabei zu Grunde und die Mitarbeiter zerstreuten sich in alle Welt.

Tabelle: Bedeutende Druckerwerkstätten im deutschsprachigen Raum		
Werkstätte	**Tätigkeitsbeginn**	**Ort**
JOHANN MENTEL(IN)	1458/59	Strassburg
ALBRECHT PFISTER	1460	Bamberg
HEINRICH QUENTELL	1465/66	Köln
GÜNTHER ZAINER	1468	Augsburg
BERTHOLD RUPPEL	1468	Basel
ANTON KOBERGER	1470	Nürnberg

Ab 1480 nehmen die Druckereien in Europa merkbar zu. Die Drucke bis 1500 nennt man auch Inkunabeln oder Wiegendrucke, weil die Bücher in jener Zeit noch den Handschriften Konkurrenz machen mussten und der Buchdruck gleichsam noch in der „Wiege" lag (mit einer wiegenähnlichen Presse hat das nichts zu tun, es liegt vielmehr eine Verballhornung vor).

Offizin = Buchdruckerwerkstatt

Die erste deutschsprachige Gesamtbibel wurde 1466 von der Offizin MENTEL in Strassburg gedruckt, allerdings war sie eine Übersetzung der Vulgata aus der zweiten Hälfte des 14. Jahrhunderts.

Für die Sprachgeschichte spielt der Buchdruck – neben der nun bestehenden Möglichkeit, Schriftstücke in hoher Auflage zu relativ niedrigen Preisen herzustellen – aus einem anderen Grund eine Rolle: Das Verhältnis zwischen Autor und Druckerei war bis ins 17. Jahrhundert ein anderes als heute. Heute ist der Setzer nur mehr ein „Vollzugsorgan", das den Willen des Autors zu respektieren und auszuführen hat. Außerdem verhindert heute ein rigoroses Urheber- und Vervielfältigungsrecht unautorisierte Eingriffe in den Text. Damals aber lieferte ein Autor den Text in der Druckerei ab (überdies waren Druckereien und Verlag noch nicht getrennt wie heute) und hatte danach keinerlei Rechte und Möglichkeiten mehr, auf die Textgestalt Einfluss zu nehmen – ausgenommen, er hatte ein gutes Verhältnis zum Drucker oder Setzer. Außerdem wurden erfolgreiche Bücher sofort von anderen Druckereien nachgedruckt in Form von Raubdrucken. Die Druckereien waren natürlich daran interessiert, die Bücher in möglichst hoher Stückzahl zu verkaufen, und dies ging nur über den Handel und Fernhandel. Die Druckereien produzierten außerdem auf Lager – die Handschriften hingegen wurden (bis auf eine kurze Übergangszeit im 14. Jahrhundert) für einen bestimmten Auftraggeber auf Bestellung angefertigt. Aus all diesen Gründen waren die Drucker natürlich daran interessiert, alles zu vermeiden, was dem Absatz ihrer Bücher im Weg stehen könnte – und dazu zählte auch eine geographisch gebundene Sprachform der Texte. Sie griffen daher in die Texte ein und versuchten sie so zu vereinheitlichen, dass kleinräumige Merkmale abgebaut wurden. Das betrifft vor allem den Wortlaut, die Schreibform, den Wortschatz, kaum aber die Syntax der Texte. Außerdem waren die Drucker sehr mobil und wechselten oft die Werkstätten, selten arbeiteten sie in der Stadt, aus der sie stammten.

Man darf sich die Prozesse aber vereinfacht nicht so vorstellen, dass nun – auf Betreiben der Druckereien – sofort und direkt ein einheitliches Deutsch entstanden wäre. In der Frühzeit ist gerade das Gegenteil der Fall: Am Entstehungsprozess ist eine Vielzahl von Personen beteiligt: der Autor, der Drucker, der Setzer, der Korrektor. Sie alle sprechen mit, sodass am Anfang weniger die Einheitlichkeit der Sprache, sondern die Vielfalt steht. Zudem sind die Druckereien – zumindest in der Frühzeit – tolerant gegenüber Varianten, oft kommen verschiedene Wortformen oder Schreibungen in demselben Druckwerk vor, auch von Personen- und Ortsnamen, sogar auf derselben Seite. An der erwähnten MENTEL-Bibel etwa waren neun Schriftsetzer beteiligt. Man findet folgende Varianten:

auff – uff, sein – sin, dein – din, ougen – augen, weip – weib, nit – nicht, daz – das – dz, het – hat, warumb – worumb, getan – geton u.a.m.

Dadurch mussten auch die Leser eine Fülle von Varianten beim Lesen verarbeiten. Der Vereinheitlichungsprozess musste daher in den Offizinen zuerst beginnen, und es etablierte sich so etwas wie ein „Hausbrauch" in den verschiedenen Druckerwerkstätten. Für die Zeit bis etwa 1530/40 sind also Schwankungen in Schreibungen und Formen durchaus charakteristisch. Über Ausbreitung und Wirkung der einzelnen Druckersprachen, die dann in der Folgezeit entstehen, ist man sich uneins, ebenso über die Zusammenhänge zwischen ihnen. VIRGIL MOSER ging davon aus, dass sich die Bedeutung des Buchdrucks mit der Zeit von einem Zentrum zu einem anderen verlagert, womit auch die Verschiebung der sprachlichen Wirkung zusammenhängt. HUGO MOSER unterschied neun Schreib- und Druckersprachen: 1. bairisch-österreichisch, 2. schwäbisch, 3. oberrheinisch, 4. innerschweizerisch, 5. ostmitteldeutsch, 6. westmitteldeutsch, 7. oberdeutsch/ostmitteldeutsch, 8. niederdeutsch, 9. niederländisch.

Abb 44 | *Schreib- und Druckersprachen um 1500 mit den wichtigsten Druckorten (in Abkürzungen)*

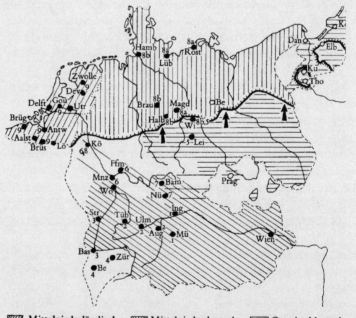

Daraus wird deutlich, dass Druckersprachen nicht einem homogenen Kriterium folgen; es werden diatopische und chronologische Merkmale vermischt. Es wird aber auch deutlich, dass die Entwicklung der Druckersprachen mit der Person LUTHERS und seiner Bibelübersetzung bzw. den Bibeldrucken zusammenhängt. Man geht heute allerdings mehr davon ab, großräumige Gebiete abzugrenzen. Es ist damit zu rechnen, dass es auch innerhalb dieser Großlandschaften kleinräumigere Schreibsprachen gegeben hat, im Oberdeutschen etwa die Donauländische Schreibsprache. Genau genommen kann man bis ins 19. Jahrhundert hinein nicht von einheitlichen Druckersprachen sprechen, davon kann tatsächlich erst mit der Standardsprache und ihrer Normierung im 19. Jahrhundert die Rede sein. Die Details der Druckersprachen sind bis heute nicht genau erforscht.

Die sprachhistorische Bedeutung MARTIN LUTHERS | 5.2.2

In älteren Darstellungen (etwa bis zur Mitte des 20. Jahrhunderts) wird MARTIN LUTHER (1483–1546) oft als der „Schöpfer" der neuhochdeutschen Schriftsprache bezeichnet. Dies kann in dieser Form heute nicht mehr aufrecht erhalten werden: LUTHER trat weder bewusst als Grammatiker auf, noch geht die neuhochdeutsche Schriftsprache auf einen gezielten „Schöpfungsakt" eines Einzelnen zurück; ihre spätere Form ist auch nicht ausschließlich sein Werk. Richtig ist aber, dass LUTHER v.a. mit seinen immer wieder verbesserten Bibelübersetzungen einen gewaltigen Einfluss auf die Entwicklung der deutschen Sprache genommen hat.

Frühneuhochdeutsches Vaterunser

Unser Vater jnn dem himel. Dein name werde geheiliget. Dein Reich kome. Dein wille geschehe auff erden wie im himel. Unser teglich brod gib uns heute. Und vergib uns unsere schulde wie wir unsern schuldigern vergeben. Und füre uns nicht jnn versuchung sondern erlöse uns von dem ubel. Denn dein ist das Reich und die krafft und die herrlichkeit jnn ewigkeit. Amen.

LUTHER-Bibel 1534

Abb 45 | MARTIN LUTHER *(rechts) und sein Landesherr* JOHANN VON SACHSEN

LUTHER sah sich nicht als Sprachschöpfer, sondern als Theologen und religiösen Reformator. Die Sprache hatte für ihn rein praktischen Zweck, nämlich dem Wort Gottes eine möglichst große Verbreitung in der Bevölkerung zu verschaffen. Deshalb wollte LUTHER die Sprache „einsetzen", d.h., er achtete bewusst auf sprachliche Mittel. „Sprachschönheit" (was immer man darunter verstehen mag) war für ihn kein Selbstzweck, sondern nur ein Vehikel, die Wahrheiten der Bibel dem Volk nahe zu bringen – und zwar so, dass sie möglichst viele Menschen verstehen können.

Der kurz zuvor entwickelte Buchdruck war ein probates Mittel, um diese Zwecke zu erreichen, und LUTHER wusste ihn geschickt zu nutzen. Seine Schriften machten ab 1519 ein Drittel aller deutschsprachigen Drucke aus. LUTHER hat nicht nur auf Deutsch geschrieben, sondern auch in Latein, aber ab 1517 nehmen seine Veröffentlichungen in deutscher Sprache zu.

Bedeutsam sind vor allem die Bibelübersetzungen von 1522, 1534 und 1545. Man hat errechnet, dass im Jahr 1529 fast die Hälfte aller deutschen Drucke auf Schriften MARTIN LUTHERS entfällt

LUTHERS wichtigste Werke auf Deutsch:

1517   Die erste selbständige Schrift in deutscher Sprache wird gedruckt: „Die Auslegung der 7 Bußpsalmen". Erste Übersetzungsproben aus der Bibel.

1520   Eine Reihe von Reformations- und Kampfschriften entsteht: „Von der babylonischen Gefangenschaft der Kirche", „Von der Freiheit eines Christenmenschen", „An den christlichen Adel deutscher Nation"

1521   LUTHER wird auf dem Reichstag zu Worms in die Reichsacht getan, weil er seine Schriften gegen den Ablass und den Papst nicht widerrufen hat. Er findet als „Junker Jörg" Zuflucht auf der Wartburg. Dort arbeitet er die Predigten der „Wartburgpostille" aus und beginnt Mitte Dezember 1521 mit der Übersetzung des Neuen Testaments, das er 1522 vollständig ins Deutsche übertragen hat. Durch die Kenntnis des Griechischen und Hebräischen kann er bei allen seinen Übersetzungen im Sinn humanistischer Anschauungen an die Quellen der biblischen Überlieferung zurück („ad fontes"), im Gegensatz zu der katholischen Tradition, die nur auf die lateinische Fassung, die Vulgata, zurückgriff.

1522   Das Neue Testament erscheint (im September, daher „Septembertestament"). Der Verkaufserfolg ist so gewaltig, dass noch im Dezember 1522 eine überarbeitete Fassung folgt („Dezembertestament").

1523   Er beginnt, das Alte Testment zu übersetzen, das in Einzellieferungen herauskommt. Allein in diesem Jahr gab es 12 Raubdrucke.

1524   Die ersten deutschen Kirchenlieder LUTHERS werden gedruckt.

1525   Flugschriften „Ermahnung zum Frieden auf die 12 Artikel der Bauernschaft in Schwaben" und „Wider die räuberischen und mörderischen Rotten der Bauern"

1526   Schrift über „Die Deutsche Messe". Darin begründet er die durchgängige Verwendung der deutschen Sprache im evangelischen Gottesdienst. (Die katholische Kirche entschließt sich erst im II. Vatikanum 1962 dazu.)

1530 Einige „Fabeln des Äsop"; im „Sendbrief vom Dolmetschen" verteidigt er seine Übersetzungspraktik (er enthält das berühmte und z.T. missverstandene Zitat, dass man dem „Volk aufs Maul schauen" müsse).

1534 Die ganze Heilige Schrift liegt übersetzt vor, sie wird von HANS LUFFT in Wittenberg gedruckt, drei Nachdrucke erfolgten bereits 1535, 1536 und 1538 in Wittenberg. Zeit seines Lebens beklagt sich LUTHER über die vielen Raubdrucke, auf die er sprachlich keinen Einfluss hat.

1539 bis 1541 LUTHER überarbeitet seine Übersetzung („Große LUTHER'sche Revision") unter Mitarbeit von MELANCHTHON, JUSTUS JONAS, MATTHÄUS AUROGALLUS, GEORG RÖHRER und JOHANN BUGENHABEN.

1541 Die so genannte „Medianbibel" (bezieht sich auf das Format) erscheint.

1545 Ein durch LUTHER verbesserter Nachdruck kommt heraus, die „Ausgabe letzter Hand". In diesem Jahr erscheint auch die letzte große Kampfschrift „Wider das Papsttum zu Rom vom Teufel gestiftet".

(natürlich nicht nur auf die Bibelübersetzungen) und dass in der Zeit zwischen 1522 und 1546 insgesamt 430 Gesamt- und Teilausgaben der LUTHER-Bibel erschienen sind. Auf die geschätzte Gesamtbevölkerung Deutschlands jener Zeit hochgerechnet, hatte jeder fünfte Haushalt eine LUTHER-Ausgabe – eine immens hohe Zahl! Das ist umso bedeutender, wenn man bedenkt, dass der Buchdruck die Bücher zwar billiger, aber nicht „billig" gemacht hat; zu LUTHERS Zeiten entsprach eine gedruckte Bibel immer noch dem Gegenwert von acht Kälbern.

MARTIN LUTHER war offenbar ein guter Beobachter sprachlicher Gegebenheiten. Dafür wies er persönlich die besten Voraussetzungen auf, da er in seiner Jugend ständig zwischen der niederdeutschen und hochdeutschen Grenze hin und herwechselte. Außerdem hatte er auch Bekanntschaft mit dem Oberdeutschen gemacht (die „Benrather Linie" verlief zu LUTHERS Zeiten südlicher als heute).

Grundsätzlich ist davon auszugehen, dass LUTHER in seinem Sprachgebrauch mehrere Formen zur Verfügung hatte, die er in

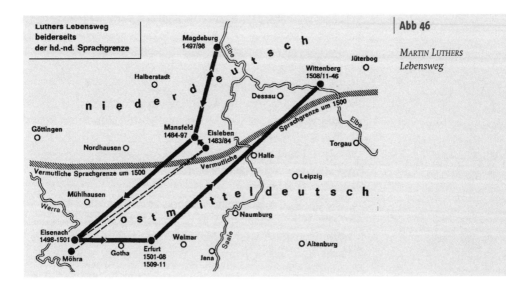

Abb 46

Martin Luthers Lebensweg

unterschiedlichem Maß einsetzte, wobei in ein und demselben Text durchaus verschiedene Varianten auftreten können. LUTHER war ein „Kind seiner Zeit" und dadurch noch weit von einer einheitlichen Schreibung oder Uniformität in den Formen entfernt.

Besonders deutlich sind LUTHERS Spuren in der Lexik. In seinem Wortschatz finden sich mitteldeutsche und niederdeutsche Wörter, er führte aber auch neue Fremdwörter ein, prägte die Wortinhalte bestehender Wörter um oder schuf neue Wörter (Neologismen). Unter dem Einfluss LUTHERS wurden oberdeutsche Wörter, die sich durch die kaiserliche Habsburger-Kanzlei größere Verbreitung fanden, allmählich verdrängt.

Merksatz

▶ LUTHERS Einfluss war vor allem für die Lexik des Frühneuhochdeutschen bedeutsam.

Folgende Tendenzen setzt LUTHER in verstärktem Maß durch:
1. Mitteldeutsche gegen oberdeutsche Wörter
   freien statt heiraten
   heucheln statt gleißnen
   Hain statt Wald (heute besteht ein stilistischer Unterschied)
   prahlen statt geudnen

Schlamm statt Kot (heute besteht eine semantische Differenzierung)
Hügel statt Hübel
Topf statt Hafen/Häfen
wiederkäuen statt iterucken u.a.m.

2. Niederdeutsche gegen hochdeutsche Wörter
fett statt feist
Hälfte statt Halbteil
Lippe statt Lefze
Kahn statt westmdt. Nachen, obdt. Zille
Pfote statt Pratze
vermuten statt meinen, glauben u.a.m.

3. Auf sein Wirken geht die Verschriftsprachlichung dialektaler ostmitteldeutscher Wörter (v.a. slawischer Lehnwörter) zurück:
Peitsche statt Geißel
Jauche statt Adel
Grenze, Preiselbeere

4. Von LUTHER aufgegriffene Fremdwörter:
Apostel statt Zwelf-, Zwölfbote
Prophet statt Weissage(r)
Monarch statt Herrscher u.a.m.

5. Formveränderungen durch den Einfluss LUTHERS:
Aussatz statt Aussätzigkeit
Predigt statt Predige
Odem statt Atem
Stoppel statt Stupfel
beben statt bidmen, biben
Zöllner statt Zollner
Ehrgeiz statt Ehrgeitigkeit u.a.m.

6. LUTHER prägt den Wortinhalt bestehender Wörter um:
Abendmahl gegenüber Kommunion, oberdt. Nachtmahl
Beruf ‚Amt, Stand' statt ‚Berufung'
evangelisch ‚dem Evangelium entsprechend' statt ‚im Evangelium enthalten'
anfahren ‚heftig anreden'
sich begeben ‚sich ereignen'
Götze früher auch ‚Heiligenbild', seit LUTHER ‚Abgott'
fassen ‚begreifen'
rüstig ‚bei Kraft' u.a.m.

7. LUTHER schafft adäquate neue deutsche Wörter:
Gegenbild, Kleingläubiger, Feuerofen, Landpfleger

8. Auf seine Bibelübersetzung geht eine große Anzahl von Sprichwörtern und Sentenzen in ihrer heutigen Form zurück.

aus seinem Herz keine Mördergrube machen

wes (wovon) das Herz voll ist, des (davon) geht der Mund über

sein Licht unter einen Scheffel stellen u.v.a.m.

Bei Fremdwörtern nahm LUTHER – besonders im Vergleich zu seinen Zeitgenossen – eine zurückhaltende Stellung ein. Man hat errechnet, dass in seinen politischen Streitschriften der Fremdwortanteil nur 0,7 % beträgt, dass er bei vergleichbarem Material anderer Autoren (z.B. AGRICOLA, THOMAS MÜNTZER, HUTTEN, EMSER) aber bei 1,5 % – das heißt beim Doppelten – liegt. Auch in der Bibelübersetzung ist der Anteil an (lateinischen) Fremdwörtern auffallend gering. Das ist nicht auf Nationalstolz oder puristische Überlegungen (wie dann im 17., 18. und 19. Jahrhundert) zurückzuführen, sondern auf LUTHERS Bestreben, auch vom „einfachen Mann" verstanden zu werden. Die von LUTHER verwendeten Fremdwörter stammen aus der religiösen Terminologie: Apostel, Evangelium, Psalm, Prophet, Testament u. dgl.

Bei LUTHER bildet sich auch schon eine geregeltere Form der Majuskelschreibung heraus. Im Allgemeinen werden in der Sprachgeschichte drei

Merksatz

▶ **Der Einfluss LUTHERS wirkte sich auch auf eine geregeltere Form der Großschreibung aus.**

Gründe für die Herausbildung der heutigen Großschreibung vorgebracht (die aber heute z.T. hinterfragt werden):

• Majuskeln dienen der leichteren Lesbarkeit, es werden für den Erfassungsprozess beim Lesen relevante Markierungen gesetzt (am Satzanfang).

• Die semantisch wichtigen Begriffe (jene, die wichtige Informationen enthalten) werden groß geschrieben. Deshalb können auch Verben und Adjektive davon betroffen sein.

• Großschreibung wird mit „Ehrerbietung" (heute würde man auch „Höflichkeit" sagen) in Verbindung gebracht. So werden Namen, Titel und theologische Begriffe groß geschrieben, wobei es sogar „Rangabstufungen" gibt: HERR (Gott Vater), Herr (Christus), herr (ein weltlicher Herrscher).

Wenn das Ostmitteldeutsche und das Bairische, ev. auch das Ostfränkische übereinstimmen, wählt LUTHER diese Form. Diese setzt

Abb 47 | *Haupttitel der LUTHER-Bibel 1534*

sich dann meist durch, z.B. ostobdt. gên, stên gegenüber westobdt.
gân, stân. Wenn ein Gegensatz zwischen dem Mitteldeutschen und
dem Oberdeutschen besteht, entscheidet sich LUTHER oft für das
Mitteldeutsche (die Taufe statt der Tauf, die Sonne statt der Sunn
u.a.m.), manchmal aber auch für die oberdeutsche Form: kam statt
quam, zwingen statt twingen, brunn statt born.

LUTHER beobachtet also die Sprache, er sucht die größtmögliche
Weiten- und Breitenwirkung („dem Volk aufs Maul schauen"), und
er entscheidet sich zumeist für die am weitesten verbreitete Form.
Er beobachtet vor allem das Oberdeutsche, d.h. die habsburgische
kaiserliche Kanzlei, und räumt ihm großen Einfluss ein, doch ach-
tet er stets darauf, dass ihn auch die Niederdeutschen bzw. Nieder-
länder verstehen. Er übergeht kleinräumige Formen, der deutsche
Westen (Alemannisch, Westmitteldeutsch) findet bei ihm kaum
Beachtung. Daher rührt es wohl auch, dass diese Sprachlandschaften für die deutsche Schriftsprache keine große Rolle spielen,
obwohl hier bedeutende Druckereien lagen (Strassburg, Köln).
Selbstverständlich ist auch die Syntax von Bedeutung, darauf können wir hier aber nicht eingehen.

Ein Vergleich von drei Bibelstellen in verschiedenen Übersetzungen zeigt die Leistung MARTIN LUTHERS:

MEISTER ECKHART (um 1260–1328):
gesegenet sî got und der vater unseres herren Jêsû Kristî, ein vater
der **barmherzicheit** und **got alles trôstes**, der uns **troestet** in allen
unsern betrbepnissen

MENTEL-Bibel 1466:
Gott der ist gesegent vnd der vatter vnseres herren ihesu cristi ein
vatter der erbermd vnd ein got alles trostes, der vns troest in allem
vnserm durechten

LUTHER 1545:
Gelobet sey Gott vnd der Vater vnseres Herrn Jhesu Christi, der
Vater der **barmhertzigkeit**, vnd **Gott alles trostes**, der vns **tröstet** in
alle vnserm trübsal

Man muss berücksichtigen, dass dem MENTEL-Druck eine Bibelübersetzung aus dem 14. Jahrhundert zu Grunde liegt, dass sie also

MEISTER ECKART zeitlich näher steht als LUTHER. Man sieht, dass LUTHER nicht Neuerungen um jeden Preis einführt, im Gegenteil, er greift gerne auf das zurück, was ihm als angemessen und passend erscheint. Aus diesem Grund sind bei ihm in dieser kurzen Textpassage mehr Übereinstimmungen mit MEISTER ECKART zu finden als mit der MENTEL-Bibel (fett gedruckt). Man beachte auch die systematische Großschreibung in der LUTHER -Passage.

Als angewandtes Beispiel für den Sprachgebrauch LUTHERS soll eine seiner Äsop-Fabeln näher dargestellt werden (nach ARNDT/BRANDT):

1　　　　　Vom frosch und der Maus
2　Eine maus were gern vber ein wasser gewest vnd kundte nicht,
　　　　　　　vnd bat einen frossch
3　vmb rat vnd hulffe, Der frosch war ein schalck vnd sprach zur
　　　　　　　maus, binde deinen fus
4　an meinen fus, so wil ich schwimmen vnd dich hinvber zihen, Da
　　　　　　　sie aber auffs wasser
5　kamen, tauchet der frosch hin untern, vnd wolt die maus ertren
　　　　　　　cken, Inn dem aber
6　die maus sich weret vnd erbeitet, fleuget ein weyhe daher, vnd
　　　　　　　erhasschet die maus,
7　zeucht den frosch auch mit eraus vnd frisset sie beide
8　　　　　　　Lere
9　Sihe dich für, mit wem du handelst, Die wellt ist falsch vnd vntrew
　　　　　　　vol Denn welcher
10 freünd den andern vermag der steckt yhn ynn sack, Doch,
　　　　　　　Schlegt vntrew allzeit
11 yhren eigen herrn, wie dem frossch hie geschicht

Man sieht, dass LUTHERS Übersetzung zum einen mit dem heutigen Neuhochdeutschen übereinstimmt, zum anderen aber auch noch (heute) veraltete Formen aufweist, die dem Frühneuhochdeutschen zuzuweisen sind [die Ziffern vor den Belegen verweisen auf die Zeilennummer im Text].

Heutigem Sprachgebrauch entspricht:

1. Neuhochdeutsche Diphthongierung, z.B. in 2 maus, 6 weyhe, 10 freünd
2. Schreibsprachlicher Zusammenfall der alten Diphthonge ei, öu, au mit den aus der Diphthongierung hervorgegangenen Diph-

thongen, z.B. 7 auch, 7 beide. Damit folgt Luther dem Usus der ostmitteldeutschen Schreibsprache.

3. Dehnung kurzer Vokale 10 yhn (im Gegensatz zu 10 ynn), 11 yhren

4. Bewahrung des sonst apokopierten e („Luther'sches e") 2 were, 3 binde, 9 Sihe

5. Orthographische Kennzeichnung der Längen durch die „freiwerdenden" Zeichen h und e: 4 sie, 10 yhn

6. Fortsetzung mittelhochdeutscher Lautstände: 6 fleuget, 7 zeucht (noch kein Ablautreihenausgleich)

In folgenden Punkten folgt aber Luther noch dem spätmittelalterlichen/frühneuhochdeutschen Sprachgebrauch:

1. e-Apokope: 5 wolt, 11 dem frosch

2. Senkung u > o noch nicht durchgeführt: 2 kundte

3. Keine Rundung: 3 hullfe

4. Mittelhochdeutsche Wortformen: 3 vmb (statt um)

5. Ausgesprochen ostmitteldeutsche Formen: 6 erbeitet (statt arbeitet), 7 eraus (statt heraus)

6. „Unmotivierte" Konsonantenhäufungen: 2 kundte, 3 hulffe, 6 erhasschet

▶ **Die Entstehung der neuhochdeutschen Schriftsprache**

1. **Es gibt im Deutschen mehrere Schreiblandschaften, die in verschiedenen Erscheinungen auftreten und die in unterschiedlichen Zusammenhängen (z.B. in Bezug auf ihre Entstehung) stehen.**

2. **Die neuhochdeutsche Schriftsprache basiert auf keiner dieser einzelnen Sprachlandschaften ausschließlich. Sie weist Zusammenhänge mit dem Ostmitteldeutschen, aber auch mit dem Ostoberdeutschen auf; Nürnberg – die geographische Mitte Deutschlands – scheint eine besondere Rolle zu spielen.**

3. **Martin Luther nimmt eine Sonderstellung ein. Seine Autorität in religiösen Fragen spiegelt sich auch auf der sprachlichen Ebene, vor allem durch seine weithin rezipierten Schriften, wider und ist in zahlreichen sprachlichen Einzelfällen des 16., 17. und 18. Jahrhunderts maßgeblich.**

Zusammenfassung

▶ Die mittelhochdeutsche Dichtersprache stellt ein hinsichtlich Zusammensetzung und Verbreitung besonderes Ausgleichsprodukt dar, von dem keine direkte Linie zu unserer heutigen Standardsprache führt. Mit dem Niedergang der höfischen Kultur und der kaiserlichen Zentralgewalt ging auch sie wieder verloren, sodass sich unsere heutige Standardsprache erst im Laufe von Jahrhunderten neu herausbilden musste. Solange wir nur über schriftliche Zeugnisse verfügen, bezeichnen wir sie als *Schriftsprache*. Im Vergleich zu anderen europäischen Ländern, vor allem England, Frankreich und Italien, hat sich im deutschsprachigen Raum eine relativ einheitliche Sprachform erst spät herausgebildet, obwohl seit der LUTHER-Zeit vereinzelte Tendenzen dazu sichtbar werden. Während die Forschung früher nach einer singulären „Wiege" (einer besonderen Sprachlandschaft oder gar Stadt) suchte, weiß man heute, dass sich in einem komplizierten Auswahlprozess verschiedene Merkmale zu einer immer einheitlicher werdenden Sprachform zusammenfügten. Wodurch diese Prozesse ausgelöst und gesteuert wurden, ist in allen Einzelheiten bis heute nicht bekannt. Es hat einerseits sowohl innersprachliche Gründe, andererseits außersprachliche Faktoren wie der Buchdruck oder das Wirken MARTIN LUTHERS bzw. die Vorstellung von einem zusammengehörenden deutschen Kulturraum. Tatsache ist jedenfalls, dass die neuhochdeutsche Schriftsprache auf keinen einzelnen deutschen Dialekt allein zurückgeht. Sie entsteht auf allen sprachlichen Ebenen, also auf der Laut-, Wort-, Satz- und auch Textebene durch das Aufkommen neuer Textformen und ihrer Verbreitungsmöglichkeiten (z.B. Flugschriften).

Übungen

● Vergleichen Sie das mittelhochdeutsche Vaterunser (S. 101) mit der LUTHER-Version (S. 164). Welche Unterschiede fallen Ihnen auf?   1

● Erklären Sie die Neuhochdeutsche Diphthongierung und Monophthongierung.   2

● Welchen Einfluss hat die Erfindung des Buchdrucks durch JOHANNES GUTENBERG auf die deutsche Sprachgeschichte?   3

● Beschreiben Sie, welche Änderungen im Wortschatz auf das Wirken MARTIN LUTHERS zurückgehen.   4

● Beschreiben Sie syntaktische Veränderungen während des Frühneuhochdeutschen.   5

Literatur

ARNDT, ERWIN / BRANDT, GISELA (1983): Luther und die deutsche Sprache. Wie redet der Deudsche man inn solchem fall? Leipzig.

EBERT, ROBERT PETER / REICHMANN, OSKAR / SOLMS, HANS-JOACHIM / WEGERA, KLAUS-PETER (1993): Frühneuhochdeutsche Grammatik. Tübingen.

HARTWEG, FRÉDÉRIC / WEGERA, KLAUS-PETER (1989): Frühneuhochdeutsch. Eine Einführung in die deutsche Sprache des Spätmittelalters und der frühen Neuzeit. Tübingen: Max Niemeyer. (Germanistische Arbeitshefte 33)

PENZL, HERBERT (1984): Frühneuhochdeutsch. Bern, Frankfurt am Main, New York.

WEGERA, KLAUS-PETER (1986) (Hg.): Zur Entstehung der neuhochdeutschen Schriftsprache. Eine Dokumentation von Forschungsthesen. Tübingen.

Neuhochdeutsch 6

Gerade die sprachhistorische Epoche des Frühneuhochdeutschen und ihre problematische Abgrenzung gegenüber dem Mittel- und dem Neuhochdeutschen zeigt, dass die traditionelle Art der Sprachgeschichtsschreibung einer Neuorientierung bedarf: Wenn die Neuhochdeutsche Diphthongierung bereits im 12./13. Jahrhundert im süddeutschen Raum nachzuweisen ist, kann sie nicht als zeitliche Epochengrenze des Frühneuhochdeutschen fungieren. Es setzt sich daher in den letzten Jahren die Forderung nach einer regionalen Sprachgeschichtsschreibung durch, die etwa für das Süddeutsche und das Mitteldeutsche andere Bedingungen und Verlaufserscheinungen nachweist. Die nächsten Jahre werden zeigen, was diese hochaktuelle Form der Sprachgeschichtsschreibung an Ergebnissen liefern wird.

In der Neuzeit änderten sich die sozialen und gesellschaftlichen Rahmenbedingungen für die Sprachentwicklung gewaltig. Die Ursachen dafür sind in vielerlei Faktoren zu suchen:

- Die Kommunikationsmöglichkeiten und damit auch der praktische Einsatz der Sprache werden ausgebaut (besonders im 19. und 20. Jahrhundert).
- Die schriftlichen Quellen nehmen seit der Erfindung des Buchdrucks rapide zu.
- In stärkerem Maße als bisher nehmen Einzelpersonen (z.B. LUTHER, GOTTSCHED, ADELUNG), Institutionen (z.B. die Sprachgesellschaften) oder Behörden (bei der Normierung der Rechtschreibung) Einfluss auf die Sprache.
- Im 18. und 19. Jahrhundert setzen bewusste Normierungsprozesse (in Rechtschreibung und Aussprache) ein.
- Je näher wir der Gegenwart kommen, eine desto größere Rolle spielt die mündliche Sprache bei der Sprachbeschreibung.

6.1 | Auf der Suche nach einer Norm

6.1.1 | Zur Sprachsituation in der frühen Neuzeit

Hauptcharakteristikum dieser Epoche ist das Fehlen einer allgemein akzeptierten Norm, sowohl in der Aussprache als auch in der Schreibung sowie auf allen sprachlichen Ebenen (Phonologie, Morphologie, Lexik, Syntax). Dem entspricht in etwa die politische Zersplitterung des deutschen Sprachraums. Der Probleme wird man sich seit der zweiten Hälfte des 16. Jahrhunderts immer mehr bewusst. Auch aus nationaler Überzeugung heraus versuchen die Gebildeten ihrer Zeit, zu einer Norm zu gelangen. Ihre Bestrebungen können durch folgende Merkmale charakterisiert werden:

1. Die Beschäftigung mit Sprache ist nicht mit „Sprachwissenschaft" in unserem Sinn zu verstehen. Die alte, tradierte Vorstellung besagte, dass das Deutsche neben dem Hebräischen, Griechischen und Lateinischen zu den ältesten vier Sprachen der Menschheit, den „Hauptsprachen", gehört. Ab dem 17. Jahrhundert erhält der Terminus „Hauptsprache" aber immer mehr die Bedeutung von „Hochsprache", d.h. einer von Regionalismen freien Sprachform, die eine theoretische Forderung und keine historische Tatsache darstellt.

2. Deshalb gehen die Zeitgenossen auch nicht wertfrei oder deskriptiv vor, ganz im Gegenteil, die Sprache wird Wertungen unterzogen. Die „Hauptsprache" – die gemeinsame Sprache der Grammatiker – ist das anzustrebende Ziel, sie wird als „rein" imaginiert, wobei die Vorstellung von „Reinheit" subjektiven Ein- und Wertschätzungen unterworfen ist. Fast alle Grammatiker sind sich aber darüber einig, dass die Sprache der sozialen Unterschichten und die Sprache auf dem Land (also das, was wir heute als „Dialekt" bezeichnen) als „unrein", „schlecht", „verderbt", „pöbelhaft" abzulehnen seien.

3. Unter „Grammatik" wird etwa bis zur Mitte des 19. Jahrhunderts etwas anderes als heute verstanden. Man trennt „Grammatik" in unserem Sinn nicht von „Rhetorik", „Stil" und „Sprachkunst". Das hat zur Folge, dass Sprachlehren sehr oft als Anleitung zur Abfassung von Dichtungen und Sprachkunstwerken geschrieben werden (z.B. von GOTTSCHED). Zugleich ist eine Wertung damit verbunden: Nur die „künstlerische Sprache" ist wertvoll, die „Alltagssprache" (und damit auch die Sprache der „niederen Leute") ist nicht der Betrachtung wert.

4. Nur eine äußerst geringe Zahl an Menschen beschäftigt sich (meist an Universitäten oder Akademien) mit der Sprache, und sie verstehen sich außerdem als „Elite". Das Nachdenken über Sprache ist daher keinesfalls mit der aktuellen Diskussion um die Rechtschreibreform zu vergleichen. Außerdem muss man die gesellschaftlichen Gegebenheiten der Zeit berücksichtigen: Das Lesen und Schreiben war auf bestimmte Schichten beschränkt, die damit beruflich zu tun hatten, also v.a. Geistliche, Gelehrte,

Verwaltungsbeamte u. dgl. Diese betrachteten das Lesen bei den „niederen Schichten" sogar als schädlich und unmoralisch, also bei den Bauern, Tagelöhnern, Handwerkern (soweit diese überhaupt lesen konnten). Auch bei den Frauen wurde das Lesen (natürlich von Männern) nicht gerne gesehen, ausgenommen vielleicht das Lesen in der Bibel und im „genehmigten" Unterhaltungsschrifttum, aber allenfalls in Maßen. Außerdem war die Beschäftigung mit der deutschen Sprache als Studienfach an Universitäten nicht üblich, ganz abgesehen davon, dass die Unterrichtssprache bis gegen Ende des 17. Jahrhunderts das Lateinische war (in Leipzig etwa waren von den im Jahr 1700 veröffentlichten Büchern 38 % in lateinischer Sprache, 1740 noch 28 % und 1800 schließlich nur mehr 4 %). Insoferne ist die Sprachwissenschaft jener Zeit nicht mit der heutigen zu vergleichen.

5. Die Zeit von der zweiten Hälfte des 16. bis zum Beginn des 19. Jahrhunderts ist von der Suche nach einer Norm gekennzeichnet. Besonders ab dem 17. Jahrhundert, nicht zuletzt unter dem Einfluss der Sprachgesellschaften, entsteht eine intensive Diskussion darüber, was die „beste Sprache" sei. In dieser Diskussion werden allerdings verschiedene Positionen vermischt, und das macht die Beurteilung ihres Verlaufes aus heutiger Sicht so schwierig (nicht zuletzt deshalb, weil – wie schon der Begriff „Hauptsprache" zeigte – aus den verwendeten Termini nicht immer klar hervorgeht, was eigentlich gemeint ist).

6. Schriftlichkeit versus Mündlichkeit: Die Grammatiker trennen noch nicht zwischen dem schriftlichen und mündlichen Gebrauch von Sprache. Wenn von der „vorbildhaften Sprache der Gebildeten" die Rede ist, weiß man oft nicht, ob damit die Sprechweise im Alltag oder die Sprache in Schriftwerken gemeint ist.

7. Sprachsoziologische Faktoren: Die Sprache des „Pöbels" wird abgelehnt, die der Oberschichten für gut befunden. Trotzdem wird nicht zwischen „Umgangssprache" und „Dialekt" in unserem heutigen Sinn unterschieden.

8. Geographische Gegebenheiten: Bestimmte Sprachräume, vor allem prostestantische Gebiete unter dem Einfluss Luthers, werden für besonders vorbildlich angesehen, etwa das Obersächsische. Die Gründe für diese Wertschätzung sind im Allgemeinen heute nicht mehr nachvollziehbar.

9. Gesetzte Normen: Die Grammatiker haben in der Regel keine Schwierigkeiten damit, bestimmte Merkmale willkürlich zur Norm zu erheben.

Bei der Frage, was zur Norm erklärt werden kann, gibt es – rein theoretisch – natürlich verschiedene Möglichkeiten. Dabei kristallisieren sich folgende Extrempositionen heraus:

- Für einige (z.B. SCHOTTEL) sind die tatsächlichen Sprachformen allesamt mit Fehlern behaftet. Korrektes Deutsch kann daher nur überregional sein, also gleichsam eine „Idealsprache". Die **Analogisten** versuchen daher nach dem Vernunftprinzip, sprachliche Regeln durch Deduktion abzuleiten, d.h., sie stellen theoretische Forderungen (gleichsam in der langue) auf, die dann in tatsächliche Sprache (die parole) umgesetzt werden sollen. Ein Prinzip dabei ist das Aufspüren alter **Stammwörter**. Diese Anschauung ist für all jene besonders attraktiv, die nicht aus einer bevorzugten Dialektlandschaft (also etwa dem Ostmitteldeutschen) stammen.

> **Merksatz**
>
> ▶ **Bei der Frage, welche Sprachform zur Norm erklärt werden soll, kann man deduktiv, induktiv oder mit einem Kompromiss aus beidem vorgehen.**

- Die **Anomalisten** (Anomalie = Gebrauch, usus) hingegen erklären den Sprachgebrauch einer bestimmten Gruppe von Sprachteilnehmern für besonders vorbildlich, suchen ihn zu beschreiben und für alle anderen zur Norm zu erklären. Sie gehen also induktiv vor. Sehr oft wird dabei das Ostmitteldeutsche als besonders vorbildhaft angesehen, wobei die Wurzeln für diese Anschauung sehr weit zurückgehen und für uns nicht mehr rational/objektiv nachvollziehbar sind; sehr oft wurde allerdings auf LUTHER rekurriert. Oft sieht auch jeder Grammatiker seine eigene Sprachform als besonders schön, rein oder vorbildlich an.

- Streng genommen sind die Prinzipien der Analogisten und Anomalisten unvereinbar. Trotzdem gibt es eine Art Kompromiss in der Art, dass eine Sprachlandschaft als vorbildlich ausgewählt wird, dabei allerdings nicht der gesprochene Dialekt im Vordergrund steht, sondern eine idealisierte Sprachform. Solcherart setzt sich dann eine idealisierte Literatursprache als Sprachnorm durch und keine Sprachform, die tatsächlich im Alltag gesprochen wird. In der Diskussion des 17. und 18. Jahrhunderts werden am häufigsten die synonymen Begriffe *Obersächsisch* und *Meißnisch* gebraucht.

Im Rahmen dieser Diskussion entsteht oft der Eindruck, dass das Ostmitteldeutsche, vor allem das Obersächsische und Meißnische (der Stadt Meißen), einen geschlossenen Sprachraum darstellt, den es in dieser fiktiven Form in Wahrheit niemals gegeben hat. Der Eindruck konnte – vor allem in früheren Zeiten, als es natürlich noch keine flächendeckende areallinguistische Untersuchungen gab – einerseits entstehen, weil das Ostmitteldeutsche im Vergleich zu anderen Sprachlandschaften (etwa dem Niederdeutschen oder dem Oberdeutschen) relativ begrenzt ist, und andererseits weil man oft ein punktuelles Vorbild vor Augen hatte, etwa die Universitätsstädte Leipzig oder Dresden. Das **Meißnische Deutsch** darf nicht mit **Missingsch** verwechselt werden, einer „Halbmundart" auf niederdeutscher Basis (Artikulation, Morphologie, Syntax) mit Einfluss des Hochdeutschen (hochdeutsche Lautverschiebung, neuhochdeutsche Diphthongierung).

Eine „Halbmundart" bezeichnet eine Sprachform, die in ihrer Verbreitung und ihrem Gebrauch zwischen Dialekt und Umgangssprache steht (s. S. 216f.)

Abb 48 | *Die Gliederung des Ostmitteldeutschen*

Das Ostmitteldeutsche ist nicht weniger gegliedert als andere Dialektlandschaften, wurde aber von den Grammatikern des 17. und 18. Jahrhunderts als einheitliche Sprachform empfunden.

6.1.2 | **Die Sprachgesellschaften**

Die Bibelübersetzungen LUTHERs hatten im 16. und 17. Jahrhundert große Wirkung. Vor allem drei Tatsachen verhinderten aber, dass die Sprache LUTHERS direkt zur neuhochdeutschen Schriftsprache wurde:

- LUTHERS Schriften waren nur in den protestantischen Gebieten von Bedeutung, auch wenn sie im Lauf der Reformation weit in katholische Gebiete – wo sie verboten waren – eindrangen.
- Die Sprache der religiösen Sphäre war zwar sehr wichtig, sie stellte aber nicht die einzige Sprachvarietät dar. Daneben gab es Alltags-, Literatur-, Geschäfts- oder Kanzleisprache und andere Varietäten. So gesehen bildet die Bibelübersetzung LUTHERS, auch wenn sie sehr bedeutsam war, nicht die einzige Sprachform ihrer Zeit.
- Die politisch einflussreichen Schichten Deutschlands, die Höfe und der Adel, orientierten sich zunehmend am Französischen. Dieses wurde auch durch seine Einheitlichkeit zum Vorbild, da Deutschland nicht nur politisch in viele kleine Gebiete aufgespalten war, sondern auch die Sprache erst sehr spät zu einer (relativen) Einheitlichkeit fand.

Das Französische avancierte zur Hofsprache. Aber auch die deutsche Umgangssprache wurde zunehmend von französischen Elementen (sowie italienischen und spanischen) durchsetzt. Zu Beginn des 17. Jahrhunderts fanden sich daher vor allem Adelige und gelehrte Bürger zusammen, die aus Nationalstolz dieser Entwicklung entgegenwirken wollten und zwei Ziele im Auge hatten:

1. Die Schaffung einer nationalen deutschsprachigen Literatur.
2. Die Schaffung einer einheitlichen deutschen Sprache, durch die vornehmlich die „Reinigung" von Fremdwörtern erzielt werden sollte.

Im deutschen Sprachraum entstanden in den ersten Jahrzehnten des 17. Jahrhunderts die – heute nur unvollkommen so genannten – Sprachgesellschaften, die heute wie eine Mischung aus Verein, Herrenklub und Freimaurerloge wirken. Der sprachliche Purismus, der sich vornehmlich gegen die Bevorzugung des Französischen in Sprache und Literatur wandte, und die heftig geführten Streitereien zwischen den einzelnen Mitgliedern dieser Gesellschaften, die sich um sprachliche wie um literarisch-künstlerische Fragen drehten, erscheinen uns heute nur schwer nachvollziehbar; sie sind nur aus der deutschen Geschichte des Mittelalters und der damaligen Situation der Autoren, die in deutscher Sprache schreiben wollten, verständlich. Die heutige Bezeichnung „Sprachgesellschaften" ist genau genommen irreführend, denn diese Vereini-

Die Accademia della Crusca

Interessanterweise verdanken die deutschen Sprachgesellschaften selbst ihre Entstehung „ausländischen" Vorbildern, besonders in Italien und Holland. In Italien bestand eine längere Tradition der Wertschätzung der „Volkssprache" (bekannterweise seit DANTE), und schon seit dem 15. Jahrhundert bildeten sich in Italien Sprachgesellschaften, als die Humanisten die Antike und die alte Größe Roms wieder entdeckten. Die bedeutendste war die „Accademia della Crusca" (Crusca = ‚Kleie'), die 1582 in Florenz gegründet wurde und zunächst nur literarische Interessen verfolgte (durch Vorlesen und Diskutieren eigener Werke). Sie wurde bereits 1584 als Akademie mit Vereinsstatuten ausgestattet. Die Mitglieder, zumeist Adelige, trugen Kennnamen, die mit dem Hauptwort „Crusca" in thematischer Verbindung standen. Das Sinnbild der Kleie wurde deshalb gewählt, weil es sich die Akademie zum Ziel machte, alles wegzuräumen, was keine Frucht bringt. Hauptzweck war die Pflege der italienischen Sprache und Literatur. So gab die Gesellschaft neben den Werken DANTES ein bedeutsames Wörterbuch des Italienischen heraus.

gungen beschäftigten sich nicht nur mit Sprache, sondern auch mit dem, was wir heute als Literaturkritik, Poetik, Ästhetik, Rhetorik, Übersetzungswesen bezeichnen – also mit allem, was ein „literarisches Kunstwerk" ausmacht.

1617 wurde auf Anregung von CASPAR VON TEUTLEBEN in Weimar die **Fruchtbringenden Gesellschaft** (auch **Palmenorden** genannt) gegründet. Sie wurde zur bedeutendsten deutschen Sprachgesellschaft. Es galt als Auszeichnung, ihr angehören zu dürfen, und alle Dichter strebten dies als Ziel an. Führendes Gründungsmitglied war Fürst LUDWIG VON ANHALT-KÖTHEN, der seit 1600 auch Mitglied der Florentiner Akademie war. Schon der Name bezieht sich auf die Florentiner, und wie bei der „Accademie della Crusca" trug jedes Mitglied einen fantasiereichen Gesellschaftsnamen (z.B. aus der Pflanzenwelt), der mit dem Gesamtmotto in Zusammenhang stand. Fürst LUDWIG etwa war der „Nährende". Als Symbol der Gesellschaft wurde der „indianische" (d.h. indische) Palmenbaum gewählt, da er die Menschen mit allem Notwendigen versorgt und seine Teile fast zur Gänze verarbeitet werden konnten.

Die Fruchtbringende Gesellschaft (FG) war die bei weitem größte Sprachgesellschaft in Deutschland. Sie hatte zeitweise bis zu 894 Mitglieder, der Großteil davon Adelige, obwohl Bürgerliche – im Gegensatz zu Frauen – nicht generell ausgeschlossen waren; auch einige Ausländer waren aus politischen Gründen dabei. Die für die Sprach- und Literaturgeschichte bedeutendsten Mitglieder waren: SIGMUND VON BIRKEN, ANDREAS GRYPHIUS, CHRISTIAN GUEINTZ, GEORG PHILIPP HARSDÖRFFER, FRIEDRICH VON LOGAU, FÜRST LUDWIG VON ANHALT, JOHANN MICHAEL MOSCHEROSCH, MARTIN OPITZ, JUSTUS GEORG SCHOTTEL, KASPAR STIELER, PHILIPP VON ZESEN. Es galt als selbstverständlich, unter dem Gesellschaftsnamen zu publizieren. SCHOTTELS „Ausführliche Arbeit von der Teutschen Haubt-Sprache" (1663) etwa wäre ohne den Hintergrund der „Fruchtbringenden Gesellschaft" nicht denkbar. Die FG setzte Meilensteine bei der Übersetzung ins Deutsche, viele Mitglieder übersetzten Texte aus dem Griechischen, Lateinischen und aus zeitgenössischen europäischen Fremdsprachen.

Abb 49

Wappenschild der Fruchtbringenden Gesellschaft, gestiftet von LUDWIG FÜRST VON ANHALT-KÖTHEN

Fürst LUDWIG VON ANHALT-KÖTHEN ließ für die Gesellschaft eine eigene
Druckerei einrichten, die ihren Mitgliedern zur Verfügung stand
und die die noch unpublizierten Werke verstorbener Mitglieder
veröffentlichte. Zudem trug man für die Verbreitung der Werke
selbst Sorge und schützte sie vor Raubdrucken, was für jene Zeit
einmalig war.

Die **Deutschgesinnte Genossenschaft** (DG) hatte die „Fruchtbringende Gesellschaft" als Vorbild, das genaue Gründungsdatum
ist ungewiss (wahrscheinlich 1642, 1643 oder 1644). Ihr Sinnbild
war die Rose, die mit dem Palmenbaum gleichgesetzt wurde. Bei
dieser Gesellschaft ist der Einfluss aus Holland stärker, vielleicht
wurde sie sogar in Amsterdam gegründet. Viele der Mitglieder
stammten aus den Niederlanden, die 1648 endgültig aus dem
Reichsverband ausschieden. Treibende Kraft der DG war PHILIPP VON
ZESEN, der sie in Konkurrenz zur FG gründete und bis zu seinem

Abb 50 | *PHILIPP VON ZESEN (1619–1689)*

Tod 1689 tonangebend war. Anders als die FG war die DG in „Zünfte" eingeteilt (Rosen-, Lilien-, Nägleinzunft; näglein = ‚Nelke'). Es waren auch Frauen zugelassen, bisher konnten aber nur zwei weibliche Mitglieder nachgewiesen werden. Stärker als die FG war sie dem Bürgertum geöffnet, ihr gehörten auch einige Mitglieder der FG an, z.B. HARSDÖRFFER, BIRKEN, MOSCHEROSCH.

PHILIPP VON ZESEN (1619–1689) besuchte das Gymnasium in Halle, wo CHRISTIAN GUEINTZ Rektor war. Er hielt sich lange in den Niederlanden auf und trat dort vor allem als Übersetzer ins Deutsche sowie als Autor deutscher Romane hervor. In den Niederlanden lernte er die Gesellschaft „Rederijkerkamers" kennen. Dadurch wurde ihm bewusst, dass das Deutsche keine dem Niederländischen vergleichbare Schriftsprache hatte. 1648 wurde er in die Fruchtbringende Gesellschaft aufgenommen, trotz des Widerstands einiger Mitglieder (v.a. HARSDÖRFFER), die ihm übertriebenen Sprachpurismus und extreme Ansichten zur Gestaltung einer deutschen Rechtschreibung vorwarfen. VON ZESEN war tatsächlich einer der Radikalsten bei der Eindeutschung von Fremdwörtern, er wollte auch Fremdwörter ersetzen, die schon lange im Deutschen gebräuchlich waren, sowie Lehn- und Erbwörter, die er für Fremdwörter hielt.

Erklärung

▶ Die oft zu lesende Behauptung, PHILIPP VON ZESEN wollte Nase durch Gesichtserker ersetzt wissen, entspricht nicht den Tatsachen. Das Wort stammt vielmehr von einem unbekannten Puristen, der Nase nicht als Erbwort erkannt hatte.

Einige der Vorschläge VON ZESENS konnten sich durchsetzen und bestehen bis heute, etwa Verfasser statt Autor, Jahrbuch statt Annalen, Vertrag statt Kontrakt, Zeughaus statt Arsenal, Zweikampf statt Duell, Anschrift statt Adresse, Mundart statt Dialekt, Wörterbuch statt Lexikon, Ausflug statt Exkursion. Aber selbst seinen Zeitgenossen war er teilweise zu extrem, viele seiner Forderungen konnten sich nicht Geltung verschaffen, etwa Meuchelpuffer oder Reitpuffer für Pistole, Jungfernzwinger für Nonnenkloster, Zeugemutter für Natur, Lustinne für Venus, Tageleuchter für Sonne. Die Streitereien zwischen den einzelnen Mitgliedern entzündeten sich oft an Kleinigkeiten oder Details; so wandte sich SCHOTTEL äußerst scharf gegen VON ZESENS Schöpfung Zeugemutter.

Der **Pegnesische Blumenorden** wurde am 16. Oktober 1644 von GEORG PHILIPP HARSDÖRFFER und JOHANN KLAY gegründet. Benannt ist er nach dem „Pegnesischen Schäfergedicht" (1644). Die Pegnitz ist der Fluss, an dem Nürnberg liegt. Der Orden ist unter mehreren Namen bekannt, etwa „Blumenorden" oder „Pegnitz-Schäfer". Emblem war eine Panflöte mit sieben Pfeifen, erstes Oberhaupt HARSDÖRFFER, dem später SIGMUND VON BIRKEN folgte.

Der **Elbschwanenorden** wurde 1658 auf Veranlassung des evangelischen Geistlichen JOHANN RIST gegründet. Er ist die kleinste der vier bedeutenden Sprachgesellschaften und zählte zu seinen besten Zeiten nicht mehr als 45 Mitglieder. Neben den vier großen Gesellschaften gab es noch viele kleine, etwa die **Aufrichtige Tannengesellschaft** (Strassburg 1633, die zweite nach der FG in Deutschland, gegründet von JESAIAS ROMPLER), das **Poetische Kleeblatt** (Strassburg 1671), den **Leopolden-Orden** (Dresden 1695, unsicher). Die **Deutschübende Poetische Gesellschaft** konstituierte sich 1697 in Leipzig, JOHANN CHRISTOPH GOTTSCHED gestaltete sie 1726 zur **Deutschen Gesellschaft** um. Die meisten der Gesellschaften des 18. Jahrhunderts wurden von ihr beeinflusst.

Erklärung

▶ **Die Bedeutung der Sprachgesellschaften für die deutsche Sprachgeschichte liegt in Folgendem:**
1. **Zunächst richteten sie das Augenmerk auf die deutsche Sprache als Hochsprache eines vorgegebenen Kulturraums „Deutschland". Auch wenn ihre Bemühungen nicht zum beabsichtigten Ziel führten oder viele Aktivitäten aus heutiger Sicht sogar als lächerlich erscheinen mögen, darf nicht vergessen werden, dass ihre Arbeit im deutschen Sprachraum kein Vorbild hatte und sie somit Neuland betraten.**
2. **Die Mitglieder aus ihren Reihen verfassten, natürlich auf Anregung der Gesellschaften und durch Diskussionen in den Versammlungen, Arbeiten, die auf die Sprachgeschichte großen Einfluss nahmen. Zu nennen sind etwa MARTIN OPITZ' „Buch von der deutschen Poeterey" oder die Arbeiten von SCHOTTEL, STIELER, KLAY u.v.a.**
3. **Sie beeinflussten die deutsche Sprache direkt durch ihre Wortneuschöpfungen, von denen sich einige bis heute erhalten haben.**

Wörterbücher und Grammatiken vom 17. bis ins 19. Jahrhundert

6.1.3

Wörterbücher sind seit Beginn der deutschen Sprachgeschichte bekannt und gebräuchlich: Am Anfang stehen die althochdeutschen Glossen und der „Abrogans". Als erstes „richtiges" Wörterbuch der deutschen Sprachgeschichte sieht man den „Vocabularius Teutonico-Latinus" (1482) an, vor allem deshalb, weil in ihm erstmals der deutsche Wortschatz alphabetisch nach der deutschen Lautung angeführt wird (die früheren Werke gingen alle von den lateinischen Lemmata aus).

Im 16. Jahrhundert wurden Sprachlehrbücher vor allem für Schulen und zum Lesen- und Schreibenlernen verfasst, oft von so genannten „Schulmeistern", die sich mit dem Verkauf der Bücher noch ein Zubrot verdienten, etwa VALENTIN ICKELSAMER und JOHANN KLAY (CLAJUS). Sie stehen vielfach noch im Bann der lateinischsprachigen Grammatiken. Denn Metasprache bleibt weiterhin das Lateinische, d.h., dass die Worterklärungen in Latein gegeben werden. Damit wird auch das kulturgeschichtliche Umfeld dieser frühen Arbeiten deutlich: Grundlage und Voraussetzung ist die Auseinandersetzung mit dem Lateinischen, also mit einer Fremdsprache. Von seinem großen lateinisch-deutschen Wörterbuch veröffentlichte der aus dem Thurgau stammende und in Strassburg wirkende PETRUS DASYPODIUS 1535 den lateinisch-deutschen und 1536 den deutsch-lateinischen Teil, der allerdings nur eine Vertauschung der deutschen und lateinischen Einträge und eine teilweise Umstellung der Stichwörter darstellt. Dieses Werk wurde zu seiner Zeit sehr stark rezipiert, es erfuhr bis 1600 19 Auflagen und wirkte auch über den deutschen Sprachraum hinaus. Im lateinischen Teil ist es gekennzeichnet durch die Rückkehr zum „klassischen" Latein, dem im deutschen Teil die Unterdrückung der Regionalismen entspricht. Wie fast alle Humanistenwörterbücher sollte aber auch das von DASYPODIUS in erster Linie dem Lateinunterricht dienen.

„Die Teutsch Sprach" (1561) des Schweizer Pfarrers JOSHUA MAALER, genau genommen eine Bearbeitung eines Wörterbuchs von CHOLINUS und FRISIUS, ist eines der ersten Werke, das die Worterklärungen in Deutsch gibt. Als eigentliche Vorläufer der Wörterbü-

> **Merksatz**
>
> ▶ **Im 16. und 17. Jahrhundert stehen die Sprachlehrbücher noch im Bann des Lateinischen.**

cher des 17. Jahrhunderts sind aber die Arbeiten von CHRISTIAN GUEINTZ (1592–1650) und WOLFGANG RATKE (lat. RATICHIUS, 1571–1635) zu sehen. Obwohl die grammatischen Arbeiten von RATKE nur zum Teil im Druck erschienen waren, wurde er vor allem als theoretischer Vordenker von Bedeutung. So übergab er 1612 den Fürsten bei der Frankfurter Kaiserwahl ein Memorandum, in dem er die Grundzüge seiner Bildungsreform darlegt. Direkten Einfluss übte er auf die Sprachlehre „Deutscher Sprachlehre Entwurf" von GUEINTZ und indirekt auch auf das Hauptwerk von JUSTUS GEORG SCHOTTEL(IUS) (1612–1676) aus, die „Ausfürliche Arbeit von der Teutschen Haubt Sprache" (1663). (SCHOTTELS erstes grammatisches Werk, die „Teutsche Sprachkunst", erschien 1641.) Er wollte, den Forderungen RATKES folgend, die Grundrichtigkeit der „uralten" Sprache Deutsch anhand von Stammwörtern darlegen, die er auf 173 Seiten seinem Werk anfügt und die maßgeblich für seine Nachfolger wurden. Im grammatischen Teil der Arbeit folgte er dem Ziel, eine Sprachform zu beschreiben, die von den gelehrten und „würdigen" Männern verwendet wird. Allerdings meinte er damit nicht die gesprochene Sprache, und die Dialekte galten ihm ohnehin als verabscheuenswürdig. Wichtigstes Verdienst von SCHOTTEL war aber der für seine Zeit eigenständige Versuch, das Deutsche anhand der ihm eigenen Kategorien (oder dessen, was dafür gehalten wurde) zu beschreiben und nicht anhand eines übergestülpten Systems aus dem Lateinischen oder Griechischen. JOHANN BÖDIKER (1641–1695) schuf mit seinem Buch „Grundsätze Der Teutschen Sprache" (1690) eine der wichtigsten Grammatiken zwischen SCHOTTEL und GOTTSCHED, die auch im katholischen Süden eifrig rezipiert wurde. Er betont den Primat der geschriebenen Sprache, der „Büchersprache".

KASPAR STIELER (1632–1690) übernahm in seinem gewaltigen Wörterbuch „Der Teutschen Sprache Stammbaum und Fortwachs" (1691) SCHOTTELS Grundsatz der **Stammwörter**, um die herum er Ableitungen und Zusammensetzungen ordnete. Ihm ist die „Kurze Lehrschrift von der Hochteutschen Sprachkunst" als Anhang beigegeben. Als Vorbild schwebte ihm das Obersächsische vor (mit den Zentren Dresden, Wittenberg, Leipzig und Halle), jedoch nicht die dort gesprochenen Mundarten, sondern eine stilisierte Sprachform – eben die „Hauptsprache". STIELER war schon im 18. Jahrhundert dafür bekannt, in sein Wörterbuch viel selbst erfundenes Material aufgenommen zu haben (wie vor ihm schon GUEINTZ), z.B. ungehe-

lich unter Gehen. Bemerkenswert ist die Anordnung nach Stammwörtern, die für die Wörterbücher jener Zeit charakteristisch ist:
So werden die Wurzeln alphabetisch angeordnet, unter den Stich-
wörtern finden sich dann aber Unteransätze, die mit der Wurzel
etymologisch, kompositorisch oder auch rein assoziativ zusammenhängen, so etwa unter Gehen: Geher, Gang, die Komposita mit
-gang als Grundwort, weitere Zusammensetzungen und Ableitungen wie Gängelein, Ganghaftigkeit, Gänker (eine Art Rock) und
schließlich die Verbalkomposita von abgehen bis zurückgehen.

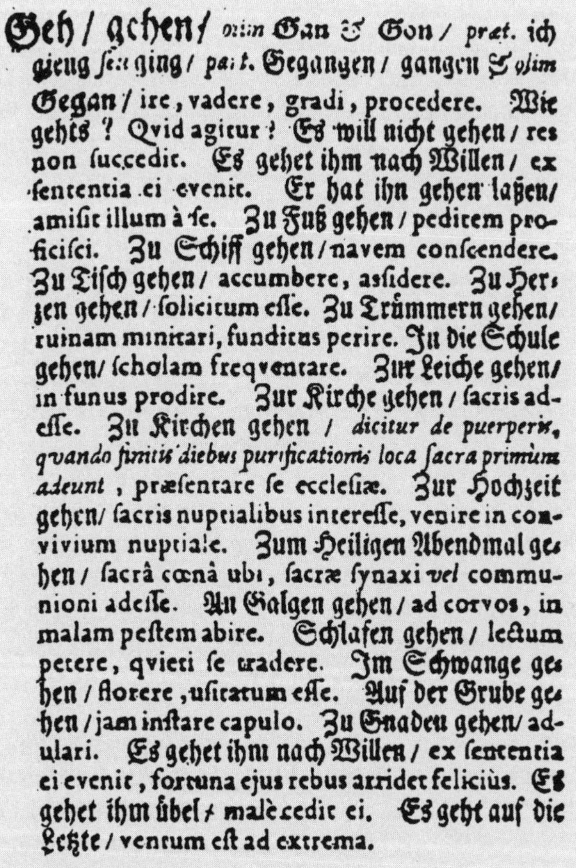

Geh / gehen / *olim* Gan & Gon / *præt.* ich
gieng *seu* ging / *part.* Gegangen / gangen & *olim*
Gegan / ire, vadere, gradi, procedere. Wie
gehts ? Qvid agitur? Es will nicht gehen / res
non succedit. Es gehet ihm nach Willen / ex
sententia ei evenit. Er hat ihn gehen laßen /
amisit illum à se. Zu Fuß gehen / peditem pro-
ficisci. Zu Schiff gehen / navem conscendere.
Zu Tisch gehen / accumbere, assidere. Zu Her-
zen gehen / solicitum esse. Zu Trümmern gehen /
ruinam minitari, funditus perire. In die Schule
gehen / scholam freqventare. Zur Leiche gehen /
in funus prodire. Zur Kirche gehen / sacris adesse. Zu Kirchen gehen / *dicitur de puerperis,*
qvando finitis diebus purificationis loca sacra primùm
adeunt, præsentare se ecclesiæ. Zur Hochzeit
gehen / sacris nuptialibus interesse, venire in con-
vivium nuptiale. Zum Heiligen Abendmal gehen / sacrâ cœnâ ubi, sacræ synaxi *vel* commu-
nioni adesse. An Galgen gehen / ad corvos, in
malam pestem abire. Schlafen gehen / lectum
petere, qvieti se tradere. Im Schwange gehen / florere, usitatum esse. Auf der Grube gehen / jam instare capulo. Zu Gnaden gehen / ad-
ulari. Es gehet ihm nach Willen / ex sententia
ei evenit, fortuna ejus rebus arridet feliciùs. Es
gehet ihm übel / malè cedit ei. Es geht auf die
Letzte / ventum est ad extrema.

Abb 51

*Der Beginn des
Artikels „Gehen"
aus „Der Teutschen
Sprache Stamm-
baum und Fort-
wachs"*

Der Aufklärer GOTTFRIED WILHELM LEIBNIZ (1646–1716) verfasste seine Schriften zwar selbst noch in Latein (der Wissenschaftssprache seiner Zeit), forderte aber gegen Ende seines Lebens eine Aufwertung der deutschen Sprache, etwa durch die wissenschaftliche Sammlung von Dialektwörtern (Idiotismen).

Aus der Fülle der Normierungsversuche von Schreibung und Grammatik (etwa durch THEODOR KRAMER, CHRISTIAN ERNST STEINBACH, JOHANN LEONHARD FRISCH) ist der Aufklärer JOHANN CHRISTOPH GOTTSCHED (1700–1766), seit 1724 in Leipzig ansässig, mit seinen Sprachlehren hervorzuheben, der die Literatursprache zum nachahmenswerten Vorbild erklärte: In seinem Werk „Grundlegung einer Deutschen Sprachkunst nach den Mustern der besten Schriftstellern des vorigen und itzigen Jahrhunderts abgefasset" (1748, 6 Auflagen bis 1776) sowie in anderen einflussreichen Arbeiten (u.a. „Grundriß zu einer Vernunfftmäßigen Redekunst", 1729, und „Versuch einer Critischen Dichtkunst vor die Deutschen", 1730, 4. Aufl. 1751) – sie wurden z.B. in Österreich vom Kaiserhaus zur Norm erklärt – forderte er, nicht eine bestehende Sprache zum Vorbild zu erheben, sondern eine „Kunstsprache" als übergreifende Norm zu schaffen. Für nachahmenswert erklärte er dabei die gesprochene Sprache der „Vornehmen und Hofleute" in der Hauptstadt eines Landes, also weder die ländliche Mundart noch die Sprachform des städtischen „Pöbels". Allerdings könne eine gesprochene Sprache keine Norm sein, sodass man die Werke der „besten Schriftsteller" „zu Hülfe nehmen" müsse. Damit lenkte er die Aufmerksamkeit auf die Literatursprache. Nachahmenswert war für ihn vor allem der Schlesier MARTIN OPITZ, aber auch PAUL FLEMING, CHRISTIAN FÜRCHTEGOTT GELLERT, PAUL GERHARDT u.a. sind die erklärten Vorbilder.

> Ein Idiotismus ist ein dialektaler Ausdruck, der wegen der Abweichung von der Hochsprache als eigentümlich für seinen Dialekten angesehen wird. Im 18. und frühen 19. Jahrhundert wurden erste wissenschaftliche Idiotismensammlungen oder Idiotika angelegt, die als Vorstufe der Dialektwörterbücher gelten.

Merksatz

▶ GOTTSCHED **war einer der wichtigsten Sprachnormierer des 18. Jahrhunderts. Er versuchte, eine nach seinen Idealen gestaltete Sprachform nach obersächsischem Vorbild, die es in der Realität allerdings nicht gab, durchzusetzen.**

GOTTSCHED wurde für die Sprache noch aus einem anderen Grund von Bedeutung: Er predigte die Ideale der Aufklärung und trat für eine „natürliche" Sprache ein, die vor allem klar und eindeutig sein sollte. Das heißt: Er will keinen komplizierten Satzbau, keine „Provinzialwörter" (Dialektwörter), keine „fremden", „zu alten" oder „neugemachten" Wörter, keine „malerische Bildlichkeit", also keine Metaphern. Mit seiner allzu strengen Nüchternheit geriet

Abb 52

JOHANN CHRISTOPH GOTTSCHED (1700–1766)

GOTTSCHED aber in Konflikt mit den Schweizern JOHANN JAKOB BODMER (1698–1783) und JOHANN JAKOB BREITINGER (1701–1776, „Critische Dichtkunst", 2 Bände, 1740), die das Fantasiereiche, Irrationale in der Kunst und damit in der Sprache verteidigten und damit einen gewissen Einfluss auf die sprachliche Gestaltung der Werke FRIEDRICH GOTTLIEB KLOPSTOCKS (1724–1803) und CHRISTOPH MARTIN WIELANDS (1733–1803) ausübten.

Der neben und nach GOTTSCHED bedeutendste Sprachnormierer des 18. Jahrhunderts ist JOHANN CHRISTOPH ADELUNG (1732–1806), der die Forderungen GOTTSCHEDS, das von ihm zur Norm erhobene Meißnische bzw. Obersächsische als Literatursprache zu übernehmen, aufgriff und sie mit seinem Werk, u.a. dem „Versuch eines vollständigen grammatisch-kritischen Wörterbuches der Hochdeutschen Mundart" (5 Bände 1774–86, 2. Aufl. 1793–1801), weiter verbreitete und so in die Literatursprache hineinwirkte. Die bedeutendsten Schriftsteller orientierten sich jedenfalls an seinen Re-

Der Siegeszug der ostmitteldeutschen Schriftsprache

Gegen Ende des Frühneuhochdeutschen kann man im deutschen Sprachraum folgende großräumige Schriftsprachen unterscheiden:

Abb 53

Die drei deutschen Schriftsprachen in der ersten Hälfte des 17. Jahrhunderts

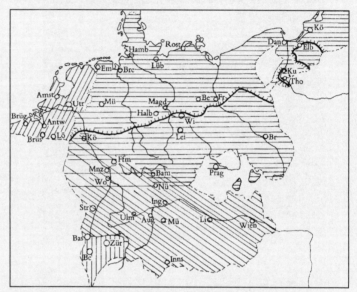

▤ Ostmitteldeutsche Schriftsprache   ▨ Oberdeutsche Schriftsprache
▥ Schweizerdeutsche Schriftsprache   ▧ Niederländische Schriftsprache
⌇ ungefähre hochdeutsch/niederdeutsche Sprachgrenze

Man sieht deutlich, dass sich der katholische deutschsprachige Süden (südlich des Mains) vom vorwiegend protestantischen Mittel- und Norddeutschland abhebt. Diese Situation ändert sich mit dem Auftreten der nord- und ostmitteldeutschen Sprachnormierer, vor allem mit GOTTSCHED, gewaltig. Die historische Option, dass sich im Süden eine eigene Sprachvarietät als Norm etabliert, wird durch die Übermacht des Ostmitteldeutschen vereitelt, umso mehr, als auch die politischen Mächte, vor allem das österreichische Kaiserhaus, das „Meißnische Deutsch" bevorzugten – wohl in erster Linie aus politischen Gründen. GOTTSCHED sollte nach Plänen von Erzherzogin MARIA THERESIA nach Wien übersiedeln und an der Theresianischen Akademie (dem heutigen Theresianum) wirken. Dieses Vorhaben scheiterte zwar, aber seine Werke und die anderer ostmitteldeutscher Autoren wurden in den österreichischen Lehranstalten als Pflichtlektüre vorgeschrieben. Die Widerstände süddeutsch-österreichischer Grammatiker, vor allem von JOHANN BALTHASAR VON ANTESPERG (1682/83–1765), JOHANN SIEGMUND VALENTIN POPOWITSCH (1705–1774), FRIEDRICH WILHELM GERLACH (1728-1802) und IGNAZ VON FELBIGER (1724–1788), gegen GOTTSCHED und seine ostmitteldeutsche Norm waren letztendlich fruchtlos, sodass sich der deutsche Süden spätestens am Ende des 18. Jahrhunderts auch unter dem Einfluss der Schriftsteller (KLOPSTOCK, LESSING, GOETHE u.a.m.) der Mitte und dem Norden sprachlich anglich.

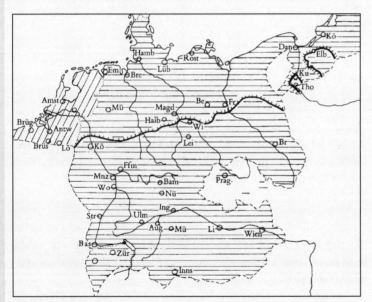

| Abb 54

Schriftsprachen ab dem letzten Viertel des 18. Jahrhunderts: Die ostmitteldeutsche Varietät hat sich (außer in den Niederlanden) durchgesetzt

▬▬ Deutsche Schriftsprache ostmitteldeutschen Gepräges ▨▨ Niederländische Schriftsprache ᴗᴗᴗ ungefähre hochdeutsch/niederdeutsche Sprachgrenze

geln: GOETHE (der seine erste Gesamtausgabe im Verlag Göschen nach ADELUNGS „Vollständiger Anweisung zur Deutschen Orthographie" korrigieren ließ), SCHILLER, WIELAND, aber auch E.T.A HOFFMANN, HEINE, TIECK u.a.

ADELUNG wirkte aber auch normierend auf die Grammatik, indem er 1781 eine „Deutsche Sprachlehre; zum Gebrauch der Schulen in den Königlich Preußischen Landen" (fünf weitere Auflagen bis 1781, auch in Österreich als Schulbuch vorgeschrieben), 1782 sein „Umständliches Lehrgebäude der Deutschen Sprache; Zur Erläuterung der Deutschen Sprachlehre für Schulen" und 1788 eine „Vollständige Anweisung zur deutschen Orthographie" herausbrachte. 1793–1802 folgte ein Auszug aus dem großen Wörterbuch. Auch er sah die Sprachnorm am besten realisiert von den oberen Klassen Obersachsens; aus ihrem Sprachgebrauch leitet er die Regeln für sein Normenwerk ab.

Auf dem von ADELUNG beschrittenen Weg brachte dann JOACHIM HEINRICH CAMPE (1746–1818) sein „Wörterbuch der deutschen Sprache" (5 Bände, 1807–11) heraus, das vor allem eine starke Vermehrung der Stichwörter mit sich bringt. Nachdem vor geraumer Zeit schon Latein als erklärende Metasprache durch das Deutsche abgelöst worden ist, setzt sich nun das alphabetische Prinzip gegenüber der Anordnung nach Stammwörtern durch: Das moderne Wörterbuch ist geboren, die Grundlage für das Epoche machende „Deutsche Wörterbuch" (1854–1971) der Brüder GRIMM gelegt.

▶ Eine allgemein wirkende und auch weiträumig als solche akzeptierte sprachliche Norm liegt erstmals mit dem Wörterbuch von ADELUNG (1774–86) vor, auch wenn sie nicht amtlich ist.

Es fällt auf, dass unter diesen Grammatikern und Sprachlehrern der Anteil von Mittel- und vor allem Norddeutschen sehr hoch ist; Süddeutsche sind so gut wie keine vertreten. Dies hängt auch mit der besonderen Sprachsituation zusammen: Die Norddeutschen waren immer mehr gezwungen, die hochdeutsche Sprache quasi als Fremdsprache zu erlernen, und so etablierte sich die Regel

„Sprich, wie du schreibst" gegenüber dem phonologischen Prinzip „Schreib, wie du sprichst", wie sie etwa noch SCHOTTEL verfochten hatte. Das modernere Konzept wird endgültig von ADELUNG durchgesetzt. Der Weg geht dann von der deskriptiven Beobachtung einer als möglichst hoch stehend oder „rein" angesehenen mündlichen Realisierung zur Aufstellung einer (oft willkürlich angesetzten) schriftsprachlichen Norm, die dann wieder präskriptiv auf Schreibung und Aussprache einwirken soll. Als Vorbild wird sehr oft die oberschichtige Sprachform (und nicht die Dialekte) Obersachsens, vor allem das Thüringische und Obersächsische ohne das Schlesische, angesehen, auch wenn die Grammatiker darunter jeweils etwas anderes verstehen mögen und oft noch Literatursprache und mündliche Sprache verwechseln.

Das 19. Jahrhundert | 6.2

Die Rolle der Schriftsteller | 6.2.1

Das 18. Jahrhundert, besonders seine zweite Hälfte, bringt eine in der deutschen Sprachgeschichte neue Situation: Zum ersten Mal üben Schriftsteller, also Einzelpersonen, mit ihren Werken Einfluss auf die Entwicklung der Sprache aus. Dies ist zwar vereinzelt schon vorgekommen, vor allem wenn man MARTIN LUTHER (und etwa seinen Einfluss auf MARTIN OPITZ) berücksichtigt, aber hier ging die Vorbildwirkung in erster Linie vom religiösen Denker LUTHER und nicht vom Schriftsteller LUTHER aus.

Der Einfluss konnte sich nun aus drei Gründen entfalten: Zum einen zielten die Bestrebungen der Sprachnormierer letztlich nur auf eine schriftliche Sprachform ab, zum anderen wurde mit GOTTSCHEDS Vorschriften zum ersten Mal auf zeitgenössische Dichter als nachahmenswerte sprachliche Vorbilder hingewiesen. Drittens wurde die sprachliche Einigungsbestrebung spätestens seit den Napoleonischen Kriegen auch zum politischen Programm. Auf die Frage, inwieweit sich die Schriftsteller des endenden 18. und beginnenden 19. Jahrhunderts ihren Markt und damit eine überregionale Sprachnorm selbst schufen, kann hier nicht näher eingegangen werden. Vielerlei ist dabei zu berücksichtigen: Die unbefriedigenden politischen Verhältnisse der deutschen Kleinstaaten, die herrschenden Kommunikationsformen des Französischen für den Adel und des Lateins für die Gelehrten, deren Widerstand erst überwunden werden mussten, der Marktwert der deutschsprachigen Literatur, die soziale Stellung der Schreibenden u.v.a.m.

Ein poetisches Vaterunser (in Auszügen)

Laßt uns beten: Vater unser,
Unser Vater, der du bist
In dem Himmel, ewig unser,
Wo das Reich der Gnaden ist;

Auf den Erden, in den Sonnen,
Welche wir wie Funken sehn,
Willst du deines Reiches Wonnen,
Und dein Wille muß geschehn!

Uns're Leiber werden Trümmer:
Vater, unser täglich Brod
Gib uns heute, gib's uns immer,
Bis an unsers Leibes Tod!

Uns're Seelen, schwer beladen
Mit der Last der Sündenschuld,
Stützen sich auf deine Gnaden:
Ach, vergib und uns're Schuld!

Prüf' uns nicht bis zum Erliegen
Unter unserm Seelenschmerz!
Laß dir deine Gnade gnügen,
Sprich uns deinen Trost in's Herz!

Und erlös' uns von dem Bösen!
Du, der Vater, kannst allein
Alles Bösen Bande lösen;
Vater, alle Macht ist dein!

Dein ist Alles! Deinen Namen,
Deine Kraft und Herrlichkeit
Preisen Erd' und Himmel – Amen,
Amen! bis in Ewigkeit.

JOHANN WILHELM LUDWIG GLEIM (1719–1803)

FRIEDRICH GOTTLIEB KLOPSTOCK hat sich seine eigene Dichtersprache geschaffen, und das zu einem Zeitpunkt, als die Diskussionen über eine Sprachnorm höchst intensiv geführt wurden. Mit seinem Hauptwerk, dem Epos „Der Messias" (1748–73), begeisterte er gleichermaßen Protestanten wie Katholiken. KLOPSTOCK kann und will seine pietistische Herkunft nicht verleugnen, und das bringt ihn in scharfen Gegensatz zum aufklärerischen Rationalismus GOTTSCHEDS. Er eröffnet der Dichtersprache seiner Zeit neue Möglichkeiten, macht den klassischen Hexameter in der deutschen Literatursprache heimisch, arbeitet mit freien Rhythmen und sieht die Dichtersprache als Abweichung von der „kalten Prosa" (gemeint ist der Unterschied zwischen Vers und Prosa) – GOTTSCHED hingegen will keinen Unterschied in der Sprache der Prosa und der Dichtung sehen. Berühmt und von seinen Zeitgenossen z.T. mit Verwunderung aufgenommen sind KLOPSTOCKS Wortschöpfungen, sowohl von der Wortbildung (du Toderweckter) als auch der (z.T. semantischen) Umformung her (Mal statt Denkmal) sowie seine persönlichen Neologismen. Als direktes Vorbild erscheinen ihm das Französische, das zu seiner Zeit, bedingt durch den politischen Zentralismus, einen viel höheren Einheitlichkeitsgrad als das Deutsche aufwies, sowie die Prosa der englischen Zeitschriften. Was KLOPSTOCKS syntaktische Gestaltung betrifft, muss man zwischen seiner „kalten Prosa" und der Lyrik unterscheiden. In Ersterer erweist er sich als Meister des knappen, klaren Stils; bei der lyrischen Arbeit betont er die Umgestaltung der „Wortfügung" gegenüber nichtpoetischer Produktion.

GOTTHOLD EPHRAIM LESSING (1729–1781) unterzieht vor allem die Prosa seiner Zeit einer grundlegenden Wandlung. Seine Art zu schreiben wird persönlicher, durch Einbeziehung eines subjektiven Ich. Auch er ist vom kurzen, prägnanten Satz der Engländer beeinflusst. Seine Sprache wird von den nachfolgenden Generationen, aber auch schon von den Zeitgenossen als „klar" und besonders vorbildlich angesehen.

Der Protestant CHRISTOPH MARTIN WIELAND war einer der wenigen bedeutenden Schriftsteller jener Zeit, die aus dem Oberdeutschen stammen. Seit 1769 Professor für Philosophie an der Universität Erfurt, wurde er 1772 als Prinzenerzieher nach Weimar berufen und kam dort auch mit GOETHE und SCHILLER in Kontakt. Im Gegensatz zu LESSING bevorzugt er lange und verschachtelte Sätze; kennzeichnend für ihn ist die Hypotaxe. Auch in der Wortwahl ist der französische Einfluss spürbar, bis hin zum Frivolen in der Darstellung. Seine epische Erzähllust übte zwar keinen unmittelbaren Einfluss auf die Literatursprache seiner Zeit aus, aber von den gebildeten Kreisen vor allem Oberdeutschlands wurde er viel gelesen. Sein sprachliches Feilen zeigt sich u.a. darin, dass er seinen „Oberon", der direkte Verbindungen zu GOETHE und SCHILLER und sogar zum Wiener Volkstheater (bis hin zur „Zauberflöte") herstellt, vor dem Druck sieben Mal umarbeitet.

Abb 55 | *Der bürgerliche Salon als Ort der literarischen Betätigung*

JOHANN GOTTFRIED HERDER (1744–1803) hat die jüngere Generation (um 1770) maßgeblich beeinflusst. Gegen den Diktat der Vernunft setzte er das „Originalgenie". Als perfekte Vorbilder erschienen ihm HOMER, SHAKESPEARE und die (gefälschte) Lyrik des fiktiven OSSIAN. HERDER war auch einer der ersten, der es wagte, gegen die herrschende These vom göttlichen Ursprung der menschlichen Sprache aufzutreten. Damit wurde aber auch die Sprache in die Verfügungsgewalt des Menschen gegeben, was sich im selbstbewussten Umgang der „Originalgenies" des Sturm und Drangs mit der Sprache deutlich zeigte. HERDER forderte die Verwendung von „Machtwörtern", von kräftigen Mundartwörtern, die vor allem aus dem „Schwäbischen" (d.h. dem Mittelhochdeutschen) stammen sollten, von den Meistersingern, von LUTHER, aber auch von MARTIN OPITZ, FRIEDRICH VON LOGAU und schließlich KLOPSTOCK. Im Satzbau verfocht er die Abkehr von starren rationalistischen Formen und die freie Gestaltung der Wort- (d.h. Satzglied-) und Satzfolge. In seinen eigenen Schriften strebt er den Wohlklang beim Lesen an und ist damit WIELAND vergleichbar.

Die Sprache der Klassik   6.2.2

In nahezu allen Sprachgeschichtsdarstellungen wird der Sprache GOETHES und SCHILLERS ein herausragender Stellenwert in der Sprachentwicklung zugesprochen. Zudem wirkt im Bewusstsein des gebildeten Bürgertums die Sprache der „Klassiker" eben als „klassisches Deutsch" und damit als „gutes Deutsch" bis in unsere Tage weiter, auch wenn dieser oft diffus gebrauchte Begriff mit linguistischen Merkmalen nicht genau umrissen werden kann.

Hier kann nicht auf die Sprache des jungen GOETHE und jungen SCHILLER in ihren Werken des Sturm und Drang eingegangen werden. Nur so viel: Anknüpfend an die literarischen, ästhetischen und sprachlichen Vorstellungen HERDERS gefällt sich die junge Generation im Gebrauch und der Schöpfung „kraftgenialischer" Ausdrücke und einer der mündlichen Sprechweise angenäherten Sprache mit ihren mundartlichen Elementen wie Auslassungen, unvollständigen und abgebrochenen Sätzen. Ihre Wirkung auf die Zeitgenossen war gewaltig.

Zu Beginn der Weimarer Klassik war man von einer einheitlichen Sprachform, sowohl im mündlichen als auch im schriftlichen Bereich, im Grund noch weit entfernt. GOETHE und SCHILLER waren keine Grammatiker und verstanden sich auch nicht als solche. So haben sie nie (wie HERDER) in die herrschende Diskussion über den Ursprung der Sprache eingegriffen. Ihre Bemühungen

Erklärung

▶ Der Epochenbegriff „Weimarer Klassik" bezeichnet genau genommen jene Werke, die JOHANN WOLFGANG (VON) GOETHE (1749–1832) und FRIEDRICH (VON) SCHILLER (1759–1805) während ihrer geistigen Annäherung und ihres gemeinsamen Aufenthalts in Weimar unter gegenseitigem Gedankenaustausch geschaffen haben. Im engeren Sinn ist diese Zeit daher einzugrenzen auf die Jahre zwischen 1794, dem Beginn der Freundschaft, und SCHILLERS Tod 1805.

um die deutsche Sprache sind immer mit der Funktion von Sprache in den literarischen Werken verbunden und dieser untergeordnet. So wirkt sich der Inhalt der literarischen Kunstwerke auf die Gestaltung der Sprache aus: Indem sich GOETHE und SCHILLER in ihrer „klassischen" Epoche humanistischen Idealen (Weltbürgertum, Harmoniestreben, Persönlichkeitsbildung, Nachahmung der Antike etc.) verpflichtet fühlen, wollen sie die sprachliche Gestaltung diesem Ideal anpassen.

An GOETHES Änderungen im Wortschatz lässt sich besonders auffällig seine Wandlung vom Sturm und Drang zur Klassik ablesen. Kennzeichnend etwa sind die Änderungen, die er in seinen Jugendwerken im Zuge der Bearbeitung für die erste Gesamtausgabe bei Göschen (1787–1791) vornahm: Individuelle Ausdrücke der Jugendzeit, meist geprägt durch seinen heimatlichen Dialekt, werden unter Benützung des ADELUNG'schen Wörterbuchs einer überregionalen Norm angepasst: jetzt statt izt, vergoldet statt vergüldet, quellet statt quillet, trauernd statt traurend usf. Die e-Apokope wird, dem ostmitteldeutschen Standard zufolge, beseitigt (Herze statt Herz, das Böse statt das Bös, Hoffnungsfülle statt Hoffnungsfüll), ebenso die Synkope: in ihren Schoß statt in ihr'n Schoß. Außerdem werden übertrieben gehäufte Negationen beseitigt. Dreigliedrige, offenbar als „kühn" empfundene Neologismen werden gekürzt: Nebeldüfte statt Wolkennebeldüfte, Blütenträume statt Knabenmorgenblütenträume; „fehlende Artikel" werden eingefügt: im Mutterleib statt in Mutterleib, zum Griffel statt in Griffel, elidierte Flexionsendungen ergänzt: langes Gras statt lang Gras („Wilhelm Meisters Lehrjahre").

Eine besondere Leistung wird der Klassik in den meisten Darstellungen auf dem Gebiet der Wortbildungen und -neuschöpfungen zugesprochen. Dies mag damit zusammenhängen, dass die Entwicklungen auf diesem Gebiet besonders augenscheinlich werden. Die Suche nach aussagekräftigen Neologismen (die nicht selten durch die ungewohnte und neue Kombination von Wortklassen entstehen) zum Zwecke origineller sprachlicher Bilder ist besonders auffällig: tagverschlossen, flügeloffen, sterngegönnt, wellenatmend, neugiergesellig, selbstverirrt, einsgeworden, raschgeschäftig, krummeng, junghold, vielverworren, Werdelust, Lächelmund, Lagequell, Wallestrom, Wimmelschar (GOETHE). Besonders SCHILLER

Die „Antikisierungen" der Klassik

Im Mittelhochdeutschen war die Nachstellung des Adjektivs nach dem Substantiv möglich und üblich. Diese Varianz geht im Frühneuhochdeutschen verloren. MARTIN OPITZ spricht sich im „Buch von der deutschen Poeterey" (1624) entschieden dagegen aus, und seit GOTTSCHED ist sie endgültig verpönt. Jegliche Nachstellung dieser Art muss seit diesem Zeitpunkt als antiquiert oder zumindest poetisch archaisierend wirken. Es verwundert daher nicht, wenn GOETHE sie in dieser Funktion einsetzt: Hermes der leichte („Römische Elegien"), des Glücks des lang ersehnten („Iphigenie" 3,1), sehr gut nimmt das Kütschchen sich aus, das neue („Hermann und Dorothea" 1, 17). Diese Bildungen sind direkt beeinflusst von der HOMER-Übersetzung von JOHANN HEINRICH VOSS (1751–1826), z.B. stets vom Schilde beschwert dem beweglichen.

Auch mit Voranstellung des attributiven Genitivs kann bewusst archaisierende Wirkung erreicht werden: Und das glückliche Fest ... [möge] / Auch mir künftig erscheinen der häuslichen Freuden ein Jahrstag („Hermann und Dorothea" 1, 204). An der Versbearbeitung der Prosa-Iphigenie, aber auch an anderen Werken kann deutlich abgelesen werden, wie Goethe diesen klassizistischen Effekt anstrebt, noch verstärkt durch die Abtrennung des Artikels: O leite meinen Gang, Natur, den Fremdlings Reisetritt („Der Wanderer"). Es kann genau verfolgt werden, wie J. H. VOSS diese Spaltungen, zum Teil genau der griechischen Wortstellung nachbildend, zur Spitze treibt, ihm folgt GOETHE wieder in seinen antikisierenden Dichtungen: geschwinde die Spuren / Tilget des schmerzlichen Übels („Hermann und Dorothea" 1, 94), auch wenn er die Kühnheit von VOSS nicht erreicht.

Änderungen in der Satzgliedfolge lassen sich häufig beobachten: Und die Sorge, die mehr als selbst mir das Übel verhasst ist – Und es brannten die Straßen bis zu dem Markt, und das Haus war / Meines Vaters hierneben verzehrt und dieses zugleich mit („Hermann und Dorothea" 1, 159; 2, 120f.). Vor allem kommt dies auch im Nebensatz vor: denn solches Los dem Menschen wie den Tieren ward („Pandora").

zeigt eine Vorliebe für seltene und ungewöhnliche Wörter wie Blumenschwelle, Ambradüfte, Taumelkelch, Gaukelbund, machtumpanzert, Viehmaskierung, Silberton, Zitternadel.

Mehr noch als die Neuschöpfungen aber ist der Wortgebrauch GOETHES dadurch gekennzeichnet, dass er gebräuchliche Ausdrücke in zwar bekannten, aber eher ungewöhnlichen Sonderbedeutungen verwendet, etwa abneigen ‚abbringen, ablenken', aneignen ‚anpassen', ausgespart ‚seltsam', Bedingung ‚bedingendes Hindernis, Schranke', beherzigen ‚eingehend betrachten', rein, reinlich ‚frei von Flecken der Stofflichkeit', schmächtig ‚von schmachtender Gesinnung', tüchtig ‚fest und solide im Gegenwärtigen und den Pflichten des Lebens wurzelnd' (eines der Lieblingswörter GOETHES), sonst ‚früher' u. dgl. mehr. Aus diesen und ähnlichen „Bedeutungsverschiebungen" rühren die Missverständnisse, die die Lektüre bei heutigen Lesern hervorrufen mögen. Vor und für sind noch nicht auseinander gehalten (das hat viel vor sich), widerlich ist „schwächer" als heute und meint noch nicht die abstoßende Wirkung, sondern eher ‚unfreundlich, missvergnügt', wirksam ‚eifrig, tätig' (wirksames Genie bei SCHILLER), grün ist nicht (nur) Farbbezeichnung, sondern ‚frisch, jung', daher der scheinbare Widerspruch im bekannten Faust-Zitat Grau, teurer Freund, ist alle Theorie / Und grün des Lebens goldner Baum. In diesem Sinn muss man bestimmte Lieblingswörter GOETHES, die sich als Leitbegriffe klassischer Vorstellungen herauskristallisierten, in ihrer ursprünglich gemeinten Verwendungsweise verstehen: Heiterkeit meint nicht den Anlass zu billigem Vergnügen, sondern eine harmonische Stimmung der ausgeglichenen Gemütsruhe. Besonders charakteristisch für die Klassik wird die Tendenz zum schmückenden Beiwort, die so stark wird, dass sie schon den Zeitgenossen auffällt und von ihnen kritisiert bzw. parodiert wird.

Klarheit ist das oberste Ziel der Klassik, für GOETHE sogar ein Lieblingswort. Zu den schon Genannten heiter, artig, wunderlich tritt eine Reihe ähnlicher Ausdrücke wie trefflich, würdig, redlich, schätzbar, geschätzt, löblich, erfreulich, etwa in den (halb)festen Formeln redliches Bemühen, löbliches (redliches, unbedingtes) Streben u.a.m. Das Streben nach Klarheit bedeutet aber auch Abbau von unübersichtlichen Schachtelsätzen und eine latente Neigung zu Parata-

Merksatz

▶ **Die Sprache GOETHES während der Klassik ist gekennzeichnet durch Neologismen und „Sonderbedeutungen" sowie dem Streben nach „Klarheit".**

| Abb 56

Titelseite der „Koeniglich privilegierten Berlinischen Zeitung" vom 1. Oktober 1828

xen, die auch an der häufigen Verwendung der „wertneutralen" Copula und zum Ausdruck kommt.

Durch die Beschränkung kommt das Individuum zur Mäßigung, Besonnenheit, Entsagung, Ehrfurcht. Weitere semantisch mit großer Bedeutung besetzte Termini in diesem Zusammenhang sind streben, stetig, Stetigkeit, Mühe, tätig, Tätigkeit, fördern, Förderung, steigern, Steigerung, anschauen, anschauend, Anschauung.

Parataxen sind Verbindungen von Hauptsätzen, Hypotaxen Satzgefüge (Verbindungen von mindestens einem Haupt- und einem Nebensatz).

SCHILLERS Vorliebe für moralisierende Tendenzen ließ besonders sein dramatisches Werk zur unerschöpflichen Zitatenquelle des Bildungsbürgertums werden: Die Axt im Hause erspart den Zimmermann – Der brave Mann denkt an sich selbst zuletzt – Mit der Dummheit kämpfen Götter selbst vergebens u.v.a.m. Wenn GOETHE die Sprache der nachkommenden Generationen mehr durch Wortneubildungen und -umprägungen gestaltete, war SCHILLERS Einfluss bedeutend stärker auf dem Gebiet der (moralisierenden) Sentenzen, die zu „geflügelten Worten" wurden. Der außerordentliche Erfolg dieser Sentenzen liegt sicher auch darin begründet, dass ihre Verwendung den (tatsächlichen oder vorgetäuschten) Bildungsstand des Benutzers demonstrieren soll. Letztlich dient dieses Sprachmaterial, da seine Kenntnis in der Kommunikationssituation stillschweigend vorausgesetzt werden kann, auch als Basis für ironische oder parodistische Verfremdungen („Der brave Mann denkt an sich selbst zuerst") und bietet damit neue sprachschöpferische Möglichkeiten.

Die Sprache der Weimarer Klassik hat auf die Sprachnorm des 19. Jahrhunderts allerdings einen geringeren Einfluss ausgeübt als bisher allgemein angenommen. Ihre Vorbildwirkung ist auf drei unterschiedlichen Ebenen anzusiedeln:

Merksatz

▶ Die Sprache der „Klassik" beeinflusste die Sprachnorm des 19. Jahrhunderts nicht so stark wie bisher angenommen. Ihr Einfluss war stilgeschichtlicher Natur, dem humanistischen Gymnasium und normativen Grammatikern diente sie als Vorbild.

1. Starke Einflüsse sind in der Dichtung des 19. und 20. Jahrhunderts, vor allem bei jenen Dichtern, die sich als Nachfolger der Klassik (etwa CHRISTIAN DIETRICH GRABBE oder FRANZ GRILLPARZER) sahen, aber auch weit in die Trivialliteratur hinein zu finden. Diese Varietät hat jedoch keine Einflüsse auf die geschriebene und gesprochene Alltagssprache genommen, sodass hier von keinem sprachgeschichtlichen, sondern von einem stilgeschichtlichen Phänomen auszugehen ist.

2. Institutionalisiert wird die Vorbildwirkung im Schulwesen, vor allem im humanistischen Gymnasium. Hier werden die Grundlagen gelegt für die Wertschätzung der Klassiker durch das deutsche Bildungsbürgertum bis zum Zweiten Weltkrieg. Die Sprachgestaltungen GOETHES und SCHILLERS wirken sich indirekt auf den Sprachgebrauch des 19. Jahrhunderts aus, indem sie von den normativen Grammatikern aufgegriffen und zum Vorbild er-

klärt werden, dem von allen Angehörigen der Sprachgemeinschaft nachzueifern ist. Die Grammatiker greifen aber selektiv heraus, was als schriftsprachliche Norm anzusehen ist, sodass der Sprachgebrauch in den „klassischen" Werken GOETHES und SCHILLERS nicht 1:1 als standardsprachliche Norm umgesetzt wird. Den größten Einfluss auf die geschriebene und auch gesprochene Sprache haben die Weimarer Klassiker (neben einzelnen, von ihnen geschaffenen und umgeprägten Wortformen) wohl mit ihren zu Sprichwörtern gewordenen Sentenzen ausgeübt.

3. Die (Tages-)Presse bemüht sich vor allem in ihren „höherstehenden" Produkten, um eine als „klassisch" und somit „gut" angesehenen Sprachform – obwohl diese wie gezeigt nicht eindeutig definiert werden kann.

4. Keine Auswirkungen sind in der Sprache der Wissenschaft, Technik und vor allem der Alltagssprache zu sehen.

Zusammenfassung

▶ In der Neuzeit werden viele der kulturellen und gesellschaftlichen Veränderungen wirksam, die bereits in frühneuhochdeutscher Zeit (etwa durch Buchdruck und Reformation) zu Grunde gelegt worden sind. Vor allem die gewandelten Kommunikationsbedingungen lassen der Adels- und Bürgerschicht des 17. Jahrhunderts bewusst werden, dass das Deutsche im Vergleich zu anderen europäischen Sprachen über keine einheitliche Schriftsprache verfügt. Die Gründungen von (heute so genannten) Sprachgesellschaften sollen diesem Missstand abhelfen und eine „nationale" deutsche Literatur und Sprache schaffen, wobei sich ihre zahlreichen Mitglieder oft in Detailproblemen verlieren. Gleichzeitig werden etwa von SCHOTTEL, BÖDIKER, STIELER u.a. grundlegende Grammatiken und Wörterbücher geschaffen, die nicht unseren heutigen Ansprüchen genügen, die aber den Weg zu einer weiteren Vereinheitlichung und Normierung der Schriftsprache ebnen.

Vor allem über das Wesen dieser Schriftsprache wird viel diskutiert. Tonangebend sind die in Leipzig wirkenden Grammatiker JOHANN CHRISTOH GOTTSCHED und JOHANN CHRISTOPH ADELUNG, die die Norm nicht in einer tatsächlich gesprochenen Sprache oder einem Dialekt sehen, sondern in der schriftlichen Sprache der Ober-

Zusammenfassung

schicht, zu der sie – erstmals in der deutschen Sprachgeschichte – auch die „vornehmsten" Schriftsteller zählen. So wird die ostmitteldeutsche Varietät, oft verkürzend als „Meißnisches Deutsch" (nach der Stadt Meißen, der alten Hauptstadt Obersachsens) genannt, zum alles überragenden Vorbild, dem sich auch der hochdeutsche Süden anschließt. Nur die Niederlande gehen aufgrund der politischen Ereignisse einen eigenen sprachlichen Weg.

Übungen

1   ● Worin liegt die sprachhistorische Bedeutung Gottscheds?

2   ● Nennen Sie die wichtigsten Wörterbücher des 18. und 19. Jahrhunderts.

3   ● Vergleichen Sie das Vaterunser in der Übersetzung Luthers (S. 164) mit der poetischen Version von Gleim (S. 198). Welche Abweichungen in Lautstand, Lexik und Syntax können Sie feststellen?

4   ● Wie kann sich das Sprachverhalten einzelner Schriftsteller auf die Bildung einer Norm auswirken?

5   ● Wie viele und welche Schriftsprachen gibt es im deutschsprachigen Raum in der ersten Hälfte des 17. Jahrhunderts?

Literatur

Betten, Anne (1990) (Hg.): Neuere Forschungen zur historischen Syntax des Deutschen. Referate der internationalen Fachkonferenz Eichstätt 1989. Unter Mitarb. von Claudia M. Riehl. Tübingen.

Blackall, Eric A. (1996): Die Entwicklung des Deutschen zur Literatursprache 1700-1775. Mit einem Bericht über neue Forschungsergebnisse 1855-1964 von Dieter Kimpel. Stuttgart.

Gardt, Andreas / Mattheier, Klaus J. / Reichmann, Oskar (1995) (Hg.): Sprachgeschichte des Neuhochdeutschen. Gegenstände, Methoden, Theorien. Tübingen: Max Niemeyer. (Reihe Germanistische Linguistik 156)

Jellinek, Max Hermann (1913–14): Geschichte der neuhochdeutschen Grammatik. Von den Anfängen bis auf Adelung. Heidelberg. Nachdruck 1968.

Linke, Angelika (1996): Sprachkultur und Bürgertum. Zur Mentalitätsgeschichte des 19. Jahrhunderts. Stuttgart, Weimar.

Von etwa 1875 bis heute | 7

7.1 | Sprachliche Vereinheitlichungsbestrebungen

7.1.1 | Zur Sprachsituation in der zweiten Hälfte des 19. Jahrhunderts

Durch das Wirken WILHELM VON HUMBOLDTS (1767–1835) wurde das humanistische Gymnasium geschaffen. HUMBOLDT konzipierte im Rahmen des Neuhumanismus als Leiter des Kultur- und Unterrichtswesens im preußischen Innenministerium praktisch das gesamte Bildungswesen: 1809 wurde er zum Geheimen Staatsrat und Direktor der Sektion des Kultus und Unterrichts im preußischen Staat ernannt – der Sache nach zum ersten Kultusminister Preußens, ein Amt, das er zwar nur 16 Monate innehatte, in dem er aber die Weichen für die weitere Entwicklung des gesamten 19. Jahrhunderts stellte, vor allem für die Berliner Universität und das humanistische Gymnasium. Auch die Volksschulen erfuhren eine bedeutende Besserstellung mit nun hauptamtlichen und ausgebildeten Lehrkräften; um 1816 wurden davon fast 60 % der deutschsprachigen Schulpflichtigen erfasst. Bis tief in das 20. Jahrhundert hinein ist das humanistische Gymnasium der konservierende (und konservative) Hort der bürgerlichen Bildungsideale geblieben, in deren Mittelpunkt die Heranziehung zur Humanität, das heißt der größtmöglichen menschlichen Vervollkommnung stehen sollte. Ganz nach dem Vorbild der Klassiker und der von ihnen verehrten Antike (oder dem, was man darunter verstand) sollte der junge Mensch (wohlgemerkt: der junge männliche Mensch) zur Beherrschung der eigenen Leidenschaften, zur Hilfsbereitschaft gegenüber den Mitmenschen, also zur Bildung eines „edlen Charakters" angeleitet werden. Dies glaubte man über das Studium der alten

Erklärung

▶ Viele Sprachgeschichtsdarstellungen lassen das Neuhochdeutsche bis zur Gegenwart reichen oder ab 1945–50 eine neue Epoche beginnen. Da ich die Ansicht vertrete, dass es für beide Vorgehensweisen keine ausreichenden sprachlichen Begründungen gibt, setze ich im letzten Viertel des 19. Jahrhunderts, als die Entstehung einer amtlichen Norm immer konkretere Züge annimmt, eine Grenze in der Epocheneinteilung an. Außerdem entstehen mit der Schaffung eines deutschen Nationalstaats, des Deutschen Reichs 1870/71, neue Kräfte der Bewusstseinbildung und der Einigung auch auf sprachlichem Gebiet.

Kulturen, ihrer Menschen und ihrer Sprachen (d.h. Latein und Griechisch) zu erreichen.

Erste Bestrebungen zur Verwirklichung des Ideals vom „edlen (jungen) Menschen" gegen Ende des 18. Jahrhunderts waren getragen von der Überzeugung, dass die Lektüre deutscher Übersetzungen lateinischer und griechischer Klassik für die Beherrschung der Muttersprache nicht ausreichend wären, sondern dass dafür die „besten Werke der Nationschriftsteller" ausführlich herangezogen und gelesen werden müssten. 1808 wird in Bayern erstmals ein Lektürekanon ausgegeben, der den Literaturlehrstoff systematisch von Klopstock bis Goethe aufgliedert. Infolge methodischer Mängel und sich daraus ergebender Misserfolge wird dieses Programm jedoch 1824 wieder aufgegeben. In Preußen wird 1812 eine Abiturinstruktion erlassen, die neben gutem schriftlichen Ausdruck und mündlichem Vortrag auch die Kenntnis der Hauptepochen in der Geschichte der deutschen Sprache und Literatur mit den „vorzüglichen Schriftstellern der Nation" verlangt. Solcherart wird die Bekanntschaft mit den Klassikern amtlich für die Schule vorgeschrieben.

> **Merksatz**
>
> ▶ Im 19. Jahrhundert etablierte sich das Streben nach humanistischer Menschenbildung, was mit einer Kanonisierung der „besten Werke der Nationalschriftsteller" einherging.

Eine Reihe von Schulmännern des 19. Jahrhunderts unternahm den Versuch, die deutsche Gegenwartssprache ihren Schülern bei- und nahe zu bringen: Der Nassauer Josef Kehrein, der in Wien wirkende Niederhesse Theodor Vernaleken, später Oskar Erdmann, Hermann Wunderlich, der ebenfalls zeitweise als Schulmann wirkende spätere Universitätsprofessor Wilhelm Wilmanns sowie der Strassburger Gymnasialprofessor John Ries.

Einen ersten Höhepunkt stellt Rudolf Hildebrands Buch „Vom deutschen Sprachunterricht in der Schule und von deutscher Erziehung und Bildung überhaupt" (1867) dar, das bis 1930 19 Auflagen erlebte. Es verfolgt die Richtung des muttersprachlichen Deutschunterrichts für die Jugend. Höchst erfolgreich war zuvor „Der deutsche Unterricht auf deutschen Gymnasien" des Merseburger Schulmannes Robert Heinrich Hiecke, dem es ein ehrliches Anliegen ist, den Unterricht zum größtmöglichen Nutzen für die Schüler zu gestalten. Im Vordergrund steht dabei die humanistische Menschenbildung. Als probates Vehikel dafür erscheinen ihm die Vermittlung der antik-klassischen Autoren, aus deren Sprache auch für den Gebrauch der Muttersprache Nutzen gezogen werden könne, sowie vor allem die Klassiker GOETHE und SCHILLER, aber namentlich auch KLOPSTOCK, LESSING (mit seiner „durchdringenden Klarheit") und UHLAND; abgelehnt werden ausdrücklich JEAN PAUL (sogar als schädlich eingestuft) und die Romantiker. Darin folgt HIECKE dem literarästhetischen und moralisierenden Maßstab seiner Zeit, der kurz zuvor von GEORG GOTTFRIED GERVINUS in seiner fünfbändigen „Geschichte der poetischen Nationalliteratur der Deutschen" (1835–42) festgeschrieben worden war: GERVINUS sieht GOETHE als Höhepunkt und Abschluss der literarischen Entwicklung, demgegenüber die „Zerrissenheit" der Romantik nur einen Abstieg bedeuten kann; eine Ansicht, die dann WILHELM SCHERER in seiner einflussreichen Literaturgeschichte von 1883 vertritt und die erst zu Beginn der 20. Jahrhunderts durch die Aufwertung der Romantik allmählich aufgegeben wird.

Da HIECKE seine Anforderungen nicht nur in der Theorie formuliert, sondern auch mit methodisch-didaktischen Hinweisen (bis hin zu aufgearbeiteten Beispielen für den Unterricht) verbindet,

Abb 57 | *JACOB GRIMM hält eine Vorlesung (am 28. Mai 1830 in Göttingen), gezeichnet von LUDWIG E. GRIMM*

erreichen sein Buch und die gesamte pädagogisch-didaktische
Richtung höchsten Einfluss in der Unterrichtspraxis. Seit der Mitte
des 19. Jahrhunderts wird dieser Aspekt der muttersprachlichen
Ausbildung in den staatlichen
Schulverordnungen in Österreich (1849), Bayern (1854) und
bald darauf auch in Preußen
und nahezu allen 38 Staaten
des Deutschen Bundes eingeführt.

Merksatz

▶ **Einen wichtigen Schritt für die Durchsetzung einer Normgrammatik setzte ROBERT HEINRICH HIECKE mit seinem einflussreichen Deutschlehrbuch.**

Grundlegend erscheint, dass zunächst zu trennen ist zwischen
der (mündlichen) Umgangssprache und der (schriftlichen) Standardsprache des 19. Jahrhunderts. Wir können dies durchaus auf
unsere unmittelbare Gegenwart übertragen: Wohl niemand, der
einen Roman von THOMAS MANN liest, wird dessen Sprache in der
alltäglichen Unterhaltung imitieren.

Das Vordringen der Normgrammatik kann sukzessive beobachtet werden. Einen wichtigen Beitrag leistete KARL FERDINAND BECKER
(1775–1849), der Schöpfer unserer normativen Schulgrammatik.
Eine weitere Textsorte sind die Stilfibeln für ein Laienpublikum,
die in der zweiten Hälfte des 19. Jahrhunderts vermehrt erscheinen
und die sich – im Gegensatz zu den zuvor beschriebenen Werken –
nicht als muttersprachliche Unterrichtsmittel für Gymnasiasten
verstehen, sondern sich an die gebildete Öffentlichkeit, d.h. das
(Bildungs-)Bürgertum, wenden. (Ausdrücklich nicht gemeint sind
damit die Historischen Grammatiken, beginnend bei den Grundla-
genwerken von FRANZ BOPP und JACOB GRIMM bis hin zur großen
Deutschen Grammatik von WILHELM WILMANNS, die zu ihrer Zeit tonangebend war.) Höchst einflussreich waren die „Grundzüge der
deutschen Syntax" von OSKAR ERDMANN aus dem Jahr 1886, obwohl
sie ein Torso geblieben sind. Der Verfasser will eine Übersicht über
die Möglichkeiten der syntaktischen Gestaltungen geben, die allerdings nicht auf Beobachtungen der gesprochenen Sprache oder der
Umgangs-/Alltagssprache beruhen, sondern aus den schriftlichen
Werken verschiedener Epochen extrapoliert und als präskriptive
Grammatikregeln zusammengefasst werden. ERDMANN schlägt den
Bogen dabei vom Gotischen über das Mittelhochdeutsche bis hin
zu LESSING, den Klassikern und sogar den Romantikern (z.B. CLEMENS
BRENTANO), die noch von HIECKE ein halbes Jahrhundert zuvor vehe-

ment abgelehnt wurden, fast bis in die unmittelbare Gegenwart (FRIEDRICH RÜCKERT, 1788–1866).

ERDMANN ist für ganze Generationen ähnlicher Sprachnormierer stil- und meinungsbildend geworden. Bereits sehr früh beruft sich HERMANN WUNDERLICH auf ihn; seine Bücher „Der deutsche Satzbau" von 1892 und „Unsere Umgangsprache in der Eigenart Ihrer Satzfügung" von 1894 sind ihrerseits höchst einflussreich geworden. Als besonders markantes Beispiel für den Umgang mit der Norm kann LUDWIG SÜTTERLINS „Die Deutsche Sprache der Gegenwart" gelten. Erschienen zum ersten Mal im Jahr 1900, stellte es für seine Zeit selbst einen „Klassiker" dar, der für die Zeitgenossen zum Maßstab wurde. Im Vorwort schreibt der Autor: „Im Vordergrund der Erörterung sollte die heutige Sprache stehen. Doch habe ich bis in die Mitte des 18. Jahrhunderts zurückgegriffen und vor allem unsere großen Schriftsteller vom Ausgang des 18. Jahrhunderts berücksichtigt, nicht nur weil sie geschichtlich sehr viel bedeuten, sondern auch weil ihre Sprache alle Arten der sprachlichen Darstellung noch heute mächtig beeinflußt."

Der Beginn des 20. Jahrhunderts bringt eine Reihe von gesellschaftlichen und sozialen Änderungen mit sich (den Ersten Weltkrieg, das Ende des gründerzeitlichen Bildungsbürgertums, eine Umstrukturierung des öffentlichen Schulsystems etc.), die sich auch auf die Sprache auswirken. Es erscheint daher sinnvoll, hier eine Grenze zu ziehen, auch wenn als absolutes Ende dieser Einflüsse die Machtergreifung der Nationalsozialisten und der Zweite Weltkrieg zu sehen sind.

7.1.2 | Neue Voraussetzungen

Das späte 19. und die erste Hälfte des 20. Jahrhunderts unterscheiden sich in verschiedener Hinsicht entscheidend von den vorangehenden Epochen der deutschen Sprachgeschichte:

1. Zum einen entsteht in der ersten Hälfte des 19. Jahrhunderts eine akademische Sprachwissenschaft an den Universitäten, die stringente Methoden und „Schulen" aufbaut. Linguistik wird zu einer ernsthaften Disziplin, und sie entwickelt wie andere Wissenschaften in dieser Zeit vor allem zwei Kriterien: Sie soll objektiv und deskriptiv sein. Objektiv bedeutet, dass die Ergebnisse nachvollziehbar sein müssen und bewiesen werden sollen. Sub-

jektive und singuläre Behauptungen (etwa die angebliche „Reinheit" bestimmter Sprachlandschaften) werden nicht als wissenschaftlich betrachtet. Deskriptiv bedeutet, dass die Linguisten sprachliche Fakten und Phänomene nur beschreiben und keine sprachlichen Vorschriften machen sollen, wie sie etwa PHILIPP VON ZESEN mit seinen Wortschöpfungen vorlegte.

> **Merksatz**
>
> ▶ **Einflussreich war die Entstehung der akademischen Sprachwissenschaft mit ihrer Forderung nach Objektivität und Deskription.**

Natürlich sind beide Bereiche nicht immer sauber zu trennen, denn die moderne Duden-Grammatik und -Rechtschreibung etwa beruhen auf Beobachtung, werden aber selbst wieder zu präskriptiven Instrumenten. Und ebenso selbstverständlich halten sich – bis heute – nicht alle Sprachwissenschaftler an dieses stillschweigende „Abkommen", das auf die praktischen Bedürfnisse der Schulen kaum Rücksicht nimmt.

2. Zum ersten Mal in der Geschichte der deutschen Sprache wird auch die gesprochene Sprache konservierbar. Es entstehen technische Geräte, mit denen mündliche Sprache aufgezeichnet werden kann. Zwar sind diese am Anfang – gemessen am heutigen Standard – noch sehr primitiv, wie Wachswalzen, Schellackplatten usw., aber die Linguistik hat den technischen Fortschritt immer zu nutzen gewusst. Damit werden aber auch die Aussagen über gesprochene Sprache nachvollziehbar und beweisbar.

> **Merksatz**
>
> ▶ **Mit dem Aufkommen von Aufnahmegeräten wird erstmals die gesprochene Sprache konservierbar.**

Die entstehende Sprachwissenschaft als universitäre Disziplin hat beispielsweise zur Folge, dass man sich mit der gesprochenen Sprache in Deutschland, d.h. mit den Dialekten, näher befasst (s. S. 14ff.). Die intensive Beschäftigung mit den Mundarten erwuchs aus dem Streit um die Ausnahmslosigkeit der Lautgesetze, die die so genannten Junggrammatiker ab 1876 postuliert hatten: Wenn Lautgesetze ausnahmslos wirken, so die Annahme, dann müsse sich dies auch in gleichartigen Dialektentwicklungen zeigen lassen. In jener Zeit betrieb man Sprachwissenschaft jedoch ausschließlich historisch-diachron. Was fehlte, war eine synchrone Darstellung der Mundarten, eine Dialektgeographie. Diesem Zweck sollte die Erstellung von Sprachatlanten dienen, also die kartographische Erfassung der lebenden Mundarten, was mit dem deutschen Sprachatlas verwirklicht wurde. Als man sich also im letzten Viertel des 19. Jahrhunderts intensiv und positivistisch mit den deutschen Dialekten zu beschäftigen begann, entdeckte man etwas für die Wissenschaft Neues: die Umgangssprachen.

Den Menschen, d.h. nicht nur den Sprachwissenschaftlern, wurde immer mehr bewusst, dass es außer Norm und Dialekt (die in den Werken der Naturalisten literarisch erfasst wurden) noch andere Sprachformen gibt. THEODOR FONTANE etwa oder GERHART HAUPTMANN bildeten sie in der Literatur nach. Die akademische Sprachwissenschaft ignorierte die Umgangssprachen zunächst aber noch, allenfalls nahm man noch von der Sprache in den Städten Notiz, die man aber als „verderbt", als „Jargon" oder „Sprache des Proletariats" auffasste. So bezeichnete der angesehene Sprachwissenschaftler ADOLF SOCIN noch im Jahr 1888 die Sprachformen in den großen Städten als „Verhunzung". Man war offenbar noch zu sehr mit dem Ringen um die Norm beschäftigt, um den Umgangssprachen ungezwungen entgegentreten zu können. Die Sprachfibeln tadeln umgangssprachliche Elemente immer, wenn sie in der Schrift auftauchen.

Erklärung

▶ **Umgangssprachen kann man als die gesprochene Annäherung an die Standard- oder Literatursprache verstehen. Deshalb bleiben sie mit dem Standard verknüpft, und so lange man noch nicht über einen allgemein anerkannten Standard verfügt, müssen auch die Umgangssprachen notwendigerweise vage bleiben.**

Am markantesten sind auch hier die Wortformen. Bereits GOTT-SCHED und ADELUNG hatten sich in Bezug auf umgangssprachliche Formen sehr vage ausgedrückt. Im Vergleich zu anderen Kultursprachen kennt das Deutsche sehr viele regionale Umgangssprachen, die meist mit bedeutenden kulturellen Zentren wie Berlin, Leipzig, Hamburg oder Wien in Verbindung gebracht werden.

Es ist nicht ganz einfach, die Unterschiede zwischen den einzelnen Umgangssprachen zu fassen, weil die Grenzen zwischen Standard-, Umgangssprache und gehobenem Dialekt nicht eindeutig definiert werden können. Es ist außerdem schwierig nachzuweisen, inwieweit die großen Städte sprachlich auf ihr Umland eingewirkt haben. Selbst bei großen Städten wie Berlin und Wien ist dies

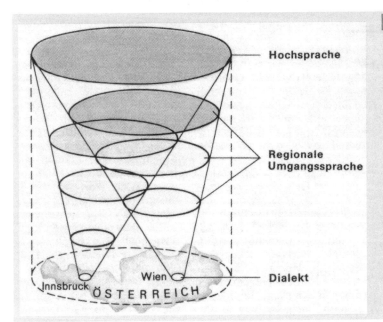

Abb 58

Sprachschichten am Beispiel Österreichs

Hochsprache

Regionale Umgangssprache

Dialekt

ÖSTERREICH

Innsbruck

Wien

nicht im Einzelnen demonstriert und nicht demonstrierbar. Entscheidend ist, dass die gesprochene Umgangssprache aufgrund des Prestiges der im späten 19. Jahrhundert an Bedeutung gewinnenden Städte und ihres Bildungsbürgertums immer einflussreicher wird und solcherart immer mehr in die Schrift eindringt.

Selbstverständlich ist auch der Einfluss von Nachbar- sowie Fach- und Gruppensprachen, die je nach Stadt spezifisch sein können, zu berücksichtigen. In Wien etwa bemerkte man besonders den Einfluss des Tschechischen, da gegen Ende des 19. Jahrhunderts sehr viele Böhmen und Mährer (etwa als Ziegelbrenner, Schausteller, Kutscher, Dienstmädchen etc.) nach Wien kamen.

Technisch-medizinischer Wortschatz

7.1.3

Die großartigen technischen Errungenschaften der Naturwissenschaften durchdrangen im Lauf des 19. Jahrhunderts zunehmend das Alltagsleben. Ihre Vorteile wurden im täglichen Leben immer

Ein Beispiel: Die Berliner Umgangssprache

Am Beispiel Berlins wurde gezeigt, welche Änderungen und Elemente in die Umgangssprache eindringen:

1. Phonologie: Assimilation oder Schwund von Endkonsonanten, besonders von Dentalen: und, nicht, ist, sind > un, nich, is, sin, langes e: auch für sprachhistorische „falsche" Phoneme, z.B. meene ‚meine'.
2. Morphologie: Andere Endungen bzw. Verteilungen der Pluralkennzeichen: Dinger, Stöcker, Steener ‚Steine', Fräuleins, Gärtners, Fenstern, Messern
3. Syntax: Verwechslung von Dativ und Akkusativ-Formen; typische Wendungen von Modalverben: det konnste dir jedacht haben statt „das hättest du dir denken können"
4. Partikeln: man in der Verwendung von ‚nur': binde man alles gut zusammen
5. Wortschatz: Kladderadatsch ‚Zusammenstoß', knorke ‚einmalig, wunderbar, herausragend', auch in Komposita wie vollknorke, edelknorke; manoli ‚verdreht' u.v.a.m.

stärker spürbar. Eine willkürliche Auswahl aus den Erfindungen führt vor Augen, wie sehr sie das alltägliche Leben änderten:

- die Dampfmaschine und ihr Einsatz in der Industrie
- die Eisenbahn (1814 in England, ab 1835/40 auf dem europäischen Kontinent)
- Gasbeleuchtung
- Elektrizität mit allen Folgeentwicklungen (Telegraph, Telefon, Beleuchtung etc.)
- Fotografie und Film
- Automobil, Flugzeug
- Medizin: Entdeckung der Anästhesie, der Desinfektion (IGNAZ SEMMELWEIS), neuer Operationstechniken (THEODOR BILLROTH u.a.).

Im Wortschatz sind Spuren dieser Errungenschaften zu finden. Man kann dies durchaus mit dem heutigen Siegeszug des Computers vergleichen, der innerhalb weniger Jahre fast alle Lebensbereiche durchdrungen hat und sich auch auf den Wortschatz von Men-

Abb 59

Fabrik in der zweiten Hälfte des 19. Jahrhunderts

schen auswirkt, die nichts mit ihm zu tun haben wollen (etwa wenn sie auf der Bank kein Geld bekommen, weil „das System zusammengebrochen ist").

Erklärung

▶ **Beispiele für technisch-medizinische Wortschatzveränderungen**
Industrie: industriell, Industrie, -arbeiter und alle Komposita, Fabrik, Techniker, Dampf-, Wasch-, Näh-, (Schreib-)Maschine, Automat
Eisenbahnwesen: Eisenbahn (aus dem Bergbau), Lokomotive, Tunnel, Wagon, Zug, Extra- in allen Komposita, Heizer, Schaffner, Weiche, Gleis, Perron/Bahnsteig, Bahnhof, Billet, Dampf machen/ablassen, in Fahrt kommen
Auto: Auto(mobil), Benzin, Kraftfahrzeug, (Omni-)Bus, Tankstelle, -wart, Garage, parken, einen Gang zulegen, Sand im Getriebe haben
Flugwesen: Flughafen, -zeug, Propeller, Düsenflugzeug, Rakete, Zeppelin, Hubschrauber
Elektrizität: Elektrizität, Strom, Glühbirne, Ohm, Watt, Volt, Relais, Röhre
Nachrichtenwesen: Brief, -kasten, Kuvert, Telegraf, Fernschreiber, Telefon, Radar, Funk und alle Komposita
Medizin: Bakterium, Virus, Vitamin, Hygiene, kneippen, Stoffwechsel, Depression, Labor, Rohkost, neue Krankheitsnamen

Es versteht sich von selbst, dass diese Wörter mit den sie bezeichnenden Sachen in den Wortschatz gelangen und z.T. bewusste Kunstschöpfungen sind, wie Lokomotive oder Gas, Letzteres eine Schöpfung des holländischen Arztes und Chemikers FRANCISCUS MERCURIUS VAN HELMONT im 17. Jahrhundert, wegen dessen Ähnlichkeit mit der niederländischen Aussprache von chaos.

In diesem Zusammenhang muss berücksichtigt werden, dass sich durch die zunehmende Spezialisierung im Arbeitsbereich und die Herausbildung neuer Berufe und Berufsgruppen auch neue Fach- und Gruppensprachen entwickelten oder bereits bestehende (z.B. die Buchdruckersprache) entscheidende Änderungen erfuhren. Diese wirkten dann in die Alltags- und Umgangssprache hinein.

7.1.4 Der Purismus des 19. Jahrhunderts

Fast parallel zu dieser Entwicklung entstand eine Richtung, die sich vehement gegen den übermäßigen Gebrauch von Fremdwörtern wandte und die heute als **Purismus** bezeichnet wird. Dieser ist geprägt von einer starken Politisierung und einem Nationalgefühl, das sich zum Nationalismus steigert.

Erklärung

▶ **Der Purismus des 19. und 20. Jahrhunderts hat mit den Zielen der barocken Sprachgesellschaft die Abneigung gegen Fremdwörter und die Bevorzugung einer nicht näher definierbaren „reinen" deutschen Nationalsprache gemein. Als Bewegung erfasst er jedoch weite Bevölkerungskreise, während die barocken Bemühungen auf eine dünne Oberschicht beschränkt bleiben.**

Die Bewegung beginnt zwar nicht zu Anfang des 19. Jahrhunderts, ab diesem Zeitpunkt erfährt sie aber größere Aufmerksamkeit in der Öffentlichkeit. Der bereits erwähnte JOACHIM HEINRICH CAMPE vertrat in seinen Arbeiten eher eine pädagogisch-aufklärerische Richtung, er setzte sich aber vehement und viel intensiver als seine Vorgänger auf dem Gebiet der Lexikographie für eine Beseitigung der Fremdwörter ein und war bestrebt, die Unterschiede zwischen Ober- und Unterschicht nicht zu vernachlässigen. Als markantester Vertreter der politisch-nationalistischen Richtung gilt „Turnvater"

FRIEDRICH LUDWIG JAHN (1778–1852), der seinen Kampf gegen die Fremdwörter mit dem Kampf gegen die Franzosen, der damals ganz Deutschland beherrschte, verband. Der Gedankengang der Fremdwortpuristen sah in der eigenen Sprache das Höchste, in allem Fremden das zu Bekämpfende. Außerdem wurde wiederum die Sprache „verlebendigt" und die Aufnahme von Fremdwörtern mit Charakterschwäche der Sprachverwender gleichgesetzt.

Nach der Gründung des Deutschen Reiches 1871 nahm der Purismus einen neuen Aufschwung, der 1885 mit der Gründung des **Allgemeinen Deutschen Sprachvereins** (ADS) durch den Braunschweiger Kunsthistoriker HERMANN RIEGEL noch verstärkt wurde. RIEGEL selbst war in seiner Fremdwortablehnung eher gemäßigt, er versuchte nur, jene Fremdwörter auszumerzen, die gut durch deutsche Elemente ausgedrückt werden können. (Wobei dies natürlich ein subjektives Kriterium ist, denn was versteht man unter „gut" in diesem Zusammenhang?) Purismus war aber nur *ein* Ziel des ADS neben anderen, er machte sich auch die Sprachpflege und die Stärkung des Nationalbewusstseins zur Aufgabe. Wieder wird so – wie schon bei den Sprachgesellschaften– in Erinnerung gerufen, wie eng inner- und außersprachliche Mittel miteinander verschränkt sind. Im Gegensatz zu den barocken Gesellschaften bemühte sich der ADS in seinen Publikationen um eine schlichte, verständliche Sprache, die von möglichst allen (also auch Laien) rezipiert werden sollte. Neben einer Zeitschrift gab der Verein einige heute als seltsam erscheinende Monographien und andere Publikationen heraus, etwa eine Speisekarte mit durchgehend deutschen Bezeichnungen, die an die Kellner in den Restaurants weitergegeben werden sollte. In Deutschland hatte der ADS großen Erfolg, zu seinen besten Zeiten zählte er über 37 000 Mitglieder. In Österreich war er allerdings weit weniger erfolgreich, und in der Schweiz gab es überhaupt keine Zweigstelle, nur Einzelmitglieder. Dort wurde 1904 ein eigener „Deutschschweizerischer Sprachverein" gegründet, allerdings nach dem Vorbild französischer Gesellschaften. Die heutige „Gesellschaft für deutschen Sprache" (Wiesbaden) gilt als offizielle Nachfolgevereinigung des ADS.

In der Folge setzte eine regelrechte „Fremdwortjagd" ein. Erneut wurden Vorschläge für die Eindeutschung von Fremdwörtern gemacht, von denen

Merksatz

▶ **Nach der Gründung des Deutschen Reichs verstärkte sich der Sprachpurismus, besonders die Sprachvereine starteten eine regelrechte „Fremdwortjagd".**

sich allerdings die meisten im allgemeinen Sprachgebrauch nicht durchsetzen konnten, etwa Rauchrolle für Zigarre (1889) oder das Aut für Auto mit den „praktischen" Ableitungen auteln ,Auto fahren', Autler ,Chauffeur'.

Berühmt ist das Beispiel des kaiserlichen Generalpostmeisters HEINRICH VON STEPHAN (1831–1897), der 765 Fremdwörter in der Post-Fachsprache durch deutsche ersetzte. Für seine Leistung wurde er zum Ehrenmitglied des ADS kurz nach dessen Gründung ernannt. Etliche seiner Wörter haben sich bis heute erhalten, etwa Fahrschein statt Billet, Dienstalter statt Anciennität, Postkarte statt Correspondenzkarte, eingeschrieben statt recommandiert. Auf seine Empfehlungen hin soll auch der Gebrauch des Wortes zwo für zwei zur besseren Verständlichkeit am Telefon zurückgehen.

Abb 60 | *HEINRICH VON STEPHAN*

Von OTTO SARRAZIN (Vorsitzender des ADS 1900–1921) stammen viele Ausdrücke aus dem Amts- und Eisenbahnwesen wie Bahnsteig für Perron, Fahrgast für Passagier und Fahrrad für Velo(ciped). Im Ersten Weltkrieg arteten diese Bestrebungen in offenen Chauvinismus aus. Nach einer Neuorientierung des ADS 1923 (seit 1925 gibt er die Zeitschrift „Muttersprache" heraus) wurden mit dem aufkommenden Nationalismus erneut die „völkischen" Tendenzen verstärkt, aber wider Erwarten interessierte sich HITLER nicht für die Aktivitäten des Vereins, ja stand der Richtung sogar ablehnend gegenüber, und es kam zum Verbot des Vereins.

Auf dem Weg zur Norm | 7.1.5

Vorrangiges Ziel des 19. Jahrhunderts war die Schaffung einer einheitlichen Norm in Schrift und Aussprache. Diese war in Schule, öffentlichem Verkehr, Buchdruck und vielen anderen Bereichen immer notwendiger geworden, und seit der Reichsgründung wurde die Norm zu einem nationalen Anliegen. Die bestehenden Variationsmöglichkeiten erschienen als Ärgernis: So kommen im Roman „Die Geschwister" von GUSTAV FREYTAG (Leipzig 1878) die Formen: Schooß/Schoße, Tod/Tot, tot-/todschlagen, studiren/stolzieren nebeneinander vor. Einige Wörter konnten auf fünf oder sechs verschiedene Arten geschrieben werden: Ernte, Ernde, Ärnte, Ärnde, Ärndte.

Das Ausmaß der Verwirrung wird ersichtlich, wenn man einen preußischen Erlass aus dem Jahr 1862 betrachtet, der vorschreibt, dass zumindest die Schreibung in jeder einzelnen Schule einheitlich gelehrt und gehandhabt werden sollte. Erst nach der Reichsgründung 1871 hatten offizielle Vereinigungsbestrebungen wie Konferenzen mehr Aussicht auf Erfolg. Etwa zu dieser Zeit hatte der Schuldirektor KONRAD DUDEN (1829–1911) eine sehr erfolgreiche Broschüre mit Rechtschreibregeln für sein Gymnasium in Schleiz herausgebracht. DUDENS Kommentar zur Lage lautete: „Nicht zwei Lehrer derselben Schule und nicht zwei Korrektoren derselben Offizin waren in allen Stücken über die Rechtschreibung einig, und eine Autorität, die man hätte anrufen können, gab es nicht." Als Experte wurde er zur ersten großen Rechtschreibkonferenz 1876 nach Berlin eingeladen, auf der Vertreter aus allen deutschsprachigen Ländern anwesend waren. Es waren drei Hauptgruppierungen zu beobachten:

1. Die „schulgrammatische Tradition" mit ihren Grammatiken, Wörterbüchern und Sprachlehren setzte sich vor allem für in den Schulen praktikable Bestimmungen ein, die „logisch", „lehrbar" sowie von den Schülern einfach zu verstehen und anzuwenden sein sollten. KONRAD DUDEN ist ihr prominentester Vertreter.

2. Die „sprachwissenschaftliche Richtung", die von der Universität kam und als deren prominentester Vertreter der zu diesem Zeitpunkt bereits verstorbene JACOB GRIMM gilt, war wiederum in zwei Richtungen gespalten: Die Vertreter der „historischen" Richtung stellten historische Überlegungen in den Vordergrund,

etwa die genaue etymologische Schreibung (so hatte GRIMM die Formen Mohn im Unterschied zu Lon verlangt, er war auch für die Beseitigung der Großschreibung eingetreten). Die zweite Fraktion war die „phonologische" Richtung, die die Schreibung der Aussprache anpassen und nach Prinzipien der Phonologie vereinfachen wollte. Zu ihr gehörten etwa WILHELM SCHERER und RUDOLF VON RAUMER.

3. Die Behörden besaßen als einzige die reale Macht, eine amtliche Regelung durchzusetzen.

Leiter der Konferenz war der gemäßigte Sprachwissenschaftler RUDOLF VON RAUMER, der von einer Rechtschreibreform vor allem

Abb 61 | Der „Urduden"

zweierlei erwartete: Einheitlichkeit und Folgerichtigkeit innerhalb des Systems.

Die I. Orthographische Konferenz verabschiedete schließlich einen Entwurf; dennoch erfuhr dieser Vorschlag in der Öffentlichkeit große Ablehnung. Einer der Hauptgründe war, dass durch die Abstimmung über einzelne Punkte zahlreiche „logische" Fehler enthalten waren; so wurden wider und wieder in der Schreibung wider vereinigt, Lied und (Augen-)Lid aber getrennt. Ausgiebig diskutiert wurde die Frage, wie die Vokallänge angezeigt werden sollte. Nach dem Scheitern der I. Orthographischen Konferenz begannen die einzelnen Staaten, die Rechtschreibfrage für ihren Zuständigkeitsbereich selbst zu regeln. Konrad Duden verfasste auf der Grundlage des preußischen Regelbuchs unter Zuhilfenahme der bayrischen Richtlinien sein „Vollständiges Orthographisches Wörterbuch der deutschen Sprache" (1880). Es muss aber bedacht werden, dass es neben dem Werk von Duden auch noch andere Normierungsversuche gab, etwa von Daniel Sanders oder Wilhelm Wilmanns.

Da eine offizielle Lösung in weiter Ferne lag, orientierten sich immer mehr Stellen wie Ämter, Verlage, Druckereien an dem Werk von Duden.

Auf der II. Orthographischen Konferenz 1901 in Berlin nahmen schließlich alle deutschen Bundesstaaten, Österreich, die Schweiz sowie Vertreter des Druckgewerbes und des Buchhandels teil. Auf dieser Versammlung wurde einer einheitlichen Rechtschreibung zugestimmt, die im „Orthographischen Wörterbuch" (1902) von Konrad Duden ihren Niederschlag fand. Da das 1902 verabschiedete amtliche Regelwerk zur deut-

> **Merksatz**
>
> ▶ **Da die Ergebnisse von 1876 in der Öffentlichkeit auf Ablehnung stießen, orientierte man sich verstärkt an Dudens Wörterbuch von 1880. Erst auf der Konferenz von 1901 einigte man sich auf eine einheitliche Norm. Seit dem Jahr 1902 gibt es eine amtlich verbindliche Rechtschreibnorm im Deutschen.**

schen Orthographie zahlreiche Doppelschreibung vorsah, die auch in Dudens Wörterbuch ihren Niederschlag fanden, verfasste er ein eigens für Setzer, Buchdrucker und Korrektoren gedachtes Fachwörterbuch, den so genannten „Buchdruckerduden". Dieser wurde 1915 mit der 9. Auflage der allgemeinen „Duden"-Rechtschreibung verschmolzen.

Nach Ende des Zweiten Weltkriegs flammte die Diskussion wieder stärker auf. Besonders nachdem Dänemark 1949, um sich von der deutschen Rechtschreibung abzusetzen, die gemäßigte Kleinschreibung einführte und das Deutsche damit die einzige europäische Sprache und weltweit die einzige Buchstabenschrift mit Großschreibung aller Substantive wurde, verschärfte sich die Situation. Ende der 70er Jahre wurde die Diskussion, die streckenweise sehr emotional und daher auch unsachlich geführt wurde, in der DDR auf eine breite Materialgrundlage gestellt. An der Akademie der Wissenschaften der DDR wurde 1975 eine Arbeitsgruppe Orthographie gegründet, 1976 befürwortete die westdeutsche Kultusministerkonferenz eine Orthographiereform, 1978 wurde das so genannte „Wiener regelwerk für die gemäßigte kleinschreibung" veröffentlicht.

1986 fanden die „1. Wiener Gespräche zu Fragen der Rechtschreibreform" statt, die ihren Höhepunkt und Abschluss in den „3. Wiener Gesprächen" im November 1994, nach dem Ende der DDR, fanden. Diese Konferenz kam in allen strittigen Fragen zu einvernehmlichen Lösungen, und zwar zwischen Deutschland, Österreich und der Schweiz. Die gemeinsame Absichtserklärung wurde 1996 unterzeichnet. Nun erst erhob sich z.T. heftiger Widerstand, z.B. von Schriftstellerverbänden und Zeitungen. 1998 schließlich wurden die Regelungen offiziell eingeführt und ein Jahr später schlossen sich die deutschsprachigen Nachrichtenagenturen und der überwältigende Teile der Printmedien – in z.T. modifizierter Form – der Neuregelung an. Bis 2005 gilt eine Übergangsfrist, in der die alte und neue Rechtschreibung gleichberechtigt nebeneinander stehen.

Insgesamt kann man festhalten, dass es an der Wende zum 20. Jahrhundert zur Festlegung einer relativ einheitlichen Schreibung und Aussprache des Deutschen kam, womit ein gewisser Abschluss der Entwicklung erreicht zu sein schien.

7.1.6 | Die Sprache des Faschismus

Der in den 20er Jahren das politische und öffentliche Leben immer stärker beherrschende Faschismus war bestrebt, alle Lebensbereiche des einzelnen Menschen bis ins Private hinein zu kontrollieren. Im Dritten Reich musste sich auch die Sprache den politischen Zie-

Der „Siebs"

Auch auf dem Gebiet der Aussprache gelang schließlich eine Einigung. Im 18. Jahrhundert war, wie erwähnt, die Aussprache der Gebildeten in Sachsen als vorbildlich angesehen worden. Mit dem Rückgang der wirtschaftlichen und politischen Macht Sachsens im 19. Jahrhundert war auch der Verlust des Prestiges auf sprachlichem Gebiet verbunden, und es machte sich regionale Vielfalt in der Aussprache breit, was besonders im Theaterwesen zu unliebsamen Zuständen führte.

Mit der Reichsgründung 1871 wurde auch gefordert, dass die Dramen auf deutschen Bühnen, vor allem die „Klassiker", einheitlich und ohne regionale Färbung vorgetragen werden müssten. 1896 nahm sich der Germanist THEODOR SIEBS (1862–1941) dieses Problems an. 1898 kam es auf seine Initiative hin in Berlin zu einer Beratung zwischen Germanisten und Bühnenvertretern (allerdings ohne Schauspieler), als deren Ergebnis THEODOR SIEBS eine Ausspracheanleitung in Form eines Aussprachewörterbuchs herausgab („Deutsche Bühnenaussprache", 1898).

1908 wurde in Berlin eine zweite Konferenz einberufen, danach verschickte man Fragebögen an ca. 200 Theater in Deutschland, um schwierige Einzelfälle zu klären. Die Ergebnisse fanden Eingang in die 8. und 9. Auflage des „Siebs" (1910). Darin wurde die niederdeutsche Aussprache des Hochdeutschen festgelegt (also etwa genau Trennung zwischen stimmhaftem b, d, g und stimmlosem p, t, k), Entrundungen (im Obersächsischen und Oberdeutschen) sollten vermieden werden (schön statt scheen), ebenso nasalierte Vokale (im Schwäbischen): unangenehm statt ũangenehm. -schp- und -scht- im Inlaut wurden für nicht zulässig erklärt (Haspel, Geist).

Die Regelung der Aussprache fand allerdings viel weniger Zustimmung als die Orthographie, insbesondere der deutsche Süden fühlte sich nicht adäquat repräsentiert. Daran konnte auch die spätere Einführung eines „Österreichischen Beiblatts zum Siebs" nichts ändern, bis das Buch 1969 in der 19. Auflage zum letzten Mal erschien.

len unterordnen, oder besser gesagt, sprachliche Mittel wurden gezielt für politische Zwecke eingesetzt. Die Absicht war, die Menschen mit manipulativem Sprachgut voreingenommen zu machen. Untersuchungen haben gezeigt, dass originäre Wortschöpfungen der Nationalsozialisten eher in der Minderheit sind. Viel öfter prägten sie bereits vorhandenes Material um. So kann das Wort Rassenkampf bis mindestens 1848 zurückverfolgt werden. Originäre Wortschöpfungen liegen vor allem in jenen Bereichen vor, die mit neuen Organisationen und Einrichtungen der Politik zusammenhängen, z.B. Hitler-Jugend, Bund deutscher Mädchen, Deutsche Arbeitsfront, Geheime Staatspolizei, Propagandaministerium, Winterhilfswerk. Legion sind die Zusammensetzungen mit Reich- und Volk-, z.B. Reichsleitung, Reichsministerium, Reichskulturkammer, Volksgerichtshof, Volksgemeinschaft, Volksgenosse, Volksliste u.v.a.m.

Erklärung

▶ In „Mein Kampf" beschreibt ADOLF HITLER, wie er sich die Ziele und Zwecke der Propaganda vorstellt: Sie müsse stets die Gefühle der Massen ansprechen, ihre „geistige Ebene" dem niedrigsten allgemeinen Nenner anpassen, nur eine begrenzte Anzahl von Punkten vorlegen und diese durch einprägsame Schlagwörter und Wiederholungen einhämmern.

Das Ziel solchen Sprachgebrauchs war nicht, den Hörern klar begründete Argumente zu unterbreiten und ihren Intellekt zu fordern, sondern ihnen durch das Ansprechen der Gefühle eine Art Glauben einzutrichtern. Auf dem Weg dorthin musste natürlich die Pressefreiheit beseitigt werden. Unabhängige Redaktionen wurden aufgelöst oder so lange eingeschüchtert, bis sie keinen Widerstand mehr leisteten. Das „Deutsche Nachrichten-Büro" überwachte alle Meldungen und Berichte.

Zur ständigen Berieselung des Volkes mit den Ausdrücken und Wendungen des Nationalsozialismus gehörten auch die penibel inszenierten Versammlungen und Aufmärsche und ihre Parolen, bei denen nichts dem Zufall überlassen wurde. Hinter dieser Sprachlenkung steht die bewusste Manipulation mit sprachlichen Mitteln. Es lässt sich genau verfolgen, wie hinter der sprachlichen Regelung bestimmte politische Ansichten stehen und verbreitet werden sollten. So sollte antisemitisch aus Rücksicht auf die Araber

Abb 62

Die gleichgeschalteten Massenmedien als Mittel zur (sprachlichen) Manipulation

aufgegeben und durch antijüdisch ersetzt werden. In Hinblick auf die großdeutsche Propaganda wurden die Österreicher ab 1936 als das deutsche Volk in Österreich bezeichnet, wobei Österreich nach dem „Anschluss" durch Ostmark ersetzt wurde.

Schwerer lässt sich beurteilen, wie weit die nationalsozialistische Propaganda wirklich wirksam war. Natürlich war sie allgegenwärtig, und es bestand für die Bürger auch keine reale Möglichkeit, sich ihr zu entziehen, das bedeutet aber nicht, dass sie auch in die Alltagssprache und den tatsächlichen Sprachgebrauch eingedrungen ist. Zumeist wurde sie als Sprachregelung der Politik erkannt, was sich auch darin zeigt, dass sie nach 1945 schnell wieder verschwinden konnte. Bestimmte Termini, auch wenn sie bereits vor dem Nationalsozialismus bestanden, sind bis heute als faschistisch gebrandmarkt; so ist das Wort völkisch, das es bereits vor den Nationalsozialisten gab, im 1951 entstandenen entsprechenden Band des GRIMM'schen Wörterbuchs nicht enthalten.

Die Termini, die als bezeichnend für den Nationalsozialismus angesehen werden, lassen sich in acht Gruppen einteilen:

1. dynamische, martialische, mythologische Termini

   Diese Sprachformen betonen den Primat der Tat gegenüber dem Gedanken oder Nachdenken. Sie hegen Bewunderung für das Heroische und Monumentale und unterstreichen, dass Krisen durch Kampf überwunden werden müssen. Häufig kommen daher die Wörter Kampf, kämpferisch, Feind vor. Die Nation ist bis in das Alltagsleben hinein in Rangstrukturen organisiert, die primär dem Zweck des Kämpfens und vor allem Siegens dienen sollen.

2. religiöse Termini

   Der Glauben an den Sieg findet seinen Niederschlag in einer pseudoreligiösen Sprachform, die von den offiziellen katholischen und protestantischen Stellen vehement abgelehnt wurde. Wörter wie Offenbarung, Glaube, Unsterblichkeit, Erbsünde wurden ihres religiös-philosophischen Umfelds beraubt und in profanen, kriegerischen Texten eingesetzt. Blut, Rasse, Volkstum und Ehre werden wie religiöses Wortgut behandelt, die rituelle Verehrung HITLERS war für viele religiöse Menschen ebenso unerträglich.

3. pseudo-mystische und archaisierende Sprache

   HITLERS Anschauungen wurden von verschiedenen Wurzeln gespeist. Eine davon waren germanophile antisemitische und antichristliche „Spinner" wie JOSEF LANZ VON LIEBENFELS, der in seiner Zeitschrift „Ostara" dieses Gedankengut verbreitete. In ihr wurden biologische, religiöse und archaisierende Elemente unreflektiert vermischt, sie erzeugten jenes höchst eigenartig anmutende Gemisch von Anschauungen und Ausdrücken, die dann auch in der Sprache des Nationalsozialismus wieder auftauchen wie Mischlingsblut, Sippe, Dünger des Bluts, Volkskörper, Rechtswahrer (‚Jurist‘), germanische Lehrburgen (Elite-Ausbildungsstätten). Hierher gehören auch das leidlich bekannte Arier und arisch (das bis dahin neutral für die Sprachträger des Indogermanischen verwendet worden war) sowie alles, was mit Deutschtum zusammenhängt.

4. biologische und medizinische Ausdrücke

   In diese Sparte fällt alles, was mit Rasse und den pseudobiologischen Anschauungen der Nationalsozialisten zu tun hat.

5. Sportmetaphorik

   Die sportliche Betätigung stand auf den Wunschlisten der Nazis ganz oben. Dementsprechend wurde alles, was mit Sport, Wett-

kampf, athletischen Körpern zusammenhängt, als positiv her-
ausgestrichen, z.B. Ertüchtigung, Wettkampf, Sieg und Sieger,
sportlich usw. Nach dem Motto „mens sana in corpore sano"
wurde ein Zusammenhang hergestellt zwischen einem sport-
lichen Körper und der „richtigen" (also nationalsozialistischen)
Einstellung. Letztlich stand auch das politische Ziel dahinter, die
Bevölkerung in Verbänden zu organisieren und so besser „im
Griff" zu haben.

6. technischer Wortschatz und Metaphern
   Als bekanntestes Beispiel sei der Ausdruck Menschenmaterial
   angeführt. Man hat dem Nationalsozialismus eine nüchtern-
   technokratisch-bürokratische Sprache nachgesagt, doch ist mit
   solchen Etiketten Vorsicht geboten, da sich etwa auch in unserer Zeit solche Tendenzen (etwa in der Amts- und Juristenspra-
   che) nachweisen lassen.

7. fremdsprachliche Ausdrücke
   Eigenartigerweise waren HITLER und GOEBBELS keine Anhänger
   des Purismus, wie es eigentlich zu erwarten wäre, ganz im
   Gegenteil, sie standen der Arbeit des „Allgemeinen Deutschen
   Sprachvereins" anfangs skeptisch gegenüber und verboten ihn
   schließlich. Sie waren also keine Fremdwortgegner im Allgemeinen, denn sie wussten, dass man Fremdwörter leicht emotional
   aufladen kann und dass sie sich daher auch sehr gut zum
   Umschreiben und Verdecken (s. Punkt 8) eignen. Sterilisation
   statt Entmannung, arisieren statt enteigenen, Konzentrationslager
   sind einige wenige Beispiele für viele weitere.

8. Euphemismen
   Die Verwendung von Euphemismen hängt mit der oben erwähnten Technik zusammen, negativ besetzte Ausdrücke zu
   vermeiden und durch neutrale zu ersetzen oder überhaupt neue
   Termini zu gebrauchen und diesen ein positives Gepräge zu
   geben. So finden sich sehr oft Komposita mit Sonder-, wenn es
   um die Ermordung oder Vertreibung von Randgruppen (Juden,
   Roma, Homosexuellen) geht: Sonderbehandlung, Sonderaktion,
   Sondereinsatz. Aber auch den Kriegsbeginn, einen Angriffskrieg
   auf Polen, als Zurückschlagen zu bezeichnen, gehört hierher.
   Schließlich sollte alles vermieden werden, was im Volk negative
   Gefühle und Eindrücke hervorrufen konnte (Austauschstoff statt
   Ersatz, Engpass statt Versorgungskrise, Frontbegradigung statt

Rückzug, Endlösung statt Massenmord u.v.a.m.). Euphemismen dienen immer der Verschleierung.

Erklärung

▶ „Das Schreiben war nie schwerer als heute. Die Nazis haben alle Begriffe missbraucht: ‚Ehre‘, ‚Treue‘, ‚Glauben‘. Nur das Wort ‚Angst‘ haben sie vermieden, denn Angst haben sie selbst verbreitet.“

HANNAH VON BREDOW (Die Enkelin OTTOS VON BISMARCK war eine entschiedene Gegnerin der Nationalsozialisten.)

Besonderheiten im Wortschatzes fallen zwar zuerst auf, trotzdem ist zu berücksichtigen, dass zu einer „Sprache“ oder besser gesagt Sprachform mehr gehört als nur Wörter. Von Anfang an (d.h. seit 1945) entbrannte daher in der Linguistik selbst eine widersprüchliche Diskussion, wie eine sprachliche Beschreibung des Faschismus auszusehen habe. Neben dem Wortschatz sind auch alle anderen sprachlichen Elemente zu berücksichtigen, etwa Intonation, Morphologie, Syntax (obwohl es hier kaum sprachliche Eigenheiten gibt), aber auch die im Sinne der Sprachpragmatik außersprachlichen Signale, etwa Mimik, Gestik und das, was man „nicht sagt“. Es ist auch klar, dass man nicht nur die Reden HITLERS oder hoher Funktionäre als Materialbasis nehmen darf. Ein eigenes Kapitel ist die nationalsozialistische Rhetorik und Stilistik, die aber nicht auf die Alltagssprache eingewirkt oder weitergewirkt hat und hier daher auch nicht behandelt werden soll. Zu betonen wäre aber, dass nicht jeder Sprachgebrauch in nationalsozialistischen Quellen ausschließlich manipulatives Sprachmaterial verwendet – der Kontext ist jeweils entscheidend.

7.2 | Die deutsche Sprache nach 1945

Nicht eingehen können wir hier auf die sprachlichen Situationen in der Schweiz und in Österreich; diese wären aus synchroner Sicht zu betrachten und gehören daher genau genommen nicht in eine sprachgeschichtliche Darstellung. Nur so viel: Der Schweiz wird im Allgemeinen nachgesagt, dass sie keine Umgangssprache kennt. Der Dialekt übernimmt die Funktion der Umgangssprache etwa im (halb)öffentlichen Bereich wie z.T. in Ansprachen oder im Rundfunk. Diese Sicht hat sicherlich ihre Berechtigung, ist aber etwas verkürzend. Man muss auch die verschiedenen Regionen der Schweiz und ihre Dialekte berücksichtigen.

Zu Österreich: Man kann manchmal von „Österreichisch" lesen oder hören. Dieser Begriff ist irreführend, denn die Österreicher besitzen keine eigene Sprache, sondern eine regionale und stilistische Varietät des Deutschen. Besser ist daher „die österreichische Varietät des Standarddeutschen". Diese Varietät unterscheidet sich in mehreren Punkten von der bundesdeutschen Standardsprache, am bekanntesten sind die Unterschiede im Wortschatz, vor allem bei den Speisenbezeichnungen wie Sahne/Schlagobers, Marille/ Aprikose, Karfiol/Blumenkohl, Paradeiser/Tomate, Palatschinke/Pfannkuchen u.v.a.m. Hierbei ist aber zweierlei zu berücksichtigen: Die lexikalischen Unterschiede sind in den seltensten Fällen mit der österreichischen Staatsgrenze identisch. So gibt es viele „österreichische" Wörter auch in Bayern, und umgekehrt bestehen Unterschiede zwischen West- und Ostösterreich (Sahne ist auch in Tirol gebräuchlich). Wirklich österreichisch sind nur Ausdrücke der Verwaltung, z.B. Erlagschein statt Zahlschein, Nationalrat statt Bundestag, Matura statt Abitur. Zum anderen bestehen Besonderheiten in der österreichischen Standardvarietät nicht nur im Wortschatz, sondern auch in der Phonetik, Phonologie, Morphologie, Verbvalenz, Phraseologie u.a. Ob es auch markante Unterschiede in der Syntax gibt, ist derzeit nicht ausreichend geklärt.

Das **monozentrische** Bild, das im Deutsch der Bundesrepublik die alleine gültige Norm sah, ist heute der **plurizentrischen** Sprachauffassung gewichen: Die Varietäten Deutschlands, Österreichs und der Schweiz stehen gleichberechtigt nebeneinander.

„DDR-Deutsch"   7.2.1

Wichtig für die Zeit nach 1945 sind die Unterschiede zwischen BRD und DDR. Wie jedes totalitäre Regime hat auch die DDR-Führung in den Sprachgebrauch eingegriffen oder zumindest eingreifen wollen – allerdings finden sich auch in Westdeutschland Versuche von politischer Sprachregelung. Die Manipulation in der DDR funktioniert über die Sprachregelung in amtlichen Vorschriften und die (halb)offiziellen Medien wie Zeitungen, Rundfunk und Fernsehen. Selbstverständlich sind auch hier nicht nur die lexikalischen Unterschiede, sondern ebenso die Inhalte der Texte, die Kommunikationsstrukturen, die Textsorten usw. zu betrachten. Nur geringfügige Unterschiede finden sich in der Morphologie und der Syntax.

Der größte Teil des allgemeinen Wortschatzes ist beiden deutschen Staaten gemeinsam geblieben, nicht zuletzt auch durch den grenzüberschreitenden Einfluss von Rundfunk und Fernsehen. Der landläufige Eindruck, dass in der DDR mehr Neologismen entstanden sind als im gleichen Zeitraum in der BRD, lässt sich linguistisch nicht nachweisen. Allerdings gibt es natürlich Neuprägungen und, vielleicht noch stärker, Umprägungen der Inhalte bestehender Wörter, etwa Arbeit, Demokratie, Klasse, Vaterland, Genosse, Aktivist, Propaganda, Brigade, Aufklärung etc.

Zu den Neuprägungen gehören alle Wörter, die dem offiziellen Sprachgebrauch der DDR-Führung entstammen wie Abgabesoll, Volksaussprache, Volkseigener Betrieb, Demokratische Einheits-

Abb 63 | *Aufruf zur Bildung von Landwirtschaftlichen Produktionsgenossenschaften*

schule, Kollektivvertrag, Planablauf, Betriebsverkaufstelle, Arbeiter-
festspiele, Volkskunstkollektiv, Arbeiter-und-Bauern-Staat, aber auch
Wendungen wie DDR – Bollwerk des Friedens, Freundschaft mit
der Sowjetunion, Kampfreserve der Partei. Auch die Einflüsse des
Russischen wurden im Allgemeinen überschätzt: Bolschewik, Kol-
chose, Sputnik, Datsche, Agrotechnik, Partisan. Im Gegenzug dazu
sind in der BRD aber Einflüsse aus dem Englischen, vor allem im
Fachwortschatz der Informatik und der Wirtschaft (Manager, Cash-
flow) zu konstatieren.

Als eines der wenigen „echten" DDR-Wörter, die nicht dem poli-
tischen-verwaltungstechnischen Bereich entstammen, wird immer
wieder Broiler ‚gebratenes Hähnchen' angeführt, das aber heute
wieder außer Gebrauch gekommen ist.

Wie schon bei der Sprache der Nationalsozialisten wurde auch
den DDR-Bürgern von Linguisten nachgesagt, dass sie sehr wohl
zwischen öffentlicher, halböffentlicher und privater Diskurswelt
unterscheiden konnten. Es versteht sich von selbst, dass nach der
„Wende" diese Eigenheiten, die mit dem politischen Status der
DDR zusammenhängen, wieder verschwunden sind. Das Jahr 1989
bzw. 1990 kann somit als Wende, eine Art „Wiedervereinigung"
auch im sprachlichen Bereich, angesehen werden.

Tendenzen in der Gegenwartssprache | 7.2.2

Das Deutsche ist, wie bereits in der Einleitung erwähnt, keine
homogene Sprache, sondern besteht aus verschiedenen Varietäten,

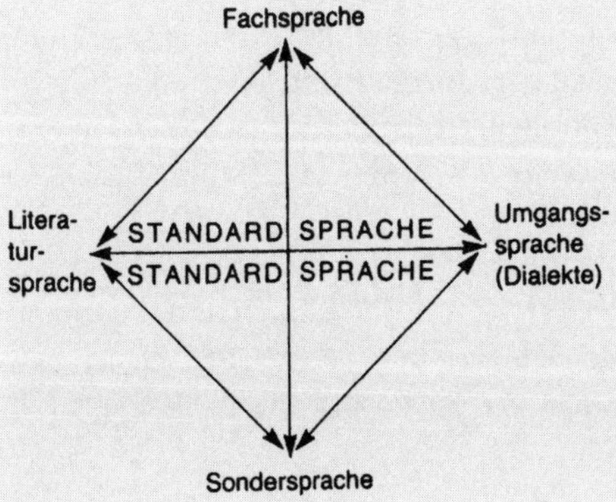

Abb 64

Varietätenfeld der deutschen Gegenwartssprache

die diatopisch, diastratisch oder diaphasisch bedingt sein können.
Für das heutige Deutsch kann man mehrere Varietätenmodelle
ansetzen.

Sprache verändert sich im Lauf der Zeit. Wie bereits festgestellt
(s. S. 30ff.) können die Ursachen für Sprachwandel vielfältig sein,
und oft reichen die vorgebrachten Erklärungen nicht aus. Wie jede
natürliche Sprache verändert sich auch das Deutsche nicht nur auf
allen sprachlichen Ebenen (Laut-, Wort-, Satz-, Text-, Bedeutungs-
ebene), sondern auch in allen Varietäten.

Das hochdeutsche Vaterunser heute
Unser Vater im Himmel, dein Name werde geheiligt, dein Reich
komme, dein Wille geschehe wie im Himmel, so auf der Erde. Gib
uns heute das Brot, das wir brauchen. Und erlass uns unsere Schul-
den, wie auch wir sie unseren Schuldnern erlassen haben. Und führe
uns nicht in Versuchung, sondern rette uns vor dem Bösen.

Einheitsübersetzung 1980

Die menschliche Sprache ist kein statisches System, sondern ein
dynamisches. Vor allem unterliegt sie vielen außersprachlichen
Faktoren, so dass längerfristige Vorhersagen über die zukünftige
Entwicklung einer Sprache nicht möglich sind. Allerdings kann
man aus dem Vergleich von Sprachdaten der Gegenwart und
unmittelbaren Vergangenheit vorsichtige Abwägungen derzeit im
Gang befindlicher Tendenzen abgeben. So neigt die deutsche Sprache derzeit zu Veränderungen auf folgenden Gebieten:

• Satzlänge: Viele Printmedien, v.a. Zeitungen, zeigen die Neigung
zu quantitativen Veränderungen, d.h. kürzeren Sätzen. Allerdings darf man hier nicht verschiedene Textsorten und Stile ver-
mischen. So gelten in der Belletristik und der Schönen Literatur
lange, verschachtelte Sätze als besonderes Stilmerkmal, das
bewusst eingesetzt wird.

• Zunahme von Nominalgruppen: In engem Zusammenhang mit
der Satzlänge steht der Ersatz von Gliedsätzen durch nominale
Glieder, etwa Ich sehe, dass die Ausgaben gekürzt werden müssen (8 Wörter) > Ich sehe die Notwendigkeit zur Ausgabenkür-
zung (6 Wörter).

- Ausklammerung: Die Satzklammer wird dahingehend geändert, dass Satzglieder außerhalb zu stehen kommen: Für mich sind die Tage vor Weihnachten viel zu kurz > Für mich sind die Tage viel zu kurz vor Weihnachten.

▶ In der deutschen Gegenwartssprache zählen zu den auffälligsten Veränderungentendenzen: Verkürzung der Satzlänge, Zunahme von Nominalgruppen, Ausklammerung und Unsicherheiten im Gebrauch von Tempus, Modus und Genus, Anglizismen im Wortschatz.

- Änderungen im Gebrauch von Tempus, Modus und Genus. Das Deutsche kennt keine **consecutio temporum** wie etwa die romanischen Sprachen. Es kommt zu Unsicherheiten im Gebrauch der Zeitformen, die dazu führen, dass Tempusangaben zunehmend auch modale Funktion übernehmen. Ähnliche Veränderungen sind auch bei der Abgrenzung von Aktiv–Passiv und Indikativ–Konjunktiv zu beobachten.

Unter „consecutio temporum" versteht man eine strenge Regelung der Zeitenfolge in komplexen Sätzen, wie sie etwa im Lateinischen vorgeschrieben ist.

- In der Lexik ist die Zunahme von Fremdwörtern aus dem Englischen/Amerikanischen am auffälligsten. Während Sprachpuristen eine „Gefährdung" oder gar den „Untergang" der deutschen Sprache erkennen wollen (die sie in polemischen Begriffen wie „Denglisch" oder „Engleutsch" verpacken), muss man nüchtern feststellen, dass sich diese Fremdwörter nur in bestimmten Fachbereichen (etwa der Sprache der Jugend, der Wirtschaft und den Medien) häufen und die Umgangssprachen davon weit weniger betroffen sind. Außerdem besteht die deutsche Sprache aus mehr Ebenen als allein der lexikalischen, so dass selbst die Zunahme von Fremdwörtern, die zumeist eklatant überschätzt wird, noch keine Auswirkung auf andere Ebenen (Phonologie, Morphologie, Syntax, Text) und damit des Gesamtsystems hat.

Es gibt Gründe für die Annahme, dass sich diese Tendenzen in der unmittelbaren Zukunft verstärken werden. Es bleibt abzuwarten, wie sich die **neuen Medien** (CD-ROM, Internet, eLearning) auf die deutsche Sprache auswirken werden.

▶ Das letzte Viertel des 19. Jahrhunderts stellt aus mehreren Gründen eine neue Phase in der Sprachgeschichte des gesamten deutschen Sprachraums dar. Zum einen wird mit der Gründung des Deutschen Kaiserreichs 1871/72 die politische Grundlage für eine Einigung der deutschen Fürstentümer geschaffen. Die mehrsprachige Schweiz, die Niederlande, Luxemburg, Liechtenstein und Österreich bleiben außerhalb dieses Verbandes. Die Niederlande sind bereits mit Schaffung eines eigenen Staats und einer eigenen Schriftsprache einen gesonderten Weg gegangen. Zum anderen stellt die Schaffung einer Sprachnorm nun eine vordringliche „nationale" Aufgabe dar. Trotzdem braucht es noch ein Vierteljahrhundert, bis – nun unter Einbeziehung aller deutschsprachigen Länder – diese Norm tatsächlich erreicht und amtlich wird. Eine entscheidende Rolle in diesem Prozess nimmt der Schulleiter KONRAD DUDEN entsprechend der Politik des Deutschen Reichs ein.

Im 19. und 20. Jahrhundert erfährt die deutsche Sprache bzw. der Sprachgebrauch tiefgreifende Wandlungen. Die Schulreform WILHELM VON HUMBOLDTS schafft die Grundlagen für die humanistische Erziehung. Dazu kommt die Einführung der allgemeinen Schulpflicht. Der enorme Wissenszuwachs in den Naturwissenschaften, der alle Bereiche des täglichen Lebens durchdringt, wirkt sich auch auf die Sprache aus. Die Verwendung der Hochsprache wird durch Rundfunk und Fernsehen wesentlich beeinflusst.

Der Faschismus wollte wie jedes diktatorische System die Bevölkerung durch Sprachmanipulationen unter seine Kontrolle zwingen. Und die kriegsbedingte Teilung Deutschlands in zwei souveräne Staaten hat auch in der Sprache Widerhall gefunden, jedoch vornehmlich im Wortschatz. Nach dem Ende des Zweiten Weltkriegs hinterlässt der Einfluss der anglo-amerikanischen Kultur auch Spuren in der deutschen Sprache. Der Einfluss der modernen Medien auf die Sprachentwicklung kann noch nicht genau abgeschätzt werden.

Da sich die Endprodukte von Sprachwandelprozessen nicht a priori erkennen lassen und die menschliche Sprache kein statisches, sondern ein dynamisches System darstellt, sind Vorhersagen über zukünftige sprachliche Entwicklungen grundsätzlich nicht möglich. Trotzdem versucht die Linguistik durch Analyse des gegenwärtigen Sprachgebrauchs vorsichtige Aussagen über sich verstärkende Tendenzen und Entwicklungen in der nahen Zukunft zu treffen.

Übungen

● Was kann man unter *Umgangssprache* verstehen?   1

● Nennen Sie die drei Richtungen, die bei der ersten Orthographi-   2
schen Konferenz 1876 vertreten waren.

● Nennen Sie einige Grammatiker des 19. Jahrhunderts.   3

● Vergleichen Sie die niederdeutsche Version des Vaterunsers   4
(S. 11). mit der hochdeutschen (S. 236). Welche Wortentspre-
chungen, die durch die Zweite Lautverschiebung getrennt sind,
können Sie feststellen?

● Seit welchem Jahr gibt es eine einheitliche deutsche Recht-   5
schreibnorm?

Literatur

AMMON, ULRICH (1995): Die deutsche Sprache in Deutschland, Österreich und der Schweiz. Das Problem der nationalen Varietäten. Berlin, New York.

GARDT, ANDREAS / HASS-ZUMKEHR, ULRIKE / ROELCKE, THORSTEN (1999) (Hg.): Sprachgeschichte als Kulturgeschichte. Berlin, New York.

SCHEURINGER, HERMANN / STANG, CHRISTIAN (2004): Die deutsche Rechtschreibung. Geschichte, Reformdiskussion, Neuregelung. Wien.

STICKEL, GERHARD (1990) (Hg.): Gegenwartssprache. Tendenzen und Perspektiven. Berlin, New York. (Institut für deutsche Sprache, Jahrbuch 1989)

WELKE, KLAUS / SAUER, WOLFGANG W. / GLÜCK, HELMUT (1992) (Hg.): Die deutsche Sprache nach der Wende. Hildesheim, Zürich, New York.

Kapitel 1 Einleitung

1

● Germanisch–Illyrisch–Venetisch, Baltisch–Slawisch–Tocharisch–
Albanisch, Keltisch–Italisch, Thrakisch–Phrygisch–Armenisch–
Griechisch–Hethitisch–Anatolisch–Indoiranisch

2

● Vgl. S. 22f.

3

● Jᴏʜᴀɴɴ Aɴᴅʀᴇᴀs Sᴄʜᴍᴇʟʟᴇʀ und Eʀɴsᴛ Föʀsᴛᴇᴍᴀɴɴ.
Vgl. S. 14.

4

● Vgl. S. 30ff.

Kapitel 2 Vor- und Frühgeschichte

1

● Die äußere oder externe Rekonstruktion macht durch die Analyse von genetisch als verwandt geltenden Sprachen Rückschlüsse
auf die gemeinsame Grundlage oder Ursprache. Die innere oder
interne Rekonstruktion untersucht dagegen eine Einzelsprache
und versucht, durch die Analyse systematischer Zusammenhänge ältere Sprachstufen aufzudecken.

2

● Vgl. S. 48.

3

● Kentumsprachen: Dänisch, Latein
Satemsprachen: Litauisch, Tschechisch, Persisch
Nicht indogermanisch: Baskisch

4

● Vgl. S. 66ff.

5

● idg. *bhrāther > westgerm. brōþar
idg. *regtos > westgerm. reχtaz (Primärberührung und Rhotazismus)
idg. bhendhon- > westgerm. bindan- (Nasalumlaut)
idg. *ghostis > westgerm. gastiz (Rhotazismus)

Lösungen

Kapitel 3 Althochdeutsch

- Etwa (got.; ahd.; nhd; Anmerkungen):
  himinam; himilom; Himmel – weihnai; giuuhit; geweiht = ‚heilig'; vgl.
  Weihnachten – namo; namo; Name – qimai; quaeme; komme –
  wilja; uuileo; Wille; ahd. <uu> = w – airþai; erthu; Erde; got. <ai>
  vor r = e – skulam; sculdi; Schuld u.a.m.

- Besondere vokalische Entwicklungen, „Einheitsplural", vgl. S. 78.

- Vgl. S. 92f.

- Vgl. S. 95.

- westgerm. brōþar > ahd. bruoder
  westgerm. reχtaz > ahd. rëhte
  westgerm. bindan > ahd. binden
  westgerm. gastiz > ahd. geste

Kapitel 4 Mittelhochdeutsch

- singen – singe – sanc – sungen – gesungen (IIIb)
  bitten – bitte – bat – bâten – gebeten (V, j-Präsentium)
  waschen – wasche – wuosch – wuoschen – gewaschen (VI)
  rîten – rîte – reit – ritten – geritten (I)
  vliegen – vliuge – vlouc – vlugen – gevlogen (IIa)

- Das ahd. Kirchenwort giuuīhit ist durch das mittlerweise übliche
  geheiligt ersetzt.
  Vorahd. þ wird zu d: thîn > dîn, erþu > erde.
  Die mhd. Auslautverhärtung ist zu erkennen: gib > gip.
  Die ahd. Nebensilben sind zu e abgeschwächt oder getilgt: himil-
  > himel-, endi > und, fona > von, sculdi > schulde. gi- > ge- u.a.m.
  Ahd. sk > mhd. sch: sculdi > schulde.
  Neu sind Artikel: in himilom > in dem himelrîche.
  Differenzierter Gebrauch von Präpositionen: in erþu > ûf der
  erde. u.a.m.

3 ● Thüringisch, Obersächsisch, Schlesisch, Hochpreußisch

4 ● Vgl. S. 108ff.

5 ● Hochzeit ‚jede Art von Fest' > ‚Fest der Eheschließung': Bedeutungsverengung
feige ‚todgeweiht' > ‚ängstlich, mutlos': Bedeutungsverschiebung + Bedeutungsverschlechterung
Ampel ‚schalenförmige Hängelampe' > ‚Verkehrszeichen': Bedeutungsverschiebung
Pfaffe ‚Weltgeistlicher', seit der Reformation pejorativ: Bedeutungsverschlechterung
Liebe ‚geistige Zuneigung' > ‚geistiges und körperliches Liebhaben': Bedeutungserweiterung
schlecht ‚glatt, einfach' > ‚minderwertig': Bedeutungsverschlechterung, ev. Bedeutungsverengung

Kapitel 5 Frühneuhochdeutsch

1 ● (mhd./frnhd.): Diphthongierungen dîn/Dein, rîche/Reich, ûf/auff
Morphologische Änderungen: dîn nam/Dein name
Verbzweitstellung: geheiliget sô werde din nam/Dein name werde geheiligt
Auslautverhärtung rückgängig: gip/gib
komplexere Nebensätze: du wilt, ... daz wir vergeben/wie wir ... vergeben
semantische Differenzierungen: lœse uns/erlöse uns
u.a.m.

2 ● Vgl. S. 142ff.

3 ● Mögliche Antworten: Es entsteht die Möglichkeit der Massenkommunikation, dadurch steigt der Anreiz für das Individuum, lesen und schreiben zu lernen. Gedruckte sprachliche Produkte sollen aus wirtschaftlichen Gründen eine möglichst große Verbreitung erfahren, und regional begrenzte Sprachformen stehen dieser Reichweite entgegen. Die Bedeutung der Schrift nimmt stark zu.

● Vgl. S. 167ff.

● Vgl. S. 153.

Kapitel 6 Neuhochdeutsch

● GOTTSCHED war – trotz aller Ablehnung etwa in der Schweiz oder in Österreich – eine Autorität in Fragen Literatur, Ästhetik und Sprache. Er erhob das Ostmitteldeutsche endgültig zum Standard, sodass unsere heutige Schriftsprache sehr stark von dieser Dialektlandschaft geprägt ist. Außerdem erklärte er die Sprache von ausgewählten Schriftstellern als vorbildhaft und lenkte somit den Blick auf die später so genannte „Literatursprache". Vgl. S. 192ff.

● Vgl. S. 189ff.

● (frnhd./nhd.) Unser Vater jnn dem himel / Unser Vater, der du bist In dem Himmel
Dein wille geschehe / dein Wille muß geschehn!
vergib uns unsere schulde / vergib uns uns're Schuld!
erlöse uns von dem ubel / erlös' uns von dem Bösen!

● Mögliche Antworten: Insbesondere das Bildungsbürgertum des 19. Jahrhunderts wählte bestimmte Schriftsteller, v.a. GOETHE und SCHILLER, aber auch KLOPSTOCK, LESSING u.a., wegen ihrer dichterischen Leistungen auch als Vorbilder aus. Diese solcherart zu sprachlichen Autoritäten emporgehobenen Autoren konnten also sprachlich nichts falsch machen, indem abweichende Formen als „dichterische Freiheit" ausgelegt wurden und es jedem Grammatiker möglich war, seine eigenen Richtlinien aus den (meist umfangreichen) Werken jener Dichter herauszusuchen. Dementsprechend hat etwa die Sprache der Klassik, zumindest soweit wir heute wissen, keinen wirklichen Einfluss auf den täglichen Sprachgebrauch genommen.

5 ● Drei: Ostmitteldeutsch, Oberdeutsch, Schweizerdeutsch. Die niederländische Schriftsprache gehört nicht zum Deutschen. Vgl. Karte S. 194.

Kapitel 7 Von 1875 bis heute

1 ● Umgangssprachen kann man als die gesprochene Annäherung an die Standard- oder Literatursprache verstehen.

2 ● Vgl. S. 223f.

3 ● Z.B. DANIEL SANDERS, OSKAR ERDMANN, LUDWIG SÜTTERLIN, WILHELM WILMANNS. u.a. Vgl. S. 214, 225.

4 ● (ndt./hdt.) Laat/erlass, Riek/Reich, ok/auch, op/auf, dat/das

5 ● Seit 1902.

Literatur

Eine Basisbibliographie zur Deutschen Sprachgeschichte finden Sie auf der Homepage „http://homepage.univie.ac.at/ peter.ernst" im Internet.

Zitierte Werke

ADMONI, WLADIMIR (1990): Historische Syntax des Deutschen. Tübingen.

BIRKHAN, HELMUT (2002.): Geschichte der altdeutschen Literatur im Licht ausgewählter Texte. Band 1. Wien.

BOGNER, STEPHAN (1996): Periphrastische Futurformen im Frühneuhochdeutschen. 2. Aufl. Wien.

BRAUN, PETER (1998): Tendenzen in der deutschen Gegenwartssprache. Sprachvarietäten. 4. Aufl. Stuttgart, Berlin, Köln.

EGGERS, HANS (1965): Deutsche Sprachgeschichte II: Das Mittelhochdeutsche. Reinbek.

GLÜCK, HELMUT (2000) (Hg.): Metzler Lexikon Sprache. 2. Aufl. Stuttgart, Weimar

HARTWEG, FRÉDÉRIC / WEGERA, KLAUS-PETER (1989): Frühneuhochdeutsch. Eine Einführung in die deutsche Sprache des Spätmittelalters und der frühen Neuzeit. Tübingen. (bes. Kap. 5.1.4)

KELLER, RUDOLF E. (1996): Die Deutsche Sprache und ihre historische Entwicklung. Bearbeitet und übertragen aus dem Englischen, mit einem Begleitwort sowie einem Glossar versehen von KARL-HEINZ MULAGK. Hamburg: Buske.

MOSER, HANS / WELLMANN, HANS / WOLF, NORBERT RICHARD (1981). Geschichte der deutschen Sprache. Bamd 1: Althochdeutsch – Mittelhochdeutsch, von NORBERT RICHARD WOLF. Heidelberg . (UTB 1139)

OTTO, KARL. F. (1972): Die Sprachgesellschaften des 17. Jahrhunderts. Stuttgart, Weimar.

REICHMANN, OSKAR / WEGERA, KLAUS-PETER (1988) (Hg.): Kleines frühneuhochdeutsches Lesebuch. Tübingen.

SCHMIDT, WILHELM (2004): Geschichte der deutschen Sprache. Ein Lehrbuch für das germanistische Studium. Erarbeitet unter der Leitung von HELMUT LANGNER und NORBERT RICHARD WOLF. 9. Aufl. Stuttgart. (bes. Kap. 7.1.4, 7.1.6, 7.2.1)

SCHWERDT, JUDITH (2000): Die 2. Lautverschiebung. Wege zu ihrer Erforschung. Heidelberg. (bes. Kap. 1.3.1, 1.3.2)

SZULC, ALEKSANDER (1987): Historische Phonologie des Deutschen. Tübingen: Max Niemeyer. (Sprachstrukturen A, Historische Sprachstrukturen 6)

TICHY, EVA (2000): Indogermanistisches Grundwissen für Studierende sprachwissenschaftlicher Disziplinen. Bremen.

WELLS, CHRISTOPHER J. (1990): Deutsch: eine Sprachgeschichte bis 1945. Tübingen.

WOLFF, GERHART (1999): Deutsche Sprachgeschichte. 4. Aufl. Tübingen, Basel. (UTB 1581)

WIESINGER, PETER (1970): Phonetisch-phonologische Untersuchungen zur Vokalentwicklung in den deutschen Dialekten. 2 Bände. Berlin.

Internetadressen (17.7.2004)

www.diwa.info (Der Digitale WENKER-Atlas)

www.gfn.name (Gesellschaft für Namenkunde, Leipzig)

www.goethe.de (Homepage des Goethe-Instituts, darauf Linksammlung und verschiedene Fachbereiche, u.a. Sprachgeschichte)

www.linguist.de/Deutsch/gdsmain.html (Eine knappe, aber sehr gut Sprachgeschichtsdarstellung, die Hauptseite bietet eine Linksammlung mit über 1.700 Einträgen)

www.linse.uni-essen.de (Material zu fast alle Bereich der Linguistik, so auch zur Sprachgeschichte, zugleich Linksammlung)

www.sprachgeschichte.de (Die Abteilung Sprachgeschichte der HU Berlin)

Abkürzungsverzeichnis

>	wird zu			hess.	=	hessisch
<	entsteht aus			Hs.	=	Handschrift
=	entspricht			idg.	=	indogermanisch
*	=	unbelegte Rekonstruktion		Imp.	=	Imperativ
´	=	akzenttragene Silbe		Ind.	=	Indikativ
				Jh.	=	Jahrhundert
ahd.	=	althochdeutsch		klass.	=	klassisch
aind.	=	altindisch		Konj.	=	Konjunktiv
Akk.	=	Akkusativ		lat.	=	lateinisch
anord.	=	altnordisch		LV	=	Lautverschiebung
asächs.	=	altsächsisch		ma.	=	mittelalterlich
avest.	=	avestisch		mdt.	=	mitteldeutsch
bair.	=	bairisch		mhd.	=	mittelhochdeutsch
Dat.	=	Dativ		mnd.	=	mittelniederdeutsch
Diphth.	=	Diphtongierung		Monophth.	=	Monophthongierung
dt.	=	deutsch		ndt.	=	niederdeutsch
engl.	=	englisch		nhd.	=	neuhochdeutsch.
finn.	=	finnisch		Nom.	=	Nominativ
fränk.	=	fränkisch		obdt.	=	oberdeutsch
frnhd.	=	frühneuhochdeutsch		Pl.	=	Plural
Gen.	=	Genitiv		Präs.	=	Präsens
germ.	=	germanisch		Prät.	=	Präterium
geschr.	=	geschrieben		sächs.	=	sächsisch
got.	=	gotisch		Sg.	=	Singular
griech.	=	griechisch		thüring.	=	thüringisch
H.	=	Hälfte		toch.	=	tocharisch
hdt.	=	hochdeutsch		V.	=	Vers(e)
hebr.	=	hebräisch		wörtl.	=	wörtlich

Abbildungsnachweis

Abb. 1: AMMON, ULRICH (1995): Die deutsche Sprache in Deutschland, Österreich und der Schweiz. Das Problem der nationalen Varietäten. Berlin, New York.

Abb. 2: WELLS (1990).

Abb. 4: KNOOP, ULRICH / PUTSCHKE, WOLFGANG / WIEGAND, HERBERT ERNST (1982): Die Marburger Schule: Entstehung und frühe Entwicklung der Dialektgeographie. In: BESCH., WERNER / KNOOP, ULRICH / PUTSCHKE, WOLFGANG / WIEGAND, HERBERT ERNST (Hg.): Dialektologie. Ein Handbuch zur deutschen und allgemeinen Dialektforschung. 1. Halbband. Berlin, New York, S. 38-92.

Abb. 5: SCHLEICHER, AUGUST (1869): Die indogermanischen Sprachen. 2. Aufl. Stuttgart.

Abb. 6: HUTTERER, CLAUS JÜRGEN (1990): Die germanischen Sprachen. 3. Aufl. Wiesbaden.

Abb. 7: ARNTZ, HELMUT (1936) (Hg.): Germanen und Indogermanen. Volkskunde, Sprache, Heimat, Kult. Festschrift für Hermann Hirt. Bd. 1. Heidelberg.

Abb. 8: TICHY (2000).

Abb. 9: Spektrum der Wissenschaft 4/2001.

Abb. 11: Universitätsbibliothek Uppsala.

Abb. 12: Fundort Rannersdorf in Niederösterreich. Museum für Frühgeschichte Traismauer, Katalog. Hg. vom Amt der Niederösterreichischen Landesregierung, Redaktion HELMUT WINDL. Wien 1990.

Abb. 13: MOSER, HUGO (1969): Deutsche Sprachgeschichte. Mit einer Einführung in die Fragen der Sprachbetrachtung. 6. Aufl. Tübingen.

Abb. 15: LERCHNER, GOTTHARD (2001): Geschichte der deutschen Sprache. In: FLEISCHER, WOLFGANG / HELBIG, GERHARD / LERCHNER, GOTTHARD (Hg.): Kleine Enzyklopädie Deutsche Sprache. Frankfurt am Main, S. 512-647, nach RAMAT (1981).

Abb. 17: AMENT, HERMANN u.a. (2003): Frühe Völker Europas. Thraker, Illyrer, Kelten, Germanen, Etrusker, Italiker, Griechen. Stuttgart.

Abb. 18: KROGMANN, WILLY (†) (1978): Die Kultur der alten Germanen. Teil I: Die materiellen Voraussetzungen. Wiesbaden.

Abb. 19: DÜWEL, KLAUS (2001): Runenkunde. 3. Aufl. Stuttgart, Weimar.

Abb. 22: FLEISCHER, WOLFGANG u.a. (1983) (Hg.): Kleine Enzyklopädie Die deutsche Sprache. Leipzig.

Abb. 23: SONDEREGGER (1987).

Abb. 24: KROGMANN (1978).

Abb. 25: SONDEREGGER (1987).

Abb. 26: Nach WERNER BAUER.

Abb. 28: TSCHIRCH, FRITZ (1989): Geschichte der deutschen Sprache. Bd. 2: Entwicklung und Wandlungen der deutschen Sprachgestalt vom Hochmittelalter bis zur Gegenwart. 3. Aufl., bearb. von WERNER BESCH. Berlin.

Abb. 29: MOSER (1969).

Abb. 30: WEINHOLD, KARL (1980): Kleine Mittelhochdeutsche Grammatik. 17. verbesserte Aufl., fortgeführt von GUSTAV EHRISMANN, neu bearb. von HUGO MOSER. Wien.

Abb. 31: Neidhart-Fresken um 1400. Die ältesten profanen Wandmalereien Wiens. Wien o.J.

Abb. 33: SCHMIDT (2004).

Abb. 34: nach MOSER (1969) aus WEINHOLD (1980).

Abb. 36: P. M. Perspektive 1/2004.

Abb. 37: SCHILDT, JOACHIM (1991): Kurze Geschichte der deutschen Sprache. Berlin.

Abb. 38: ROLF SCHNEIDER (1999): Vor 1000 Jahren. Alltag im Mittelalter. Augsburg.

Abb. 39: PENZL, HERBERT (1984): Frühneuhochdeutsch. Bern, Frankfurt am Main, New York.

Abb. 41: FLEISCHER (1983).

Abb. 43: Gutenberg Museum Mainz. Braunschweig 1980.

Abb. 44: MOSER (1969).

Abb. 45: BOTT, GERHARD (1982) (Hg.): Martin Luther und die Reformation in Deutschland. Ausstellung zum 500. Geburtstag Martin Luthers. Veranstaltet vom Germanischen Nationalmuseum Nürnberg in Zusammenarbeit mit dem Verein für Reformationsgeschichte. Frankfurt am Main.

Abbildungsnachweis

Abb. 46: TSCHIRCH (1989)

Abb. 47: Die Luther-Bibel von 1534 (2002). Vollständiger Nachdruck. Köln. u.a.

Abb. 48: WELLS (1990).

Abb. 49: Sprache im Wandel: Sprachkritik und Sprachgeschichte (2003). Hg. von DIETRICH ERLACH und BERND SCHURF. Erarbeitet von LISA BÖCKER und GERD BRENNER. Berlin.

Abb. 50: SEIPEL, WILFRIED (2003) (Hg.): Der Turmbau zu Babel. Ursprung und Vielfalt von Sprache und Schrift. Eine Ausstellung des Kunsthistorischen Museums Wien für die Europäische Kulturhauptstadt Graz 2003. Schloß Eggenberg, Graz, 5. April bis 5. Oktober 2003. Band 2. Wien, Milano.

Abb. 51: BESCH, WERNER / REICHMANN, OSKAR / SONDEREGGER, STEFAN (1984) (Hg.): Sprachgeschichte. Ein Handbuch zur Geschichte der deutschen Sprache und ihrer Erforschung. 2. Halbband. Berlin, New York.

Abb. 52: LEONHARD SCHORER (1744): Johann Christoph Gottsched. Universität Leipzig, Kunstsammlung.

Abb. 53, 54: MOSER (1969).

Abb. 55: Blauer Salon im Bürglassschlösschen in Coburg, 1832, aus: DÖBLER, HANNSFERDINAND (o. J.): Kultur- und Sittengeschichte der Welt. Stadt, Technik, Verkehr. Gütersloh u.a.

Abb. 56, 57: BRUFORD, WALTER HORACE (1965): Deutsche Kultur der Goethezeit. Konstanz.

Abb. 58: KÖNIG (1998).

Abb. 59: Essenszeit. Vor den Toren der Fabrik machen die Arbeiterinnen Pause. Gemälde von EYRE CROWE, 1874, aus DÖBLER (o.J.).

Abb. 61: SCHEURINGER, HERMANN (1996): Geschichte der deutschen Rechtschreibung. Ein Überblick. Mit einer Einführung zur Neuregelung ab 1998. Wien.

Abb. 62, 63: DIRLMEIER, ULF u.a. (1999).

Abb. 64: BRAUN (1998).

Tabelle S. 15: LÖFFLER, HEINRICH (2003): Dialektologie. Eine Einführung. Tübingen.

Stichwortverzeichnis

Stichwortverzeichnis

Stichwortverzeichnis

Stichwortverzeichnis

Stichwortverzeichnis

Stichwortverzeichnis

Stichwortverzeichnis